REALITY

815047

Waldtraut Lewin

Paulas Katze

Ein Haus in Berlin · 1935

Waldtraut Lewin

Waldtraut Lewin, geboren 1937 in Wernigerode, schlägt nach dem Studium von Germanistik, Theaterwissenschaft und Latein in Berlin zunächst eine Laufbahn als Musikdramaturgin, Opernregisseurin und Übersetzerin von Händelopern ein, ehe sie sich dem Schreiben zuwendet. Ihre besondere Zuneigung gilt von Beginn an historischen Stoffen. Das erste Buch in diesem Umfeld erscheint 1972 und wird auf Anhieb ein großer Erfolg. Fortan publiziert Waldtraut Lewin in kurzer Folge weitere Titel, auch Reiseberichte, Hörspiele und Kinderliteratur.
Mehrfach mit bedeutenden Preisen bedacht (u. a. Lion-Feuchtwanger-Preis, Nationalpreis der DDR), gehören die historischen Romane der Autorin zu den besten des Genres im deutschen Sprachraum.

Von Waldtraut Lewin sind in den Ravensburger Taschenbüchern außerdem erschienen:

RTB 58061
Alles für Caesar

RTB 58100
Jenseits des Meeres –
Die Freiheit

RTB 58145
Insel der Hoffnung

RTB 58156
Luise, Hinterhof Nord
Ein Haus in Berlin 1890

Paulas Katze

Ein Haus in Berlin · 1935

RAVENSBURGER BUCHVERLAG

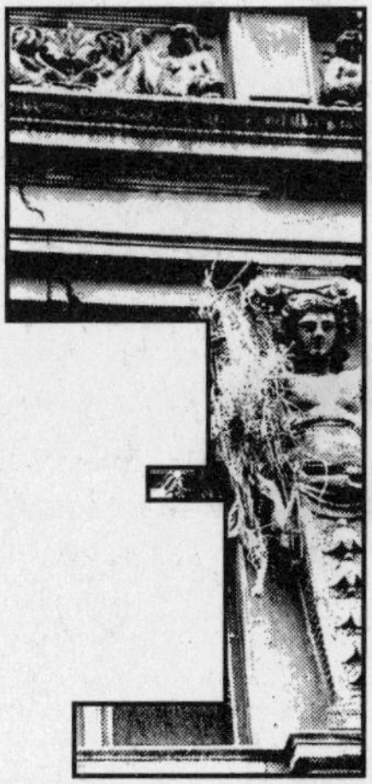

Als Ravensburger Taschenbuch
Band 58171,
erschienen 2002

Die Erstausgabe erschien 1999
in der Ravensburger Jungen Reihe
im Ravensburger Buchverlag

Umschlaggestaltung:
Anja Langenbacher unter Verwendung
eines veränderten Fotos aus dem
Bundesarchiv Koblenz

RTB-Reihenkonzeption:
Heinrich Paravicini, Jens Schmidt

Printed in Germany

**Die Schreibweise entspricht den
Regeln der neuen Rechtschreibung.**

5 4 3 2 1 06 05 04 03 02

ISBN 3-473-58171-2

www.ravensburger.de

815047

REALITY

1935

Erster Teil

Das Gesetz

1

»Sander, du bleibst!«

Nein, tu ich nicht. Hab meine Tasche gegriffen, noch vor dem Aufstehen und dem Heil-Hitler-Gruß und bin schon an der Tür, aber Friederike Baretti heißt nicht umsonst »die Kreuzspinne«. Sie schießt von ihrem Katheder vor wie aus der Ecke eines Netzes auf die Fliege und hat mich am Handgelenk, und die Klasse grölt, während sie mich auf meinen Platz zurückbringt. Ich lasse mich nicht gern anfassen und muss mir Mühe geben, mich nicht mit einem Ruck freizumachen.

Grüßen mit stramm nach vorn ausgereckter Hand und zusammengepressten Hacken. Friederike Barettis dunkle Augen lassen mich nicht los. Sie ist klein, noch einen halben Kopf kleiner als ich, aber selbst die großen dicken Weibsbilder dieser Klasse wie Hannelore Blaschke oder die blondzopfige Ulla Becker zittern vor ihr.

»Wegtreten bis auf Sander!«

Ich presse die Fingernägel in die Handballen. Nein! Nicht! Ich muss fort! Dies Zittern in mir. Ich muss zu Paula.

Die Baretti ist direkt vor mir. Setzt sich auf meinen Tisch. Ich rieche ihre Seife, starre auf das Muster ihres Kleids. Was will sie? Bin ich die Fliege in ihrem Netz? Ich atme schwer.

Endlich redet sie, mit dieser gefürchteten Stimme, die so seidenweich und so stahlhart sein kann. Jetzt ist sie nur klar und durchdringend.

»Wir Deutschen haben heute auf dem *Reichsparteitag der Freiheit* ein wichtiges Gesetz bekommen, ein Gesetz, das deutsches Blut und deutsche Ehre schützen wird, und ich war stolz, es der Klasse vorstellen zu können. Ich hatte aber den Eindruck, dass du, Katharina Sander, sehr wenig bei der Sache warst.«

Sie macht eine Pause.

Nicht bei der Sache? Kein Mensch konnte mehr bei der Sache sein als ich. Nur dass meine Gefühle nicht Genugtuung waren über das, was ich zu hören bekam, sondern Entsetzen. Will sie mich verhöhnen? Sie weiß doch sehr genau, dass Paula Glücksmann, meine Tante, Halbjüdin ist. Schließlich hat sie ja mit ihr in diesem Kollegium gearbeitet, bis sich Paula ans jüdische Gymnasium versetzen lassen musste, weil der Schule eine Nichtarierin als Zeichenlehrerin nicht mehr »zuzumuten« war.

Ich sehe sie an, und ihre dunklen Augen sind ohne zu blinzeln auf mich gerichtet.

»Darf ich jetzt gehen?«

Sie scheint nach draußen zu horchen. Nimmt das Gesetzblatt vom Katheder, hält es mir hin.

»Ich möchte dir das mitgeben und erwarte, dass du dich intensiv damit beschäftigst. Intensiv, hörst du?«

Ich antworte nicht. Will nur weg. Sie soll mich in Ruhe lassen.

»Sander«, sagt sie. »Ein bisschen Anpassungswille. Ein bisschen weniger Trotz. Du schadest nur dir selbst.« Sie geht zum Fenster, öffnet es, horcht wieder. Auf einmal wird mir klar: Sie will mit ihrem Manöver verhindern, dass ich mich mit den anderen anlege – oder die mit mir. Bloß warum? Es kann ihr doch eigentlich gleichgültig sein, mit wem ich mich raufe.

»So«, sagt sie und macht den Fensterknebel wieder zu. »Das wär's. Du kannst jetzt gehen.« Fügt halblaut hinzu: »Grüß deine Tante. Es tut mir Leid.«

Mit zitternden Fingern stopfe ich das unselige Gesetzblatt in meine abgeschabte Tasche.

Es tut ihr Leid, der Kreuzspinne? Was tut ihr Leid? Dass ich eine nichtarische Tante habe? Oder dass sie es nun per Gesetz festgeschrieben haben: Juden sind Menschen zweiter Klasse? Ich haste den Gang hinunter, verlasse das Schulgebäude. Alles ist still. Die Baretti hat Recht. Die Luft ist rein.

Und plötzlich fange ich an zu rennen, wie ich als Kind gerannt bin. –

Niemand konnte so schnell rennen wie ich. Manchmal hab ich gedacht, dass ich eigentlich auch fliegen könnte, wenn ich nur einen Schritt zulegen würde. Keine Mauer war mir zu hoch, kein Baum zu schwierig. Es lag hauptsächlich daran, dass ich ständig weglaufen musste. Weglaufen vor dem Gegröl der anderen Kinder und ihren Sprüchen wie »Lumpenmüllers Lieschen – rot wie ein Radieschen« oder »Rote Haare, Sommersprossen sind des Teufels Volksgenossen«. Und natürlich weglaufen vor mir selbst und vor meinen Ängsten. Inzwischen habe ich gelernt, standzuhalten. Aber weil ich nicht zu fangen war, nannten sie mich *»die Katze«*.

Nun rennt die Katze wieder, als wenn sie noch einmal das Mädchen von damals wäre. Rennt, rennt, rennt. Rennt zu Paula.

Als ich in unsere Straße einbiege, erhitzt bereits, mit einem leichten Seitenstechen und dem herrlichen Gefühl, dass mich niemand einholen kann, höre ich sie rumbrüllen. Es ist ein anderes Gebrüll als das, was mich und meinen rothaarigen, sommersprossigen, zerlumpten und neuerdings auch bebrillten Weg verfolgt. Aber dies Gebrüll kenne ich auch. Vor allem, da es begleitet wird vom Aufschlagen von Stein auf Holz und Metall. Steine fliegen gegen Türen und Jalousien. Damals, vor zwei Jahren im Frühling, kam noch das Scheppern und Klirren von Glas dazu. Inzwischen sind die Betroffenen klüger geworden und verbarrikadieren sich in ihren Wohnungen und Geschäften.

Ich muss stehen bleiben.

Hole mühsam Luft. Mein Herz klopft wild. Ja, ich habe Angst. Unauslöschliche Angst, wie damals, als ich an der Hand von Paula durch die dämmrigen Straßen ging, unendlich glücklich, mit ihr zusammen zu sein, und meine kalte Hand in der ihren, und beide in ihrer warmen Manteltasche. Unvergesslich diese Stimmung. Unsere Zweisamkeit, unsere friedliche Stille, und dann der Einbruch des Bedrohlichen. Leute, die anders gehen als die normalen Passanten, die irgendwie ein Ziel haben, ein gemeinsames Ziel. Die Fahnen mit dem Hakenkreuz. Die braunen Uniformen. Die Inschriften an den Wänden. *Kauft nicht beim Juden! Juden sind Volksschädlinge!* Und wir sind unterwegs, um Paulas Vater abzuholen vom Geschäft. Bertram Glücksmann. Betram Glücksmann ist Jude.

Paulas Zittern, ihre Stimme. »Die Völkischen. Diese Mörder.« Und ihre Angst, die sich auf mich überträgt wie eine ansteckende Krankheit.

Ein Mann wird aus einem Haus gezerrt und aufs Pflaster geknallt. Es ist nicht Bertram. Zum Glück. Sie schließen den Kreis um ihn. Wir laufen fort.

Damals war ich noch ein Kind. Aber die Bilder, die Laute, sie sind unvergesslich. Und da stehe ich, die Katze, die vor nichts mehr davonläuft, und überlege, wie ich vielleicht einen Umweg nehmen kann, so, dass ich nicht an dem Haus vorbei muss, wo die Löwenbergs wohnen.

Damals war das noch der Mob. Und das war beruhigend – auch wenn kein Polizist kam, um zu helfen. Jetzt hat der Mob ein Gesetz hinter sich und ist das Volk.

Meine Zähne schlagen aufeinander.

Während ich da noch an der Ecke stehe, zögernd, feige, trifft mich eine Stimme: »Katze. Ich trau mich nicht nach Haus.«

In eine Toreinfahrt gedrückt, steht sie leibhaftig da, Elise Löwenberg, einstige Spielgefährtin und Klassenkameradin, bevor sie aufs Jüdische Lyzeum kam. Elise, die Hochmütige; Elise, die Reiche. Und traut sich nicht nach Haus. Verständlich, bei dem, was man hört da um die Ecke.

»Habt ihr keinen Hofeingang? Kannst du nicht irgendwo durchschlüpfen?«, frage ich hastig und fühle mich gar nicht zum Heldentum aufgelegt.

Elise schüttelt den Kopf, und ihre großen, brennenden Augen sind ohne zu blinzeln auf mich gerichtet, als erwarte sie etwas von mir. Wieso eigentlich? Nicht, dass wir so dicke Freundinnen gewesen wären. Nie durfte ich sie besuchen. Lumpenmüllers Lieschen.

Und ich hab keine Zeit. Ich muss zu Paula!

Das Geschepper hat aufgehört. Dafür fängt Elise jetzt an

zu weinen. Sie schluchzt wie ein kleines Kind. »Ich will zu meiner Mutter«, sagt sie leise, und die Tropfen rinnen ihr an der Nase entlang. Elise, die Stolze.

»Ich guck mal um die Ecke«, sage ich.

Schiebe meine Tasche unter den Arm und atme tief durch. Schließlich hast du Kampferfahrung, Katze, im Gegensatz zu Fräulein Löwenberg.

Das Stein-Bombardement hat aufgehört. Offenbar wurde die Munition erfolglos verschossen, Löwenbergs haben die Jalousien mit Stahl verstärken lassen. Weitsichtige Leute. Vor dem Haus stehen keine Erwachsenen, sondern nur ein Trüppchen Kinder aus der Gegend, ich kenne sie alle. Mit denen werde ich fertig. Die Blaschke aus meiner Klasse ist der schwerste Fall. Die Bengel von Neussel. Die sind kleiner als ich. Und Horst Grettenbach vom Quergebäude, der stottert und von seinem Vater immer so verdroschen wird, dass man ihn bis auf die Straße schreien hört. Die vier haben sich einen Spaß gemacht. Jetzt rufen sie im Chor: »Deutschland erwache! Juda verrecke!«

Wenn man schon keinen Mut für sich selbst hat – für andere findet man ihn dann wieder.

»Komm«, sage ich entschlossen zu Elise. »Ich bring dich nach Haus. Hast du deine Schlüssel parat?«

Elise nickt und fummelt mit zittrigen Händen an ihrer Jackentasche. Zittrig bin ich auch. Trotzdem. Ich recke das Kinn vor und gehe los. Sie folgt mir wie ein Schatten.

Als sie uns beide sehen, bricht der Sprechchor erst einmal

ab. Verblüffung. Dann sagt Horst: »Jetzt hat die Ju-judensau sich die L-l-lumpenkatze m-mitgebracht.« Das Gegröl setzt wieder ein. Aber noch greift uns keiner an.

Ich gehe dicht an der Wand entlang, mit Elise im Schlepptau. Bin schon fast an der Tür, als Blaschke einen Vorstoß unternimmt. Jetzt. Sie schiebt sich zwischen mich und Elise, stemmt den Arm an die Mauer, versetzt mir einen Stoß mit der Hüfte. »Na, Judenschickse, haste nich 'n bisschen zu viel Glitzerkram an dir?«

Das bezieht sich auf die Perlenkette, die Elise am Hals trägt. Für den Bruchteil einer Sekunde denke ich, dass ich in ihrer Situation jetzt vielleicht besser nicht mit Perlenketten rumlaufen würde. Aber wahrscheinlich kommt jemand wie das Löwenberg-Mädchen gar nicht auf so eine Idee. Die Kette gehört zur Kleidung. Fertig.

Meine Angst ist weg, wie immer, wenn es zur Sache geht. In mir ist nur noch Wut. Mit einem Seitenblick konstatiere ich, dass sich die Jungen raushalten werden aus der Weiberrauferei. Gut so. Die Blaschke ist ein Mordstrumm, aber sie müsste wissen, dass das im Streit mit mir kein Vorteil ist. Außerdem tut sie etwas sehr Leichtsinniges: Sie dreht mir den Rücken zu.

»Lass sie in Ruhe!«, sage ich, während sie die Hand nach der Kette ausstreckt und Elise ängstlich zurückweicht. Noch während sie zugreift, lasse ich meine Tasche fallen, renne Blaschke meinen Kopf wie einen Rammbock in den Rücken und reiße gleichzeitig mit beiden Händen ihren Kopf an den Haaren zurück. *Deutsche Mädchen tragen Zöpfe.* Sehr praktisch. Blaschke brüllt los, und zugleich kreischt Elise schrill auf, denn die Gegnerin hat nicht losgelassen. Die Kette ist gerissen, die Perlen rollen über die Straße auf den Gully zu.

»Schnell ins Haus!«, rufe ich, während ich das große

Mädchen im Klammergriff halte, und sehe aus den Augenwinkeln, dass Elise wie gebannt auf ihre davonkullernden Perlen guckt. »Vergiss jetzt die verdammte Kette! Und lauf!«

»Es sind echte!«

»Zum Teufel mit den echten!«

Endlich ist sie an der Haustür. Ich habe meine Probleme mit der großen Blaschke, die sich in meinem Griff windet und versucht, mich abzuschütteln, hänge an ihr dran wie ein Hündchen an der Wildsau, und in die Bengel ist Bewegung gekommen – natürlich auf die Perlen zu.

Jetzt könnte ich einfach loslassen und die Beine in die Hand nehmen. Bin allemal schneller als die. Noch dazu, wenn sie jetzt mit dieser »Beute« beschäftigt sind. Aber alles in mir sträubt sich dagegen. Empörend, wie die mit diesem fremden Schmuckstück umgehen! Blaschke hat immer noch die beiden Enden des zerrissenen und halb abgespulten Bands in der Hand, und die Jungen rutschen auf den Knien, als wenn sie Erbsen verlesen würden.

»Ihr werdet das zurückgeben«, sage ich, und lasse Blaschkes Zöpfe los. Sage es ganz ruhig. Sie sieht mich an, ihre kleinen Augen sind randvoll mit Hass. »Das ist deutsches Volksvermögen! Haben uns diese Judenschweine geklaut! Das gehört uns!« Dumme Sprüche.

»So seht ihr aus!«

Vor mir krabbelt Horst Grettenbach, und ich kann nicht anders. Trete ihm mit voller Wucht auf die Hand. Sehe einfach rot. All meine Wut, mein Schmerz über die »Gesetze«, die sie heute erlassen haben, ist gleichsam in meinem Absatz. Statt wegzurennen …

Und nun sind sie über mir, natürlich. Die Blaschke haut auf mich ein, was ziemlich wehtut. Grettenbach hat mir von unten die Beine weggezogen, ich hocke am Boden und die kleinen Neussels dreschen und treten ziellos, wie's gerade kommt. Eine klassische Prügelei wie aus den Kindertagen. Ich halte mir die Arme vors Gesicht, damit meiner Brille nichts passiert. Was machst du bloß, Katze?, frage ich mich mit einer dumpfen Verblüffung. Ich muss verrückt sein. Lasse mich wegen der Löwenberg und ihrer Perlenkette verhauen.

Und dann ist da eine fremde Stimme.

Ich verstehe nicht, was sie sagt. Bin viel zu sehr in Rage. Es ist der Ton. Hell, energisch, schwingend. Ein komisches Wort fällt mir ein: befehlsgewohnt. Aber es ist nicht das Kasernenhofgebrüll der völkischen Jugendbewegung. Es ist wie ein schönes Instrument, das etwas in mir mitschwingen lässt.

Neussels werden von mir weggezogen, und nun, als ich Luft habe, kann ich Grettenbach mit einem energischen Aufwärtsruck meines Kopfes außer Gefecht setzen.

»Zu viert auf ein Mädchen!«, höre ich die Stimme, aber sonst verstehe ich nichts. In meinem Kopf saust es, und ich spüre mit Entsetzen, wie das Zittern in mir hochsteigt. Nicht schreien!, befehle ich mir. Wieder presse ich die Nägel in meine Handflächen. Die Geräusche sind ganz fern auf einmal, wie durch Watte. Ruhig, Katze! Nicht hier und nicht jetzt! Vor meinen Augen kreist alles.

Dann sehe ich, dass mir jemand etwas hinhält. Meine Schultasche. Ich greife mit beiden Händen zu, halte mich fest an dem abgewetzten Lederriemen, und vor mir taucht das Gesicht auf. Ein neues Gesicht zu einer neuen Stimme. Schmal, bräunlich unter einem braunen Haarschopf. Forschende Augen auf mich gerichtet. »Ist alles in Ordnung?« Sehr sanft. Mein »Retter« – Ich muss schlucken.

»Nichts ist in Ordnung«, sage ich heftig. »Das sind Räuber. Die Kette gehört einem Mädchen, das …«

»Ich kümmere mich nachher darum«, unterbricht er mich. »Jetzt bringe ich dich erst einmal nach Haus.«

Die Straße gewinnt wieder Konturen. Die kleinen Neussels haben sich schon verzogen, Grettenbach steht und hält seinen Magen, in den ich meinen Kopf gerammt habe, und Blaschke marschiert schwadronierend ab und droht mit ihrem Vater. Der ist Naziblockwart.

»Kümmere dich um deine eigenen Sachen«, sage ich in das schmale Gesicht, in die fremde Stimme, in die Augen (warmes Braun) gerade hinein. »Ich komme schon klar.«

Wenn er hört, dass ich die Sander vom Hinterhof bin, die Enkelin von der Lumpenhändlerin, ist es sowieso aus mit der Nachhausbringerei.

Er schlägt die Hacken zusammen. »Mein Name ist Gerolf Ginzel und ich –«

Mehr kriege ich nicht mit. Ich habe meine Tasche an mich gedrückt und renne davon, gejagt, fliegend, so schnell ist keine und keiner hier, bloß weg. Weg von dieser Stimme und diesen Augen. Zu Paula. Nun endlich zu Paula.

Vor unserer Toreinfahrt steht ein Möbelwagen. Ich registriere es im Vorbeirennen, erstaunt. Bei uns ist doch niemand ausgezogen. Durchquere den Durchgang und den ersten Hinterhof. Großmutters Laden ist geschlossen, wie ich es erwartet habe. Unter dem verwitterten Schild ALTKLEIDER AN- UND VERKAUF AGNES SANDER & CO. hängt ein zweites, krakelig handgeschriebenes *Heute geschlossen*. Die Rollos im Wohnzimmer in der ersten Etage sind auch runter. Fast so dicht gemacht wie bei Löwenbergs. Großmutter feiert mal wieder blauen Montag und ihr Co. gleich mit. Die Sonntagsflasche muss ausgeschlafen werden!

Ich nehme den Schlüssel ab, den ich immer noch wie zu Kinderzeiten am Band um den Hals trage, öffne die Ladentür und werfe hastig meine Tasche rein. Der muffige Geruch nach Ratten und gebrauchten Kleidern und feuchten Wänden ... Mein Zuhause.

Auf dem Hof ist alles ruhig. Auch niemand an den Fenstern. Ich husche rüber zum Quergebäude und die fünf Treppen hoch zu Paulas Atelier, immer zwei Stufen auf einmal. Wie von einer Sehne geschnellt. Atemlos.

Das Atelier ist offen. Aber Paula ist nicht da.

Nur Mohr, der Kater mit den gelben Augen, kommt mir entgegen und macht einen Buckel an meinen Beinen. Ich streichele ihn abwesend. Das ist nicht gut, dass Paula heute nicht hier in ihrer Klause geblieben ist! Gar nicht gut. Ich sehe mich im Raum um. In Mohrs Napf ist noch die frische Milch vom Morgen. Paulas Malerkittel hängt überm Stuhl und die Pinsel liegen unausgewaschen neben der bestückten Palette. Die Farbe trocknet an. Das ist überhaupt nicht ihre Art.

Ich tauche die Pinsel in Terpentin und beginne sie zu säubern. Vielleicht kann ich so meine Ängste vergessen.

Mein Blick fällt auf das große Bild, an dem sie gerade ist. Sie ist seit gestern ein großes Stück weitergekommen. Vielleicht hat sie die Nacht über gearbeitet und ist nun schlafen gegangen? Aber das ist absurd, und ich weiß es. Paula ist vormittags immer im Atelier, wenn sie keinen Unterricht gibt.

Ich liebe das Bild sehr. Es ist geheimnisvoll und sehr, sehr ungewöhnlich. Paula hatte angekündigt, dass sie Mohr, den Kater, malen wollte, und er sitzt ja auch im Mittelpunkt der Leinwand und starrt dem Betrachter gerade ins Gesicht mit seinen gelben Augen. Allerdings sind an diesen Augen lange Wimpern. Es sind eindeutig Menschenaugen. Mohr trägt eine Kette um den Hals mit einem orangeroten Stern. Der Stern ist sechseckig. Dahinter ist eine Landschaft, wie man sie manchmal in Träumen sieht: Straßen, die im Nichts enden, Brücken, die überm Abgrund abbrechen, eine Treppe, die zu einer Guillotine führt, eine Glaskugel im Schatten, in der ein winziges Kind sitzt. Ich weiß nicht wieso, aber irgendwie habe ich das Gefühl, es hat etwas mit mir zu tun. Paulas Bilder bedeuten meistens mehr als das, was man auf den ersten Blick wahrnimmt. Eine Katze, die vielleicht ein Mensch ist ... Ich bin die Katze. Aber ich bin auch das Kind ... Sehr verwirrend.

Auf dem Tisch daneben liegen meine Arbeiten, die mir Paula aufgegeben hatte. Meine Versuche. Linkisch gegen Paulas Bilder. Eine Blume nach der Natur. Das Kirchenportal von St. Marien. Die Akazie vom Platz um die Ecke. Auf die Akazie bin ich stolz, die ist wirklich gut geworden.

Es ist unheimlich still hier. Sonst hat Paula bei der Arbeit meist ihr Radio laufen – keinen so genannten *Volksemp-*

fänger, sondern einen ziemlich kleinen, aber sehr leistungsstarken Apparat, der auch weit entfernte Sender heranholt.

Sie hört gern Musik beim Malen, Klassik oder das, was sie heute *Niggermusik* nennen und wonach man die fremden Sender absuchen muss – Jazz oder Swing. Und nun sehe ich, dass das Radio angestellt ist, denn das grüne magische Auge leuchtet, aber der Lautstärkeknopf ist ganz zurückgedreht. Ich mache laut, aber statt New Orleans dröhnt mir Marschmusik in die Ohren.

Jetzt beginne ich mir zusammenzureimen, was passiert sein muss. Seh es direkt vor mir.

Paula war beim Malen. Dann hat sie, den Pinsel quer im Mund, an den Knöpfen des Radios gedreht, um einen Sender zu finden, der ihr gefiel. Und dann ist sie auf die Meldungen gestoßen. Auf das, was sie uns heute in der Schule auch erzählt haben. Auf das, weswegen ich mich geprügelt habe. Die neuen Gesetze, die mir die Baretti in die Hand gedrückt hat. Mit einem Gruß an Paula!

Ich merke, dass meine Fingerspitzen kalt werden und mein Zahnfleisch anfängt zu kribbeln. Nicht jetzt!, befehle ich mir wieder. Vielleicht ist sie in Gefahr. Vielleicht muss ich sie suchen, ihr helfen.

Meine Hände sind jetzt bereits eiskalt. Ruhig atmen, nicht in was reinsteigern, rede ich mir selbst zu. Aber ich hab gut reden. Wenn es mich packt, bin ich verloren. Diese Anfälle hab ich, seit ich klein war und allein bleiben musste in dem dunklen Lumpenkeller mit den Ratten. Da gibt's nur zwei Möglichkeiten. Die eine ist schreien, und die andere ist rennen, wegrennen. Aber wohin soll ich denn rennen hier in Paulas Atelier, außer zu Paula?

Ich bin schon mitten im Schreien, als die Tür auffliegt und Paula auf mich losstürzt, außer Atem, und meinen Kopf packt und an sich presst.

Ich merke, wie ich zittere, mein Kopf in Paulas Halsgrube, mein Körper an ihrem Kleid aus grobem, hartem Stoff, und kann immer noch nicht aufhören, bis sie sagt, mit ihrer wilden, lauten Stimme: »Hör auf zu schreien, Katze! Hör auf, sonst schrei ich mit!« Und nun muss ich nur noch schluchzen, hier bei ihr, an dem einzigen Ort, von wo man nie wieder aufbrechen möchte.

Sie fasst meinen Kopf noch fester, schiebt mich von sich weg und murmelt: »Gib deine Brille her. Ich putze sie.« Und währenddessen nimmt sie mir das kleine Nickelgestell mit den runden Gläsern bereits ab, haucht drauf und reibt es mit einem der Seidenpapiere, die bei ihrem Malbedarf liegen.

Paula trägt eine ganz ähnliche Brille. Ja, und ohne Paula würde ich immer noch die Augen zukneifen, wenn ich in der Schule erkennen will, was an der Tafel steht, und der Blaschke glatt in die Arme laufen, sofern sie nicht fünf Meter vor mir steht.

Ich bin kurzsichtig, wie Paula. Aber vor ihr hat das niemand entdeckt. Als sie mir die Brille machen ließ, wollte ich natürlich so eine wie sie. Auch die Haare habe ich mir so kurz schneiden lassen, wie sie sie trägt. Bubikopf, die Ohrzipfel gucken vor. Sie haben mich drangsaliert deswegen, aber das bin ich gewohnt.

»Paula, wo warst du?«, frage ich, und noch immer hab ich meine Stimme nicht in der Gewalt. »Ich hatte solche Angst.«

»Lass mal einen Moment«, sagt sie.

Sie schiebt mir die Brille wieder auf die Nase und geht im Atelier auf und ab. Mohr hat sich auf das Fensterbrett verzogen und guckt zu. Paulas Blick fällt auf meine ausgebreiteten Zeichnungen und sie bleibt stehen und nimmt das Blatt mit der Akazie in die Hand. »Gut gemacht, Katze«, sagt sie und legt es zurück. »Die Schraffierung da oben rechts scheint mir ein bisschen willkürlich. Aber trotzdem.«

Sie nimmt ihren Gang wieder auf.

Ich warte.

»Gelobt seien die Gesetze!«, sagt sie, und ihre Stimme ist noch greller und rauer als sonst. »Nun weiß ich doch endlich, was ich definitiv bin. Ein Mischling. Als Kind einer Ehe zwischen einem Juden und einer richtigen Arierin. Und nicht in jüdischem Glauben erzogen. Da bin ich also ein Mischling. Und wie wunderbar, dass mein Vater zumindest Frontkämpfer war, mit dem Eisernen Kreuz Erster Klasse dekoriert. Da war er ein so genannter Privilegierter.«

Jetzt hantiert sie mit der eigenen Brille herum wie vorhin mit meiner, rückt sie hoch auf die Stirn, fährt sich mit den Händen über die Augen. »Lieb, dass du die Pinsel ausgespült hast«, sagt sie. Sie lässt sich auf den Malstuhl fallen – er steht abseits, sie malt fast immer im Stehen.

»Ich komme aus der Charité«, sagt sie plötzlich ganz ruhig. »Es war ungemein freundlich, dass sie ihn aufgenommen haben, obwohl er ja kein Arier ist. Es hat bloß nichts mehr genützt. Er ist tot. Dein Großonkel Bertram. Mein Vater ist tot.«

»Was?«, sage ich und merke, dass meine Fingerspitzen schon wieder taub werden, aber sie hält gleich scharf dagegen: »Keine Panik, Katze! Wenn überhaupt jemand, dann bin ich jetzt damit dran!«

»Haben sie ... Haben sie ihm was getan?«

Wieder sind sie da, die grässlichen Bilder von vor zwei Jahren. Den alten Mann, den sie auf das Pflaster klatschten wie ein Tier, das man totmachen will. Die Schreie.

Sie schüttelt den Kopf.

»Eigentlich war gar nichts. Aber du weißt ja, sein Herz verträgt nicht mehr viel seit dem Krieg und dem Stromstoß, den er an der Front abgekriegt hat bei seinen Drähten da. Und als ich dieses Zeug im Radio gehört habe, bin ich gleich runter in die Wohnung, um nachzusehen, ob der Vater da ist. Aber Bertram war natürlich wieder ins Geschäft gegangen.«

Sie legt die Hand über die Augen.

»Was mich das an Schlaf gekostet hat, dass er immer und immer da war in diesem *arischen* Geschäft, das er Mutter überschrieben hatte! RADIO- UND BASTLERBEDARF LUISE GLÜCKSMANN; GEB. SANDER, und Luise stand hinterm Ladentisch ohne eine Ahnung vom Metier, und er saß in der Hinterstube und gab den alten Kunden Ratschläge und Informationen. Statt es endlich zu vergessen! Endlich zu Haus zu bleiben!«

Ihre Augen sind jetzt auf das Bild gerichtet. Sie steht auf und nimmt ohne hinzusehn ihren Malerkittel, kriecht in die Ärmel.

»Es galt überhaupt nicht ihm«, sagt sie mit ihrer harten Stimme. »Als ich in den Laden kam, zogen draußen ein paar Völkische vorbei und blökten nur mal ein bisschen *Deutschland erwache, Juda verrecke*. Und schon tat er ihnen den Gefallen. Muss es wohl für eine Gebrauchsanweisung gehalten haben.«

»Paula!«

Sie zuckt die Achseln. »Das Herz, Katze. Sein Herz konnte sich einfach nicht daran gewöhnen, dass sie vor zwei Jahren angefangen haben, ihn als einen Untermenschen anzusehen. Vorher hatte er ja noch nicht mal so richtig gewusst, was das ist, ein Jude sein. Es hat ihn gar nicht interessiert. Die in der Charité konnten auch nur den Tod feststellen. Und alles in allem ist es ja einfacher für Luise, jetzt. Sie hätten ihr doch Tag und Nacht keine Ruhe gelassen, damit sie sich endlich von ihm scheidet.«

»Und nun?«

»Luise kümmert sich um alles. So was kann meine Mutter gut. Alles organisieren. Gibst du mir mal das Deckweiß rüber? Ich muss hier was ausbessern. Was guckst du so? Ich kümmere mich gleich um dich. Einen Moment noch.«

»Paula!«

Sie dreht sich zu mir herum, nimmt die Brille ab und legt sie auf den Tisch.

»Katze! Jetzt musst du mir helfen, ja? Pass schön auf. Du schreist nicht und ich schreie auch nicht. Halt mich fest.« Ihr Gesicht zuckt. »Die ganze Zeit, als wir ihn im Auto hatten und zur Charité fuhren, wollte er mir etwas sagen. Aber Luise hat es verhindert.«

»Deine Mutter?«

»Ja. Du weißt ja, ich sage lieber Luise. Luise hat es verhindert.«

»Aber was meinst du? Was wollte er dir sagen?«

»Nun ist es zu spät, mein Kätzchen. Nun brauchen wir

auch nicht mehr nachzufragen. Das Pack hat ihm den Mund gestopft mit seinen Gesetzen.«

Jetzt weint sie endlich, und mir ist es, als wenn sich etwas Bahn bricht, gegen das man einen Damm aufgerichtet hatte. Ich halte sie, und ich weiß, jetzt darf ich selbst nicht schreien.

»Ich hatte seine Hand in meiner«, flüstert sie, »und die ganze Zeit hab ich geglaubt, dass ich seinen Puls spüre. Dabei war es mein eigener. Verstehst du. Er war da schon tot. Erst als die Hand kalt wurde …«

Ich habe die Arme um sie gelegt und die Augen fest geschlossen.

Niemand sonst auf der Welt ist mir so nahe wie sie. Sie soll nicht leiden.

Obwohl Bertram mein Großonkel war, kann ich nicht um ihn trauern. Ich habe ihn eigentlich nicht gekannt. Er war für mich ein netter alter Herr mit grauen Haaren und einem schwarzen Schnurrbart, der von Zeit zu Zeit mal ein paar freundliche Worte an mich richtete, wenn ich in der Hofdurchfahrt spielte. Dass wir verwandt waren, erfuhr ich erst, als Paula nach Berlin zurückkam. Die vom Hinterhof, also meine Großmutter Agnes, und die vom Vorderhaus, das ist ihre Schwester Luise mit ihrem Mann Bertram, waren nämlich spinnefeind. Die grüßten sich nicht mal.

Warum, habe ich nie erfahren, und Paula weiß es auch nicht. Sie meinte nur, nach der Machtergreifung Hitlers vor zwei Jahren, jetzt hätte diese Feindschaft endlich einen Sinn. Agnes mit ihrer Lumpenbude hatte schon Probleme genug, da musste sie nicht auch noch rausposaunen, mit einem Juden verschwägert zu sein.

Seit das erste Mal *Kauft nicht beim Juden!* an Bertrams Geschäft gestanden hatte und im Vorderhaus bei Rauchs und Glücksmanns die Fensterscheiben eingeschmissen wurden, war der alte Herr völlig verändert. Er war mir fast unheimlich, denn immer, wenn wir uns im Hausflur oder auf der Straße begegneten, wollte er unbedingt mit mir reden. Was soll ein kleines Mädchen von damals dreizehn oder vierzehn schon mit einem Mann mit grauen Haaren reden, der immer nach seiner Herzmedizin riecht? Er fragte mich alles Mögliche, wie es mir ginge, ob ich in der Schule vorankäme – und einmal im Abenddämmern drückte er mich sogar an sich. Ich sah zu, dass ich ihm möglichst nicht begegnete. Mit Paula habe ich niemals darüber gesprochen. –

Paula.

Manchmal kommt es mir so vor, als wenn ich die Zeit vor Paula gar nicht richtig gelebt hätte.

Ich bin ohne Eltern aufgewachsen, und dass mir Großmutter Agnes allzu viel Fürsorge angedeihen ließ, daran kann ich mich eigentlich nicht erinnern. Nicht, dass sie mich vernachlässigt hätte, aber sie musste sich schon ausreichend um sich selber kümmern. Um es klar heraus zu sagen, sie trinkt, und nicht zu knapp. Und dann sind da die Männer. Ich habe mich immer geweigert, Opa zu ihnen zu sagen, und meistens eine Tracht Prügel bezogen dafür. Aber die blieben selten sehr lange, und es passierte auch, wenn ich mich zurückerinnere, dass ich nicht die Einzige war, die manchmal Prügel von ihnen bezog. Aber ich erinnere mich nicht besonders gern zurück.

Jetzt gibt es Bruno, das ist der »Co.« im Schild AGNES SANDER & CO. Bruno ist ganz freundlich. Aber er säuft genauso viel wie Agnes, und er hat einen Klumpfuß. Und Klumpfuß ist eine angeborene erbliche Missbildung, und das sieht man seit zwei Jahren für eine ziemlich schlimme Sache an – fast so schlimm wie Jude sein und schlimm genug, dass Bruno die Wohnung kaum mehr verlässt, aus Angst. Ob er Angst hat, dass sie ihm was antun, oder sich nur davor fürchtet, von seinen alten Kumpels verhöhnt zu werden, das weiß ich nicht.

Ich hatte immer genug zu essen und zu trinken. Aber spätestens, wenn das Wochenende kam, wurde ich zum Schlafen in den Lumpenkeller geschickt. Das war keine böse Absicht von Agnes. Sie wollte bloß ihre Ruhe haben beim Saufen. Ich habe ihr ja auch nie gesagt, dass ich an den Abenden bei den Ratten vor Angst fast gestorben bin. So wenig, wie ich ihr sagte, dass mich die anderen Kinder hänselten wegen meiner roten Haare und meiner ausrangierten Klamotten aus den Beständen des Geschäfts und wegen der ollen Schnapsdrossel von Großmutter. Dafür interessierte sie sich aber auch nicht besonders für meine Zensuren und zuckte höchstens die Achseln, wenn sie meine Zeugnisse unterschrieb. Sie, meinte sie, wäre auch kein großes Licht in der Penne gewesen. Außerdem, in Sport war ich immer Klassenbeste. Und was die anderen Kinder angeht – wie gesagt, ich renne unheimlich schnell.

Und dann kam Paula an die Schule. Das dürfte nun inzwischen vier Jahre her sein.

Ich ging damals in die sechste Klasse, und Hannelore Blaschke verkündete, wir würden eine neue Zeichenlehrerin kriegen, 'ne alte Jungfer mit Brille. Da wäre bestimmt Vergnügen angesagt.

Eine Volksschule in Berlin Mitte ist kein christlicher Gesangsverein, und Neue hatten es bei uns nicht einfach, außer sie schwangen von vornherein den Rohrstock so unmissverständlich, dass man sich lieber nicht mit ihnen anlegte. Und Zeichnen? Wer außer mir hatte schon Lust an Zeichnen! Dass die Neue außerdem noch Rechnen in den beiden unteren Klassen unterrichtete, machte sie auch nicht gerade anziehender.

Ich werde niemals vergessen, wie Paula das erste Mal in unsere Klasse kam – eine lange Latte mit großen Füßen und großen Schritten, dünn, ein bisschen vorgebeugt, und dann die Nickelbrille und die kurzen, »unweiblichen« Haare …

Und sie fragte uns, wer einen Kreis an die Tafel zeichnen könne. Einen richtigen, vollkommenen Kreis. Einen, den man mit dem Zirkel nachmessen könne.

Es war ein Spiel, und selbstverständlich konnte es keiner. Außer ihr selbst. Zufall, schrie die ganze Klasse beim ersten Mal. Und dann machte sie es wieder. Und wieder. In jeder Größe. Trat an die Tafel, die Kreide in der erhobenen Rechten, die Linke ein bisschen zur Seite gespreizt wie jemand, der Balance halten muss, holte tief Luft und zog ihren vollkommenen Kreis.

Sie hatte leichtes Spiel mit uns, und als sie vor zwei Jahren, als dieses vermaledeite Beamtengesetz herauskam, von der Volksschule abging, um nur noch am Jüdischen Lyzeum zu unterrichten, hat diese Rowdyklasse ihr einen großen Blumenstrauß geschenkt, obwohl manche das schon fast ein bisschen zu mutig fanden.

Damals, nach jenem ersten Tag – es war die letzte Stunde gewesen, und ich kam gerade aus der Schule, stand sie draußen mit ihrer großen Zeichenmappe unterm Arm, so eine Art violetten Turban um den Kopf, und sagte: »Wir haben den gleichen Weg, nicht wahr? Du bist doch Katharina Sander. Wir wohnen im gleichen Haus.«

Es gibt ein Buch – denn inzwischen lese ich Bücher, ich kann gar nicht mehr aufhören damit, Paula gibt sie mir – ein Buch von einem gewissen Italiener namens Dante Alighieri, in dem der seine erste Liebe beschreibt. Das Buch heißt »Vita Nuova«, also »Neues Leben«, und es endet mit den Worten: Vita nuova incipit. Ein neues Leben fängt an. So war das bei mir, als Paula auftauchte.

Dass sie meine Tante ist, teilte sie mir irgendwann eher beiläufig mit. Die Familiengeschichten waren ihr nicht wichtig. Wichtig war ihr, wie sie mir sagte, meine Art, die anders war als die der anderen Kinder. Und mein Talent. Nicht, dass ich den vollkommenen Kreis auch geschafft hätte. Aber doch beinah. Und außerdem kommt es ja nicht auf den Kreis an. Paula sagt, ich kann das aufs Papier bringen, was ich sehe. Ich finde nichts Besonderes dabei. Aber wenn es die anderen nicht können …

Paula brachte es irgendwie fertig, dass ich auf die Aufbauschule durfte, wo man sogar acht Klassen machen kann. Das ist zwar nicht wie Oberschule, aber doch ganz schön, bis auf die Tatsache, dass die Blaschke da auch hinkam.

Inzwischen habe ich gute Zensuren in fast allen Fächern, und in Deutsch, Mathematik und Zeichnen Einsen. In Turnen sowieso. Noch immer bin ich Vorturnerin, obwohl ich die Einzige bin, die nicht im BDM, im völkischen »Bund Deutscher Mädel«, Mitglied ist – außer den drei Jüdinnen natürlich, solange sie noch auf dieser Schule waren. Paula hat das ganz schnell geschafft mit mir. Sie musste eigentlich nur antippen. Die in der Klasse gucken mich scheel an, wie immer. Aber das ist mir egal. Noch egaler als früher.

Paula hat sich beruhigt. Sie geht mit ihren großen Schritten im Raum hin und her. Sie hat den Pinsel in der Hand, tritt von Zeit zu Zeit zerstreut vor das Bild, als wollte sie etwas verbessern, aber mir scheint, als wenn sie gar nicht richtig hinguckt. Ihre Brille hat sie wieder auf der Nase, obwohl sie sie zum Malen nicht braucht. Nur für die Ferne, wie ich.

»Wegen Bertram bin ich damals zurückgekommen nach Berlin. Nach Deutschland. Er schrieb mir, wie schlecht es seinem Herzen geht – und dass er seine Tochter noch ein bisschen um sich haben wollte. Vielleicht hätte ich ihn lieber überreden sollen, zu mir zu kommen, nach Holland, wenn ich da auch bloß ein kleines Zimmerchen und ein noch kleineres Atelier hatte. Dann wäre er vielleicht noch am Leben.«

»Wenn du nicht zurückgekommen wärst, dann hätten wir uns nie kennen gelernt«, sage ich leise.

Sie schüttelt den Kopf. »Das gibt es gar nicht auf der Welt, dass du und ich, dass wir uns nicht kennen gelernt hätten, Katze«, sagt sie entschieden. »Das war nicht zu vermeiden.« Sie nimmt die Brille vorsichtig wieder ab und streckt sie mir hin, damit ich sie beiseite lege. Ihre Augen sind ohne die Gläser nackt, sie blinzelt. Ihr Haar fängt an grau zu werden. Ich mag nicht, dass sie so aussieht. So erbarmungswürdig. Ich will, dass Paula stark ist. Stärker als alle und alles auf der Welt.

Ich sehe, dass sie sich einen Ruck gibt. »Kommst du mit mir?«, fragt sie halblaut, ohne zu mir hinzusehen. »Rüber in die Wohnung?«

Ich bin begriffsstutzig. »In welche Wohnung?«

»Ins Vorderhaus. In die Beletage. Ich suche etwas. Bitte, komm mit.«

»Ich war da noch nie. Warum soll ich –«

»Luise ist unterwegs. Sie erledigt alles wegen der Beerdigung. Bitte, Katze. Ich denke, dass ich vielleicht das finde, was mir mein Vater sagen wollte. Es lässt mir keine Ruhe. Und Luise – Luise kann man nicht fragen. Ich hab manchmal einfach Angst vor ihr.« Sie verzieht das Gesicht zu einer kläglichen Grimasse. »Ich kann jetzt nicht allein dahin gehen«, gesteht sie.

Sie bittet mich um etwas ... Ich nicke stumm, und Paula fasst mich an der Hand. Sie hat große, warme, feste Hände.

Wir gehen hinaus aus dem Atelier und den Gang entlang, von dem die Bodenkammern abgehen. Paula hat mir erklärt, dass hier früher die Dienstboten der reichen Leute aus dem Vorderhaus geschlafen haben. Nun sind es nur noch Abstellkammern, mit Vorhängeschlössern versehen. Es gibt eine Brandmauer zwischen Quergebäude und Vorderhaus, darin eine kleine Eisentür. Zu der hat Paula den Schlüssel. Dann betreten wir den großen Wäscheboden des Haupthauses, der ebenfalls von Lattenverschlägen und Abstellmöglichkeiten begrenzt wird. Hier oben riecht es nach warmem Staub, als wenn der Sommer noch da wäre. Die Tür zum Treppenhaus steht sperrangelweit offen und ich zögere einen Moment.

»Komm nur«, sagt Paula. »Immer vorwärts. Neue Mieter ziehen ein, in die Wohnung der Rauchs.«

»Wieso das?«, frage ich. »Sind Rauchs denn ausgezogen?«

»Ich würde es eher geflüchtet nennen. Jedenfalls haben sie alles stehn und liegen lassen und sind auf und davon. Eine weise Entscheidung, denke ich. Und nun diese Neuen! Stellen ihre eigenen schäbigen Möbelstücke auf den Dachboden und übernehmen gleich Rauchs gesamte Einrichtung. Leichenfledderer. Eigentlich schade, dass mein Vater nicht zu Haus gestorben ist. Der Sarg eines Juden hätte sehr gut hergepasst.«

Ihre Stimme ist noch rauer als sonst, sie klingt gepresst von verhaltenem Schmerz.

Wir gehen die Treppe hinunter, vorbei an Möbelpackern in blauweiß gestreiften Blusen. An der Tür der Rauch'schen Wohnung schraubt jemand gerade das Namensschild aus poliertem Messing ab.

Und dann höre ich da drinnen eine helle Jungenstimme, schwingend, befehlend, melodisch. Mein Name ist Gerolf Ginzel. Das schmale brünette Gesicht, die Augen – Leichenfledderer?! Ich beiße mir auf die Lippe.

»Was hast du?«, fragt Paula, die immer alles merkt, was mit mir passiert. »Du musst keine Angst haben.«

Wir drücken uns an den Umzugsleuten vorbei. Das Schild »Glücksmann« an der Tür unten im ersten Stock ist noch glänzender, noch größer, noch verschnörkelter als das, was da oben gerade abgeschraubt wird. In das dunkle

Holz der Tür hat jemand in steiler gotischer Schrift vier Buchstaben eingeritzt. Es ist zu erkennen, wie sehr man sich bemüht hat, diese Buchstaben zu entfernen, aber sie sind trotzdem noch zu lesen. Unter dem Namensschild steht eingeritzt JUDE.

»Nur herein in die jute Stube!«

Wenn Paula wütend ist oder aufgeregt, verfällt sie manchmal ins Berlinern. Sie sagt, Liebermann, ihr zweiter, der ganz große Lehrer von der Akademie, den sie im Frühjahr begraben haben, hätte das auch getan.

Beklommen folge ich ihr in die Wohnung. Aber die weiträumige Diele und der anschließende Flur, durch die wir gehen, sind bei weitem nicht so luxuriös, wie ich mir das immer vorgestellt hatte, wenn ich von draußen zu den gebauschten Stores, den Blumenkästen und den verstellbaren Jalousien hinaufgeschaut hatte. Da gibt's keine dicken Teppiche und keine Kronleuchter oder so was. Aber dafür Bilder. Alles hängt voller Bilder. Ich stehe inmitten dieser Diele und habe ganz vergessen, weswegen ich hierher mitgenommen wurde, reiße den Mund auf und kann mich nicht satt sehen.

Die Bilder erinnern an die Art, wie Paula malt. Aber sie sind gleichzeitig ganz anders. Paulas Bilder sind wild, ihre Farben leuchten, manchmal wie ein Bauerngarten und manchmal wie Pflanzen in einem Treibhaus. Das hier ist viel gemäßigter, irgendwie zurückhaltend. Die meisten sind solche »Schinken«, wie sie in vielen Museen hängen, und

über die sich Paula immer lustig macht, andere erzählen gleichsam Geschichten, wie auch ihre meisten Gemälde. Auf beinah allen sind nackte Mädchen dargestellt. Und eines davon kenne ich sogar. Es ist das einzige »Kunstwerk«, das im trübseligen Wohnzimmer meiner Großmutter Agnes ebenfalls die Wand ziert. Zwei auf einer Schaukel. Das hier ist das Original.

»Was sind das für Bilder?«, frage ich benommen. Ich kann mich gar nicht satt sehen.

»Das sind alles Markwarts«, sagt Paula zerstreut. »Mein erster Lehrer. Er hat mich kostenlos unterrichtet. Als er starb, hat er uns diese Bilder geschenkt.«

»Wer ist ›uns‹?«

»Luise und mir.«

»Aber wieso –«

»Das erklär ich dir ein andermal, Katze. Komm jetzt.«

Sie geht vor mir her den langen Korridor zum Seitentrakt entlang und öffnet eine Tür.

»Das war Vaters Zimmer. Er hat mir irgendwann gesagt, dass er ein Testament machen würde.«

Sie geht auf einen Schreibsekretär mit Rollklappe zu und rüttelt unsanft an den Verschlüssen.

»Natürlich«, murmelt sie. »Alles dicht. Und wer hat die Schlüssel? Luise. Warte hier.«

Sie marschiert los mit ihren großen, lauten, weit ausholenden Schritten, noch bevor ich ihr sagen kann, dass sie mich nicht allein lassen soll hier, weil mir das unheimlich ist, und ich höre sie rumoren irgendwo, während ich in diesem Zimmer stehe, dessen Wände mit ganz anderen Bildern bedeckt sind als denen da draußen. Eigentlich nur Fotografien.

Als Erstes entdecke ich einen jüngeren Bertram Glücksmann, also meinen Großonkel, in Soldatenuniform und mit dem Eisernen Kreuz um den Hals. Er steht vor einer Art Bunker, dessen Eingang mit Brettern verschalt ist. Über seiner Schulter hängt ein Bündel Strippen, wie die Kletterleine eines Bergsteigers, und er hält einen schwarzen viereckigen Kasten in der Hand. Seine Augen sehen traurig aus.

Auf einem anderen Foto sind sehr viele Herren in Frack und Zylinder im Kreis gruppiert. Bertram steht im Zentrum, etwas allein. Er hat ein Monokel im Auge und trägt die Handschuhe in der Hand. Die Komposition des Bildes (davon verstehe ich was inzwischen) zeigt eindeutig, dass er der wichtigste Mann auf dem Bild ist. Darunter steht in schön geschwungenen Buchstaben: Gründungsversammlung der Telefunken AG.

Dann ist da noch ein etwas vergilbtes Bild von einem jungen Mann auf einem Fahrrad – ich nehme an, dass das auch Bertram ist; aber nun ist Paula wieder da, und ich sehe einen riesigen Schlüsselbund in ihrer Hand.

»Was willst du machen?«, frage ich.

»Ich werde das verfluchte Ding aufkriegen«, murmelt sie. »Luises Wirtschaftsschlüssel. Einer wird schon passen.«

»Paula, bitte! Hör auf damit!«

»Katze, du sollst mir Mut machen. Einfach, indem du da bist. Du sollst mir keine Ratschläge geben.«

Sie arbeitet verbissen, und ich stehe daneben und komme mir vor, als wenn ich Schmiere stehen soll bei jemandem, der Kirschen klaut. Das hab ich noch nie gekonnt. In meinen Ohren hat bei solchen Gelegenheiten schon immer das Blut so gesaust, dass ich sowieso nichts anderes hören konnte, und ich habe die Fingernägel in die Handballen gekrallt, damit das Zittern nicht kommt.

Und warum sollte es heute anders sein, an einem Tag wie diesem, wo alles durcheinander geht und sie auf den Straßen wieder die Leute angreifen und wo sie neue Gesetze gemacht haben und Paulas Vater tot ist und …

»Was machst du da?«

Natürlich.

Ich hab's verpasst und versiebt. Ich hab's mal wieder nicht gepackt, Schmiere zu stehen. Auf einmal ist sie da, im Raum, ohne dass ich es vorher gemerkt habe.

Das ist sie, Luise, Paulas Mutter. So, wie ich sie immer gesehen habe in unserer gemeinsamen Tordurchfahrt – meist habe ich mich gedrückt, weil, wir grüßen uns ja nicht. Eine schmale Person, immer mit einem Hut und Halbschleier, die sich sehr gerade hält. Und genauso steht sie jetzt hier, dünn und aufrecht, so aufrecht, als wenn sie ein Lineal verschluckt hätte, mit dem Schleier bis über die Nase, und ich weiß, dass vor ein paar Stunden ihr Mann gestorben ist, Bertram. Ihre Stimme klingt völlig unbeteiligt. Ich dachte immer, wenn jemand stirbt, dann muss man weinen. Aber Paula hat ja auch nicht geweint.

Nicht, dass Paula sofort aufhören würde mit ihrer Arbeit am Schreibtisch. Ich hab auch nicht den Eindruck, dass sie sich erschreckt hat. Sie probiert noch drei, vier Schlüssel durch, dann sinken ihr die Arme herunter, und sie dreht sich rum.

»Es gibt ein Testament, nicht wahr?«, sagt sie mit ihrer rauen Stimme, als hätte sie die ganze Zeit darauf gewartet, dass diese Frau, ihre Mutter, hinter uns auftaucht.

»Es gibt kein Testament«, sagt Luise kalt. »Und selbst wenn es eines gäbe, würde es dich nichts angehen. Also lass die Finger von Bertrams Schreibtisch. Das ist allein meine Sache.«

»Ist es nicht.«

Sie stehen sich gegenüber, Paula hat so einen wilden Blick, als wäre sie bereit, gewaltsam vorzugehen. Gegen irgendwen oder irgendwas. Gegen den Schreibsekretär oder gegen Luise. Und Luise ist ihre Mutter.

In meinem Bauch fängt es an zu kribbeln. Ich drücke die Nägel in die Handballen.

»Und warum ist dieses Kind hier?«, sagt Luise auf einmal. Ich kann ihre Augen undeutlich unter dem Schleier sehen. »Dieses Kind hat hier nichts zu suchen.«

»Ich habe eben meinen Vater verloren«, sagt Paula dumpf, und ihre Hände mit den Werkzeugen hängen schwer an ihr herunter. »Und dies Kind –«

»Ich habe eben meinen Mann verloren«, fällt ihr Luise ins Wort. »Und ich will dies Kind hier nicht haben, verstehst du, Paula?«

Nichts kann entsetzlicher sein. Zwei Menschen reden über einen, als ob man nicht dabei wäre. Es ist wie tot sein.

Und jetzt passiert es.

Ich kann es nicht mehr stoppen. Das Zittern ist da und schon ganz oben und erreicht meine Kehle und wird zum Schreien, und ich kriege nur noch mit, dass mich Paula mit beiden Händen festhält, und mich erreicht noch die Stimme, die Stimme meiner Großtante Luise: »Du siehst doch, dass dieses Kind geschädigt ist, ja?«

Dann wird mir schwarz vor Augen. –

Ich muss bloß ganz kurz weg gewesen sein.

Nur, dass ich jetzt auf dem Diwan mit der bunt gewirkten Plüschdecke liege. Wie ich da hingekommen bin – keine Ahnung. Außerdem ist eine laute, üppige Musik um mich. Die Musik dringt durch die Zimmerdecke, sie kommt von oben. Richtig, Rauchs hatten ein Klavier. Jetzt spielen offenbar die neuen Mieter drauf, die Leichenfledderer. Es ist eine fremde, eine gleichsam blühende Musik, die mich umschließt wie ein großes weiches Tuch. Eine Musik, die man auf der Haut fühlen kann. Ich habe so etwas noch nie gehört. Und durch die Musik hindurch höre ich Paula und Luise, ihre erregten Stimmen. Deutlicher, klarer, als wenn sie neben mir stehen würden. Obwohl sie jetzt im Flur reden.

»Sie ist nicht geschädigt, Luise. Genauso wenig wie ich geschädigt bin. Sie ist nur ein hoch sensibles Mädchen, und die Umstände, die man ihr angetan hat, waren ja nicht unbedingt geeignet, ihre Entwicklung zu fördern. Du solltest dich jetzt vielleicht besser nicht einmischen in das, was geschieht.«

»Ich mische mich nicht ein. Ich will gar nichts wissen. Treib du deine Spiele mit ihr. Aber sie hat in dieser Wohnung nichts verloren. Und du hast nichts an Bertrams Schreibtisch verloren. Gib diese Schlüssel her.«

Einen Moment ist Ruhe. Nur die Musik von da oben dröhnt durch die Zimmerdecke. Dann lacht Paula. Sie lacht. »Was denkst du denn, was ich will, Mutter? Rauskriegen, was ich erbe? Das ist mir vollkommen egal, glaub mir. Ich will wissen, was für ein Geheimnis Bertram vor mir verschwiegen hat. Er wollte mir etwas sagen, kurz vor seinem Tod. Er wusste etwas, was ich nicht weiß. Und du weißt es auch. Meinst du nicht, ich habe ein Recht –«

»Ein Recht?« Das ist wieder Luises Stimme, eine klare, kalte, ruhige Stimme im Gegensatz zu Paulas erregter. »Du hast kein Recht, Paula. Ich glaube nicht, dass du dir ein Recht herausnehmen kannst. Und was die Geheimnisse angeht – dies eine da dürfte doch genügen, findest du nicht auch?«

Stille. Nur von da oben die Musik. Es ist nicht eigentlich Marschmusik, aber es klingt nach Kampf und Heldentum und Triumph, und wieder ist es Luises Stimme, aber diesmal endlich klingt sie unbeherrscht und schrill: »Herrgott, können die da oben nicht mal aufhören mit ihrem Getöse? Gibt es denn keine Spur von Pietät mehr?«

»Ich glaube nicht, dass sie von einem Trauerfall wissen, Mutter. Und selbst wenn – warum sollten sie auf einen toten Juden Rücksicht nehmen? Aber man kann ja mal was versuchen.«

Ich höre Paulas Schritte, und dann ist sie im Zimmer, einen Besen in der Hand. Sie hat noch keinen Blick zu mir hinüber geworfen. Ihr Gesicht ist rot vor Zorn. Sie schwingt sich auf den Tisch – die Zimmer hier sind hoch – und beginnt rhythmisch und mit voller Kraft den Besenstiel gegen die Decke zu stoßen, so wild, dass sich im Putz da oben feine Risse bilden und Farbe herunterrieselt.

Das Klavierspiel in der Wohnung über uns gerät ins Stocken, bricht ab. Stille. Leere. Der Glanz ist erloschen. Warum hat es sie gestört?

»So«, sagt sie grimmig und springt vom Tisch. Ihr Blick begegnet meinen offenen Augen. Sie lächelt.

»Dem haben wir seinen Wagner erst mal ausgetrieben«, sagt sie. »Geht es dir wieder gut, Katze? Du musst mich nicht so erschrecken, wo schon alles schrecklich genug ist.«

»Entschuldige«, sage ich verzagt und setze mich hoch. »Ich wollte das nicht.«

Ihre Hand auf meinem Haar, ganz kurz. »Ich weiß.« Sie lehnt den Besen an die Wand und wirft einen missmutigen Blick auf den ungeöffneten Sekretär. »Immer bleibt sie die Siegerin«, murmelt sie.

Von Luise ist nichts mehr zu sehen.

»Ich möchte bitte gehen«, sage ich. »Bitte, Paula.« In mir ist immer noch dieses Zittern. Und das Bild, wie sie sich gegenüberstanden, beide so, als wenn sie zu allem und jedem bereit wären – das geht mir nicht aus dem Kopf.

Paula betrachtet mich forschend. »Vielleicht war es dumm von mir, dich mitzunehmen«, bemerkt sie. »Aber nun bist du einmal da. Komm mit in mein Zimmer. Ich mache dir einen Tee, damit du dich ein bisschen beruhigst. Wir reden.«

»Aber Tante Luise –«

»In meinem Zimmer bin ich die Herrin. Klar?«

Ich nicke und folge ihr den langen Korridor hinunter. Dabei recke ich den Kopf nach rechts und links, ob nicht doch auf einmal die kleine strenge Person mit dem Halbschleier über der Nase von irgendwoher auftaucht. Aber sie lässt sich nicht mehr blicken. Stattdessen sehe ich eine Reihe von angelehnten oder halb geöffneten Türen. So viele Zimmer!

Aber – es ist unvermeidlich, dass ich es im Vorübergehen feststelle – die meisten sind offenbar unbewohnt. Da stehen kaum Möbel drin, und auf den wenigen Stücken liegt dicker Staub. Dann durchqueren wir die Küche.

Neben der Vorratskammer befindet sich eine kleine Tür mit einem Drehknauf.

»So, da wären wir«, sagt meine Freundin.

Sie öffnet die Tür.

Ich sehe sie ungläubig an. Dahinter liegt ein winziger, spärlich möblierter Raum. Ein Bett, ein kleiner Holztisch, ein Stuhl, ein kleiner gusseiserner Ofen. Ein Regal mit Büchern. Kein einziges Bild an den weiß getünchten Wänden. Auf dem Tisch liegt ein Stapel Hefte, die sie offensichtlich korrigiert, und ein Skizzenblock. Auf dem Brett des winzigen, hoch angebrachten Fensters stehen ein Wecker und eine Nachttischlampe. Eine zweite Tür scheint nach draußen zu führen. An ihr sehe ich, an Haken aufgehängt, Paulas Mantel und ein paar Blusen.

Sie muss meine Verblüffung bemerkt haben, aber sie tut so, als wenn nichts wäre. Ohne mich anzusehen, nimmt sie die Hefte vom Tisch und legt sie kurzerhand auf die Erde.

»Setz dich«, sagt sie. »Der Tee kommt gleich.« Und sie verschwindet wieder in Richtung Küche.

Wie ist das möglich?, frage ich mich. In dieser Wohnung, in der die schönsten Räume offensichtlich reihenweise leer stehen, haust die einzige Tochter in einer Art Besenkammer.

Ich höre sie in der Küche rumoren, und als sie mit den Teetassen und der Zuckerdose kommt, kann ich nicht mehr an mich halten und frage: »Warum hast du so eine – so eine Mönchszelle als Zimmer?«

»Mädchenkammer, nicht Mönchszelle«, belehrt sie mich, ohne eine Miene zu verziehen. »Als dies hier ein reiches Haus war, zu Zeiten meines Großvaters, gab es jede Menge Dienstboten. Und hier schlief das Mädchen vom Dienst, das auch nachts zu erreichen sein musste. Siehst du da oben? Da war der Klingelzug angebracht. Ein und aus gehen musste sie natürlich durch den Hinterausgang. Darum diese zweite Tür.«

»Aber warum sitzt *du* jetzt hier?«, beharre ich. »Du bist ja nicht das Mädchen vom Dienst.«

Sie lacht freudlos.

»Weil es mir so gefällt«, sagt sie, fast schroff. »Hier bin ich jedenfalls ungestört und kann machen, was ich will. Außerdem – die meiste Zeit verbringe ich ja ohnehin im Atelier. Also wozu irgendwelcher Luxus?«

Sie verschwindet wieder und kommt mit dem Tee zurück. Es ist einer von diesen Kräutertees, die man jetzt überall angeboten bekommt, damit man sich, wie es heißt, auf die heimischen Produkte besinnen und von den Fremdeinflüssen in der Küche freimachen soll – ein Brennnesseltee mit Kandiszucker. Ich trinke das ganz gern. Nur meine Großmutter Agnes schimpft immer fürchterlich auf das altdeutsche Gesöff, von dem keiner munter wird.

Paula gießt sich und mir langsam ein. Dann setzt sie sich auf das schmale Bett – ein zweiter Stuhl ist ja gar nicht da –, die Tasse in den Händen, und zieht die Beine hoch unter den Rock. Der Dampf des Tees beschlägt ihre Brille. Entgegen ihrer Ankündigung sagt sie nichts. Das angegraute Haar hängt wie eine Vogelschwinge vor ihrer Wange.

»Darf ich dich was fragen, Paula?«, sage ich. Sie antwortet nicht, zuckt mit den Achseln. Nicht sehr ermunternd. Trotzdem fasse ich mir ein Herz.

»Tante Luise und du – ihr seid so merkwürdig. So – als wenn ihr euch gar nicht mögen würdet.«

Ich bringe das nur mit Mühe über die Lippen und fühle, wie ich rot werde. Über Gefühle zu reden und das Verhalten von Leuten zu beobachten, das habe ich überhaupt erst bei Paula gelernt. Bei Großmutter Agnes im Bereich Altwarenhandel war das nicht gerade üblich.

Paula sagt noch immer nichts. Dann beugt sie sich vor und stellt ihre Tasse auf den Tisch zurück. Sie sieht vor sich hin.

»Das liegt nicht an mir«, erwidert sie. »Schon als ich noch ein Kind war – ich weiß nicht, aber ich glaube, alle Liebe, zu der Luise fähig war, hat einzig und allein Bertram gehört. Da blieb nicht einmal für ihre Tochter sehr viel übrig. Umarmungen gab es immer nur für Bertram. Und wenn er mal zärtlich zu mir war und mir einen Kuss gab – ja, da hatte ich das Gefühl, dass meine Mutter eifersüchtig auf mich wurde, so komisch das klingen mag. Als ich so acht oder zehn Jahre alt war, besuchte uns Markwart.«

Sie stockt.

»Markwart? Der Maler, von dem die Bilder da vorn in der Diele hängen?«

»Eben der«, sagt sie. »Ich erzähle vielleicht zu viel. Kurz und gut, er wollte mir Unterricht geben, und Luise war dagegen. Als wenn sie mich hassen würde! Nun, irgendwann setzte er es dann durch …«

Sie lächelt wehmütig und fährt sich mit den Händen übers Gesicht.

»Als sich Bertram dann freiwillig an die Front meldete, obwohl er ja schon aus dem Alter heraus war, hat Luise einen Teil seiner Geschäfte weitergeführt. Sie hat sich Tag und Nacht keine Ruhe gegönnt, und wir sahen uns kaum mehr. Ich ging da schon meine eigenen Wege, auch wenn ich weiter in der Beletage wohnte. Und dann, nach 1918 – dann gab es ein Geschehnis, das uns völlig auseinander brachte. Es ist nicht wichtig, was. Es war, bevor ich nach Holland ging.«

Sie stockt, sieht mich an, und ich habe das Gefühl, dass sie kurz davor ist, mir etwas sehr Wichtiges zu sagen. Aber dann fährt sie fort: »Ich sollte dich nicht mit den alten Geschichten durcheinander bringen, Katze. Es hat einfach seine Gründe. Luise ist ein Mensch, der nicht in der Lage ist zu vergeben. Oder dem es zumindest sehr schwer fällt. Und ich – ich kann nicht um Freundlichkeit betteln, und ich will es nicht. Das ist alles.«

Wieder ist das Klavierspiel zu hören, wenn auch gedämpfter. Wir sind ja hier in der hintersten Ecke der Wohnung.

»Da haben wir uns ja was eingefangen«, sagt Paula genervt. »Der kleine Rauch, der übte bloß zwanzig Minuten am Tag, weil er musste – seine Eltern wollten, dass er unbedingt musisch aufwächst. Aber er ist nie über den ›Fröhlichen Landmann‹ hinausgekommen. Aber mit diesen Völkischen scheint ja tatsächlich ein wahrer Meisterpianist eingezogen zu sein. Jetzt ist er schon bei Franz Lizst angelangt. Na, das wird Luise schnellstens regeln. Nur in den von der Hausordnung vorgeschriebenen Zeiten!« Sie lächelt grimmig.

Ich sage dazu nichts. Ihr gefällt diese Musik nicht, und ich mag nicht fragen, wieso. Was verstehe ich schon davon?

Ich weiß nur, dass sie mich berührt, dass ich für diese Art Musik empfänglich bin.

Ich trinke den kalt gewordenen Tee aus.

Paula seufzt. »Was mir bleibt, ist, weiter an meinem Bild zu malen. Du kannst mitkommen, wenn du möchtest.«

Natürlich möchte ich gern. Aber ich muss mich schließlich ja auch mal um die Großmutter kümmern. Und Hausaufgaben habe ich auch noch zu machen. Also sage ich Nein.

Nein, obwohl es mir eigentlich unmöglich vorkommt, sie jetzt allein zu lassen. Ein Nein, obwohl ich weiß, dass meine Gründe keine wirklichen Gründe sind.

Und während Paula nach oben geht, um ihren Weg über die Dachböden zurück zu ihrem Atelier anzutreten, trenne ich mich von ihr. Werde ganz normal durch die Toreinfahrt zu unserem Hinterhof gelangen. Hinunter in einem Treppenhaus, das ich sonst nie betrete.

Dann bleibe ich stehen, zögere. Immer noch das Klavierspiel.

Paulas feste Schritte verhallen oben im Treppenhaus. Ich drehe mich um und renne die vier Absätze hoch, zu der Wohnung, wo jetzt das neue Türschild bestimmt schon dran ist.

Ja. In zackiger deutschtümelnder Runenschrift steht da: Dr. vet. med. Hasso Ginzel. – Ich weiß nicht, was ein vet. med. ist. Bestimmt was ganz Besonderes.

Ich drücke meinen Zeigefinger auf den Klingelknopf. Es kommt mir so vor, als wenn der Finger gar nicht zu mir gehören würde, als der durchdringende Ton erklingt. Aber es macht niemand auf. Wenn man an einem Klavier sitzt, versunken in diese Klang-Wolken, dann dringt wohl nichts anderes zu einem, schon gar nicht eine Türklingel.

Dabei wollte ich doch nur wissen, ob Elise Löwenberg wieder zu ihrer Perlenkette gekommen ist. –

In Großmutters Wohnung über der Altkleiderhandlung ist der Volksempfänger zu voller Lautstärke aufgedreht. Fanfarenklänge, Marschmusik, dazwischen die schmetternde Stimme eines Ansagers, die klingt, als wenn er sich auch gleich in eine Fanfare verwandeln will.

Agnes und ihr Freund Bruno sitzen vor dem kleinen Apparat und starren ihn an, als wenn sie erwarten, dass der Sprecher gleich rauskommt. Zwischen ihnen auf dem Tisch steht die Flasche Kräuterlikör. Am Montag ist immer Kräuterlikör dran, zum »Absteigen«. Am Wochenende davor trinken sie Klaren oder Kümmel. Der Raum riecht nach Schnaps und nach Leuten, die sich nicht gewaschen haben.

Mein Kommen kriegen sie gar nicht mit.

Bruno ist grünlich blass. Er hat sich nicht rasiert und die schwarzen Bartstoppeln lassen sein Gesicht dreckig aussehen. Seine Augen sind wie erloschen, und er starrt vor sich hin. Großmutter Agnes dagegen hat große rote Flecken wie Pantoffeltiere auf Hals und Wangen. Ihr Haar, das früher genauso rot gewesen sein soll wie meins, jetzt aber ein Durcheinander von grauen und gelblichen Strähnen ist, hat sie zu einem unordentlichen Dutt aufgesteckt. Die Tränen laufen ihr übers Gesicht.

Ich hab sie schon öfter heulend erlebt, das kenne ich. Aber die Art, wie sie mit der geballten Faust auf den Tisch haut und dabei »Diese Schweine! Diese Schweine!« schreit, macht mir Angst. »Minderwertiges Erbgut! Rassisch entartet! Diese Schweine! Die soll'n bloß ihr großes Maul halten! Der Goebbels mit dem kurzen Bein, der hat's jrade nötig! Selbst 'n Krüppel, und der traut sich, solche Gesetze zu machen! Diese Schweine!«

Ich sehe mit Schrecken, dass das Fenster offen ist. Zum Glück übertönt das Radio ihr Toben, aber ich gehe trotzdem und schließe ganz schnell die Flügel. Sie hören sich gerade die Kommentare zu den neuen Gesetzen an, und ihre eigenen Kommentare – nun, wenn das jemand auf dem Hof hört, vielleicht der olle Neussel, ehemaliger Volkssturmmann, dann können sie sich auch nicht mit ihrem Suff rausreden. Dann sind sie dran.

Jetzt bemerkt mich Bruno. »Tach, Käthchen«, sagt er trostlos. Seine Zunge ist schwer. »Haste schon jehört? Solche wie ich sind jar keene richt'jen Menschen.« Er zeigt auf seinen verwachsenen Fuß, der in einem dicken, hufartigen Spezialschuh steckt. Ich merke, dass auch er kurz vor den Tränen steht.

Früher, als ich noch kleiner war, oder, um es genau zu sagen, bevor es Paula in meinem Leben gab, habe ich mich in solchen Augenblicken für meine Großmutter und den jeweiligen Mann furchtbar geschämt und hatte auch Angst. Inzwischen bin ich viel gelassener. Und man gewöhnt sich ja an vieles. Bruno ist eigentlich sehr nett. Er haut niemanden, und außerdem verlangt er nicht dauernd von mir, dass ich ihn Opa nenne.

»Soll ich euch einen Kaffee machen?«, frage ich, während ich erst mal das Radio leiser drehe. Ich versuche auch, die Flasche beiseite zu bringen, aber da greift Agnes schnell zu und gießt die beiden Gläser wieder voll.

»Nischt is von wejen Kaffee!« Sie hat, im Gegensatz zum Radio, ihre Lautstärke nicht runtergedreht. »Erstens is keener im Haus und zweitens – zweitens saufen wir heute, nich wahr, Bruno? Prost.«

»Prost«, krächzt Bruno heiser und hebt das Glas.

»Verdammte Arschlöcher! Kennste den Ausspruch noch: ›Mach dir nischt draus, Agnes!‹, hat er jesacht. ›In 'n paar Monaten hat der Hitler abjewirtschaftet! Die toben sich aus und dann is wieder Ruhe! Lange macht det Volk nich mit!‹ Weeßte, wer mir det jesacht hat, Bruno? Der feine Herr Bertram vom Vorderhaus aus de Beletage, der Herr Ritterkreuzträger, der immer allet so jenau wusste. Der Herr Erfinder, der inne Aufsichtsräte jesessen hat! In 'nen paar Monaten, wa? Jetzt jeht det zwee Jahre so, und nu? Da kann sich Herr Glücksmann selber frisch machen mit seine Luise, jetzt, mit de neue Jesetze!«

Ich höre mir das an und kann es nicht verstehen. Es stimmt, Paula hat mir auch erzählt, dass ihr Vater trotz alledem gemeint hat, das sei nur ein Spuk mit diesen Nazis, das gehe schnell vorbei. Aber wieso soll er das Agnes erzählt haben? Die Familien reden nun mal nicht miteinander. Ich stelle mir vor, wie der alte Herr im dunklen Überzieher und dem Stock sich zu Agnes in die Küche setzt und ihr seine Meinung über Hitler mitteilt …

»Oma«, sage ich. »Der Herr Glücksmann, also der Mann von deiner Schwester – dem ist was passiert. Ich meine –«, ich schlucke meine Spucke runter. »Ich hab gehört, er ist heute früh gestorben. An Herzschlag.«

Meine Großmutter setzt ihr Glas hart ab. »Bertram Glücksmann ist tot?«, sagt sie langsam, und auf einmal klingt sie gar nicht mehr so besoffen. Sie streicht sich das Haar mit beiden Händen aus der Stirn, schüttelt langsam den Kopf. »Also, da kann man ihm ja nur jratulieren«, bemerkt sie leise. »Dass er det nich mehr miterleben muss, wat jetzt kommt. Und Luise is auch mal wieder aus 'm Schneider. Hat ihren Nichtarier vom Hals.«

Sie stützt sich mit beiden Händen schwer auf den Tisch, erhebt sich. »Ick muss mich bisschen hinlegen«, murmelt sie. »Bringste mich rüber?«, zu Bruno. Der nickt.

Sie stützen sich gegenseitig beim Aufstehen, und ich öffne ihnen die Zimmertür. Das Bild über dem ungemachten Bett kommt mir ins Blickfeld. Markwart heißt also der Maler. Was Agnes wohl damit zu schaffen hat? Während ich die zu drei Viertel leere Flasche und die Gläser in den Spülstein stelle und den Tisch abwische, damit ich meine Hausaufgaben machen kann, höre ich, wie sie hinter der Schlafstubentür weint, hemmungslos, laut.

Aber das muss gar nichts bedeuten. Schon gar nicht Trauer um Bertram Glücksmann – woher wohl? Wenn sie so viel intus hat wie jetzt, kriegt sie oft das heulende Elend. Irgendwann schläft sie ein und taucht ein paar Stunden später mit Kopfschmerzen und schlechter Laune wieder auf.

Als ich meine Tasche öffne, fällt mir ein Faltblatt mit steiler Runenschrift in die Hände. Stirnrunzelnd sehe ich mir das an. Richtig. Die Baretti hatte es mir aufgedrängt. *Das Gesetz zum Schutze des deutschen Blutes und der deutschen Ehre.* Ich beiße mir auf die Lippen. Was hat sie nur damit bezweckt? Erst will ich diesen Schund gleich in den Küchenherd schmeißen. Dann werfe ich doch einen Blick darauf.

»Eheschließungen zwischen Juden und Staatsangehörigen deutschen oder artverwandten Blutes sind verboten ...« Was geht mich das an? Und dann diese mit mathematischer Genauigkeit ausgeknobelten »Abstammungsnachweise«, als wenn es sich um einen Hundezüchterverein handelt! »Jüdische Mischlinge 1. Grades, die von 2 deutschblütigen und 2 jüdischen Großeltern abstammen; Juden, die von 3 oder 4 jüdischen Großeltern abstammen ...« Paula ist also ein »Mischling 1. Grades«.

Aber was geht mich das an? Weshalb hat mir die Kreuzspinne das Ding nur in die Hand gegeben? Will sie mich warnen oder will sie mich nur ärgern?

Ich bin nicht aufgelegt zum Rätselraten. Der Wisch macht mich wütend und unruhig. Weg damit und die Hausaufgaben gemacht!

Ich schlage meine Hefte auf. Keine Ahnung, warum ich mich so merkwürdig fühle. Ist es diese Musik? In meinem Kopf summt und klingt es noch immer, übertäubt die unangenehmen Gedanken.

Ich habe zu rechnen, aber meine Gedanken schweifen herum wie die Mauerschwalben. Ich bin nicht bei der Sache. Und auf dem Blatt der Kladde, auf der ich meine Brüche und Zinstabellen-Aufgaben zu lösen versuche, entstehen mehr Zeichnungen als Zahlen. Dabei weiß mein Gehirn meistens gar nicht, was mein Stift macht.

Ich male einen Kopf. Und dann sehe ich, welches Porträt mir da unter den Händen entstanden ist, und fühle, wie mein Gesicht zu flammen beginnt. Überhaupt habe ich das

Gefühl, am ganzen Körper zu erröten – falls es denn so was gibt. Ich lege den Bleistift beiseite, schraube meinen Füller auf und bedecke meine Improvisation mit einer dicken Tintenschicht, so dick, bis das minderwertige Papier voll gesogen ist und nichts weiter da ist als ein hässlicher Tintenklecks. Denn was geht mich dieser Junge an? Gerolf Ginzel.

Mir ist übel an diesem Morgen, als ich mich auf den Schulweg mache, so übel, als hätte ich den restlichen Kräuterlikör meiner Großmutter ausgetrunken. Ich kenne das. Es ist einfach Angst. Vor Jahren, als ich noch nicht gelernt hatte, mich zu wehren, ging es mir jeden Morgen so. Damals hatten die Blaschke-Kinder die Angewohnheit, meinen Kopf in die Kloschüssel zu stecken, um »auszuprobieren, ob die roten Haare ausbleichen«. Bis ich dann, wie ein gepeinigtes Tier in der Falle, irgendwann einmal zuschnappte und Hannelore so in die Hand biss, dass sie noch immer eine Narbe davon am kleinen Finger spazieren trägt …

Nur, damals wusste ich, wovor ich mich fürchtete. Und heute? Es ist ein dumpfes Gefühl der Angst, eine vage Bedrohung, die vielleicht gar nicht gegen mich gerichtet ist – ich fühle mich wie nach der Lektüre dieses Gesetzes. Irgendwas liegt in der Luft.

Im Vorderhaus sind in der vormals Rauch'schen Wohnung alle Fenster weit geöffnet. Die Gardinen wehen im Wind. Ginzel. Gerolf Ginzel. Ja, und ich muss die Blaschke fragen, ob sie die Perlen zurückgegeben hat an Elise. Die Fenster der Löwenberg-Wohnung sind genauso fest verrammelt wie gestern, nur dass jetzt jemand mit weißer

Farbe einen sechseckigen Stern darauf gekliert hat, in dem in eckigen Buchstaben *Jude* steht. –

Paula hat heute auch zu unterrichten. Hoffentlich lassen sie Paula in Ruhe.

In meinem Klassenzimmer tritt gespannte Stille ein, als ich eintrete. Ich werde erwartet. Und auf meinem Platz liegt ein Zeitungsblatt. Ich will es beiseite schieben, aber die Blaschke baut sich vor meinen Tisch auf.

»Willst du nicht lesen?«, fragt sie sanft und hämisch. »Deine Verwandtschaft kommt jetzt im *Stürmer* vor, so berühmt ist sie schon.«

Natürlich denke ich gleich an Paula. Mir wird heiß. Und dann zwinge ich mich, dahin zu gucken, wohin der nicht gerade saubere Fingernagel von Blaschke tippt, und lese mit einem ungläubigen Lächeln: »Ein schlauer Jude nimmt dem deutschen Volk die Arbeit ab.«

Langsam lese ich. Das Entsetzen steigt in mir hoch wie dunkles Wasser. Ruhig atmen!, befehle ich mir.

»Nun zittert Juda! Die Gesetze zum Schutz des deutschen Volkes sind ein pfeifender Peitschenhieb quer über die verlogene jüdische Fresse. Gestern verkrochen sich die Söhne Israels feige in ihren Höhlen, während der frenetische Jubel der Volksgenossen über die Straßen und Plätze der Reichshauptstadt brandete. Mit Genugtuung nahmen die Berliner zur Kenntnis, dass die Reinheit des deutschen Blutes nun endlich durch Gesetz gewahrt wird.

Schluss mit der Überfremdung und hinaus aus Deutschland, was nicht hierher gehört!

Zahlreiche Juden haben erkannt, dass die Zeit ihrer finsteren Tätigkeit inmitten unseres Volkes vorbei ist. Die Auswanderungswelle nach Palästina nimmt zu. Einige ziehen auch auf andere Weise ihre Konsequenz. Zum Beispiel der Schacherjude Bertram Glücksmann, der sich sogar in den Aufsichtsrat von TELEFUNKEN eingeschlichen hatte und über Jahre hinaus aufgrund einer angeblichen ›Erfindung‹ breit in den Aufsichtsratssesseln saß.

Eine Erfindung! Der Jude kann nichts erfinden! Er ist nicht schöpferisch! Nachdem man Glücksmann dort das Handwerk gelegt hatte, ›versorgte‹ er bis vor kurzem unsere Volksgenossen mit Schund auf dem Gebiet der Radiotechnik. Als Glücksmann die machtvolle Stimme der Deutschen vor seiner Türe hörte, gab er vor Angst den Geist auf. Bravo, Jude! Endlich eine gute Tat! Du hast uns eine Arbeit abgenommen.«

Ich lese das ganz langsam, einmal und dann noch einmal, um mit meiner Panik fertig zu werden. Wie sie über ihn schreiben! In meinen Ohren ist das widerliche Quietschen der Kreide auf der Schultafel, das sich mit den Worten des Artikels mischt. Und ich denke an Paula. Was, wenn ihr dieser Hassartikel vor Augen kommt.

Alle in der Klasse sind ganz still und voller Erwartung. Blaschke ist vorgegangen an die Tafel. Hat *Judenmischling* darangeschrieben. Ich gehe zu ihr, knülle den *Stürmer* zu einem Ball zusammen und presse ihn ihr ins Gesicht. »Ersticke dran, du gemeines Stück!« Sie kann nicht weg. Gibt dumpfe Laute von sich und rudert mit den Armen. Um mich herum kreischen sie und probieren mich wegzuziehen, hauen wohl auch auf mich ein, aber vor Wut spüre ich gar nichts. Ich habe meine ganze Kraft in die eine Hand geschickt, die dem Mädchen Mund und Nase zudrückt. Mit der anderen wehre ich die Versuche ab, meinen Arm wegzureißen.

In dem Höllenlärm hat keiner das Klingelzeichen gehört.

Rasend und voller Jubel sehe ich, dass sich das zerknüllte Zeitungspapier vor dem Gesicht der Blaschke rot färbt.

Erst spüre ich den Griff im Nacken, einen Griff wie Eisen. Dann merke ich, dass es um mich herum ruhig geworden ist.

Das ist die Hand von Theurkauf. Dr. Theurkauf, unser Mathelehrer. Ein Mann mit einem »Schmiss« im Gesicht, einer Narbe, die er sich bei den »Mensuren«, den Degengefechten der Schlagenden Verbindungen, zugezogen hat. Ein Mann mit Haaren so kurz wie ein Stoppelfeld und so genau gescheitelt, als hätte ihm jemand einen Kreidestrich auf den Kopf gezogen. Theurkauf, der Völkische. Wir haben diese Stunde bei ihm.

Alles geht auf seinen Platz, still und stumm. Nur die Blaschke, beide Hände vor der Nase, rutscht theatralisch vor der Tafel zusammen und schluchzt, und das Blut läuft ihr, jawohl, es läuft ihr zwischen den Fingern durch.

Der Griff in meinem Nacken lässt nicht locker. Er lähmt mich, demütigt mich, meine Arme hängen ohnmächtig herunter. Ich komme mir vor wie ein Tier, das jemand am Halsfell hochzieht, und ich merke mit Entsetzen, dass meine Blase gleich nicht mehr mitspielt und ich kurz davor bin, mir in die Hose zu machen. Aber da lässt er endlich los, und ich taumele auf meine Bank – die ist ganz vorn, ich bin zwar nicht Klassenbeste, aber doch die Zweite. Ich, die Katze, die keinen an sich heranlässt. Und jetzt gebeutelt wie ein wehrloses Ding.

»Katharina Sander und Hannelore Blaschke«, sagt der Theurkauf mit seiner samtweichen Stimme, die er genauso gut beherrscht wie es die Baretti kann, dieser Stimme, die im Gegensatz steht zu seiner kantigen, zerhauenen Visage. »Immer die gleichen Gesichter.«

»Sie! Sie hat mich einfach angefallen, die olle Katze! Ick hab nischt gemacht!«, heult die Blaschke. »Gestern schon, auf der Straße! Die mit ihre Judenfreundschaften! Der reinste Mischling!«

Theurkauf geht zu ihr und hebt das blutgetränkte Zeitungsknäuel auf. »Mach, dass du auf die Toilette kommst, wasch dich, schnäuz dir die Nase, dann komm wieder in die Klasse«, sagt er mit gefährlicher Ruhe. »Wir haben hier zu rechnen und keine Blutfehden auszutragen. Nach der Stunde gehe ich mit euch beiden zum Direktor.«

Währenddessen glättet er das Zeitungspapier, breitet es auf seinem Pult aus, streicht mit der Hand darüber. Ich hoffe inständig, dass der bewusste Giftartikel nicht mehr lesbar ist. Aber während er uns anweist, unsere Hefte mit den Hausaufgaben vorzuholen, sehe ich, wie sich ein Lächeln in seinen Mundwinkel schleicht. Er kriegt es heraus, da bin ich mir sicher.

Er geht durch die Reihen, lässt sich die Aufgaben zeigen, verteilt hier und da einen roten Strich zum Zeichen, dass da richtige Lösungen waren, korrigiert kurz rein. Er ist eigentlich ein sehr guter Lehrer. Er ist eben bloß ein Völkischer.

»Na, Sander, wieder in Ordnung?«

Er steht neben mir. Auf mein Heft hat er nur einen flüchtigen Blick geworfen. Zwischen uns ist eine Spannung, dass es körperlich wehtut.

Meine Brille ist noch beschlagen und mein Atem geht kurz. Aber ich sage forsch: »Ja klar, Herr Doktor.«

»Ich dachte immer, die Raufereien sind auf die Jungenschulen beschränkt«, bemerkt er beiläufig.

Die Blaschke kommt wieder ins Klassenzimmer. Sie schnieft noch immer und hält sich in Ermanglung eines Taschentuchs, das sie offenbar nicht mit hat, ein Stück Klopapier vor die Nase, was verhaltenes Kichern hervorruft. Aber ein scharfer Zischlaut von Theurkauf lässt sofort Ruhe eintreten. Ruhe, während die Blaschke zu ihrem Platz geht. Ruhe, während sie ihr Heft hervorholt. Theurkauf steht noch immer hinter mir. Er denkt sich gerade etwas aus, das spüre ich.

»Du bist doch ein Ass in angewandten Aufgaben, nicht wahr, Sander?«, sagt er. »Dann mal ran an die Tafel und eine Lösung vorgestellt.«

Ich gehe nach vorn und nehme den Schwamm. Weiß, dass alle Blicke jetzt an meinen Händen hängen. Eben will ich die Schmiererei von Blaschke wegwischen, als Theurkauf samtig sagt: »Nicht wegwischen. Es ist noch genügend Platz.«

Judenmischling. Das bin nicht ich. Er will mich fertig machen. Ganz ruhig bleiben. Ich nehme die Kreide und hebe das Kinn und warte auf die Aufgabe. Eine Angewandte. Also nur die Zahlen rausziehen. Denen werde ich's zeigen. Rechnen kann ich. Und dann höre ich ihn: »Im Deutschen Reich gibt es 20 600 körperlich Behinderte, 167 000 geistig Behinderte und 8 300 Taube und Blinde. Ihre Pflegekosten betragen –« Ich höre auf einmal nichts mehr. Mir saust es in den Ohren. Dann taucht die Stimme wieder auf. »Also gut, das war wohl etwas zu hoch gegriffen. Ein einfacheres Beispiel, Sander. Der Bau einer Anstalt für Krüppel kostet 6 Millionen RM. Wie viel erbgesunde Familien können bei 60 RM monatlich für diese Summe eine Wohnung erhalten?«

Ich spüre in meinem Rücken die Gegenwart der ganzen Klasse, ihre atemlose Stille, wie ein Jäger vielleicht ein Rudel Wölfe spüren mag. Sie alle wissen von Bruno. Und dann spiele ich nicht mehr mit.

»Wir haben heute Rechnen, nicht Rassenkunde, Herr Doktor!«, sage ich, und meine eigene Stimme kommt mir fremd vor. Die Kreide zerbricht mir und fällt herunter. Ich höre die in meinem Rücken nicht einmal mehr atmen.

»Sander passen meine angewandten Aufgaben nicht!«, sagt Theurkauf in diese Stille hinein. Fast freundlich, ohne sich aufzuregen.

Ich drehe mich rum, presse meinen Rücken gegen die Tafel und spüre die Feuchtigkeit kühl an meinen Schulterblättern. Als ich entdecke, dass ich meine Hände mit abgespreizten Fingern von mir halte, balle ich sie zu Fäusten.

»Ich bin mir nicht sicher, ob du auf einer Bildungsanstalt wie dieser überhaupt etwas verloren hast. Nun gut, man kann auch eine Sechs fürs Nichtstun bekommen. Bis nach der Stunde dann. Setzen. Und die gleiche Aufgabe noch mal. Diesmal mit Blaschke an der Tafel.« –

Er wendet sich nicht noch einmal an mich. Und ich warte den Rest der Stunde ab. Ich bin ganz ruhig, ganz entschlossen. Sollen sie mich von der Schule werfen. Ich werde nicht mit ihm zum Direktor gehen. Ich kann mich nicht anders wehren.

»Ich erwarte dich im Zimmer der Direktion.« Er sieht mich herausfordernd an, als es klingelt.

Ich sage nichts.

Während die anderen lärmend aufbrechen, sammle ich meine Sachen zusammen.

Warte, bis es still ist auf dem Gang. Dann die Treppen hinunter, durch den abgestandenen, verhassten Geruch nach Kreide und Spülwasser und terpentingetränkten Sägespänen, höre Absätze klappern. Ducke mich hinterm Geländer. Die Baretti. Sie bleibt stehen. Mit Sicherheit hat sie mich bemerkt. Aber sie sagt nichts, geht weiter.

Und dann bin ich draußen und sehe, dass sie noch auf dem Schulhof sind. Nicht Hannelore Blaschke, aber ihre Brüder aus der Jungenklasse und mit ihnen im Gespräch Ulla Becker, »BDM-Mädel« mit zur Krone aufgesteckten Zöpfen, beflissen, diensteifrig.

»Du solltest doch zum Direx!«, höre ich, während ich ganz ruhig an ihnen vorübergehe, die Sonne auf meinem roten Haar, meine Tasche über der Schulter. Ich sehe niemanden an.

»Die Lumpenkatze braucht 'ne Abreibung!« Blaschke eins.

»Hat wohl lange nicht mehr den Kopf unter die Klospülung gehalten!« Blaschke zwei.

Jetzt! Wie in alten Zeiten. Ich spurte los. Die Meute hinter mir her.

Da ist es wieder, das wunderbare Gefühl, in das sich die Angst verwandeln kann, wenn man schnell genug ist. Fliehen, fliegen, frei sein. Ich bin die Katze, die allen davonläuft.

Die kriegen mich nicht. Keiner kriegt mich.

Aus Erfahrung weiß ich, dass sie sich sowieso nur bis zur Ecke trauen, wo das Gymnasium ist. Dann müssten sie die Straße überqueren, was streng verboten ist. Und dann haben sie keine Luft mehr.

Ich fege über die Fahrbahn haarscharf vor der Straßenbahn – der Fahrer klingelt – und biege um die Ecke am Gymnasium. Ich bin sie los. Ich bin frei. Frei für heute.

Die Gymnasiasten haben auch gerade Schulschluss. Da verliere ich mich wunderbar in der Menge, selbst wenn die Blaschke-Brüder auf die Idee kämen, mir noch weiter hinterherzurennen.

Als ich mich zwischen die Jungen mit den Schulmützen schiebe, entdecke ich vor mir *ihn*. Gerolf Ginzel. Seh ihn nur von hinten und weiß trotzdem, dass er es ist. Aber wieso erkenne ich ihn? Ich habe ihn doch erst einmal gesehen. Muss er mir hier über den Weg laufen? Er kommt mir zu viel in die Quere. Ich beiße die Zähne zusammen. Als ich an ihm vorbeigehe, streife ich ihn fast. Was ist in mich gefahren? Ich will doch gar nicht, dass er mich sieht. Als ich mich nach ein paar dutzend Metern umdrehe, stelle ich fest, dass er sich von seinem Gesprächspartner gelöst hat und allein weitergeht. Ich beschleunige. An der nächsten Ecke sehe ich wieder über die Schulter zurück. Er ist immer noch da. Was soll das? Ich gehe nicht in die Richtung, in der unser Haus liegt. Das Haus, in dem auch er wohnt und wo er seine Musik macht. Inzwischen renne ich wieder. Er bleibt hinter mir.

An der Kreuzung läutet die Straßenbahn gerade ab. Ohne mich um die hupenden Autos zu kümmern, laufe ich über den Damm und springe auf. Mir ist heiß geworden und ich atme heftig.

Die Bahn ist ziemlich voll. Eine günstige Gelegenheit, kein Fahrgeld zu bezahlen. Ich schiebe mich vorsichtig durch die Menge in den Wagen hinein, immer vor dem Schaffner her, der sein »Noch jemand zugestiegen?« krächzt und mit seiner Kleingeldmaschine herumscheppert. Als ich auf dem hinteren Perron bin, sehe ich im Gedränge, das im Mittelteil der Bahn herrscht, die Schülermütze und den bräunlichen, ausrasierten Nacken. Er blickt sich um, versucht mich auszumachen.

Ich spüre, wie das Zittern in mir anfängt. Aber während ich so tief atme, wie Paula es mich gelehrt hat, damit ich mich beruhige, weiß ich, dass das hier anders ist als die alte vertraute Panik. Es ist vermischt mit einem anderen, mir bekannten Gefühl. Einem Hochgefühl, wie ich es empfunden habe, wenn ich als Kind Anschlagen gespielt habe und ein besonders gutes Versteck gefunden hatte. Wenn dann die Füße der Suchenden vor meiner Nase herumtrappelten und ich mich so still verhielt wie eine Fliege an der Wand – wenn ich in einen Winkel gedrückt stand und nur die Hand hätte ausstrecken müssen, um die zu berühren, die von meiner Anwesenheit nichts wussten ... Es ist wie in Träumen.

Er verfolgt mich also. Er ist mir nachgestiegen in diese Bahn. Ich bin noch nicht entkommen.

Und statt mich das ängstigt, lässt es mein Blut schneller durch die Adern rollen.

Sonst entziehe ich mich den Verfolgern in kurzen, heftigen Läufen, schnellen, waghalsigen Kletterpartien, Sprüngen aus Höhen, die für die anderen zu gefährlich erscheinen. Es ist ein Anlauf und dann vorbei. Aber der hier? Er muss ja noch nach mir aufgesprungen sein auf diese Straßenbahn, da hatte sie schon ziemliche Fahrt. Merkwürdig. Ich komme keinen Moment auf die Idee, zu fragen, warum er hinter mir her ist. –

Ich habe nicht darauf geachtet, wohin die Bahn fährt. Wir müssen irgendwo in der Nähe vom Alex sein. Die Bahn verlangsamt jetzt, legt sich in die Kurve. Ich schiebe mich zwischen zwei Männer in der braunen Uniform der SA durch in Richtung Tür.

Das ist ein Spiel und ich will weiterspielen.

»Hör uff zu drängeln, Feuerlocke«, knurrt der eine, während der andere sich dichter an mich heranschiebt. Ich spüre die Schnalle seines Koppels hart an meinem Körper. Kurz ramme ich ihm den Ellenbogen in den Bauch. Noch während er aufbrüllt, springe ich ab. Bremsen kreischen. Ich gucke weder rechts noch links. Das Trottoir ist voller Menschen.

Ich laufe im Zickzack zwischen ihnen hindurch und schwinge mich durch die Drehtür ins Kaufhaus … renne an schimpfenden Frauen mal rechts und mal links vorbei die Rolltreppe hoch. Erster, zweiter, dritter Stock. Weiter, weiter. Kann ich entkommen? Will ich entkommen?

Es wird immer stiller um mich her. Keine Leute mehr. Eine der oberen Etagen. Auf einsamen Kleiderpuppen hängen bunte Kleider wie Blumenfelder. Gekrönt von Hütchen wie Schmetterlinge aus Stroh. Wohin bin ich geraten? Es ist eine Abteilung für exquisite Damenmoden … Die großen Markenfirmen stellen hier aus, wie Bleyle und Deutschmüller. Das ist noch die alte Sommerkollektion.

Kein Mensch ist hier zu sehen, nicht einmal die Verkäuferinnen. Vielleicht halten sie einen Schwatz. Vielleicht sind sie auch in einem der Vorführräume und zeigen einer reichen Frau die neuesten Modelle. Die für den Winter.

Wo ist er?

Habe ich ihn verloren?

Hier hängen die Sachen nicht so einfach auf der Stange. Sie sind in gläsernen Schränken eingeschlossen, bis auf das, was die Kleiderpuppen tragen. Es ist kühl, und ich bin erhitzt. Mein Mund ist ausgetrocknet vom Rennen, und mein Atem geht schnell. Mir ist, als wäre ich in einer Oase angekommen. Diese Ruhe! Ich berühre den seidenen Ärmel einer Bluse. Das fasst sich so an, dass man am liebsten sein Gesicht dagegendrücken möchte. Ich schließe die Augen und stelle mir vor: Ich habe ein großes, weiches, kühles Kissen, bezogen mit solch feiner Seide. Immer wenn ich traurig bin oder mich allein fühle, nehme ich es in die Arme und drücke meine Wange dagegen. Ich wiege mich hin und her. Ich bin ganz weit weg und einmal wieder gerettet. – Die Welt schwankt. Die Seide will mir entgleiten. Ich greife zu, versuche zu halten, was zu halten ist. Halte einen Ärmel in der Hand und einen Arm darin.

Es ist ein ganz merkwürdiges Geräusch, wenn so eine große Zelluloidpuppe umfällt. Ein dumpfes und gleichzeitig weiches Poltern. Es mischt sich mit dem schrillen Laut der zerreißenden Seide.

Auf einmal sind sie alle da. Drei, vier Verkäuferinnen, die auf mich einreden, einschreien, mich an den Schultern packen und schütteln. Ich bin wie gelähmt, stehe da und halte noch immer diesen schrecklichen ausgerissenen Arm in der

Hand, den Arm mit dem Stück Seidenbluse daran, und blinzele mit den Augen. Meine Brillengläser beschlagen. Man hält mich fest, irgendwer wird herbeigerufen, eine schneidende Männerstimme redet auf mich ein: »Das wird dich teuer zu stehen kommen, Fräuleinchen.«

Dann mischt noch eine andere Stimme mit, die klärende Stimme ist das. Hell, entschieden, schön modelliert. Die Stimme, auf die ich gewartet habe.

»Sie müssen bitte entschuldigen, Volksgenossen. Meine Schwester, ja. Wir hatten einen kleinen Streit, und sie ist mir davongelaufen. Ich bitte Sie, es ist doch nicht so schlimm. Ja, natürlich kommen wir für die Kosten auf. Wie viel?« Ein Lachen. »Wie gut, dass ich diesen Monat mein Taschengeld noch nicht ausgegeben habe. Ja, natürlich. Den Rest übernimmt mein Vater. Meine Mutter ist Stammkundin bei Ihnen. Frau Dr. Ginzel. Hier unsere Karte. Die Bankverbindung steht darauf. Natürlich kaufen wir die Bluse. Wie bitte? Aber das sind ja noch die alten Sachen vom Sommer. Das kann ja nicht so teuer werden. Lassen Sie sie ausbessern. Wir holen sie morgen ab. Keine Ursache. Heil Hitler, und guten Tag, Volksgenossen.«

Langsam kann ich wieder sehen.

Das schmale Gesicht gebräunt, der Schatten eines Bärtchens auf der Oberlippe, die braunen Augen, die eng zusammenstehen und dadurch so eindringlich wirken. Der Haarschopf schräg über der Stirn. Er lächelt nicht.

»Ich lass mir nichts von dir bezahlen«, sage ich.

Es ist, als wenn er mich nicht gehört hätte.

Er hält mich am Ellenbogen und führt mich vorbei an vielen, vielen Kleiderpuppen. Sie scheinen Spalier zu stehen für uns. Hinter gläsernen Vitrinen ist eine Nische, in der sich hier oben ein kleines Café befindet. Um diese Tageszeit sitzt hier niemand. Ich lasse mich leiten, als wäre ich ein Kind.

Er bestellt, ohne zu fragen, zweimal Zitronenlimonade. Ich habe noch nie solche Zitronenlimonade getrunken. Immer nur welche aus Brausepulver für fünf Pfennig.

»Warum bist du vor mir davongelaufen?«, fragt er.

Ich sage nichts und schlürfe an dem Röhrchen. Mein Mund ist immer noch wie ausgetrocknet. Er sieht mich unverwandt an, ohne zu antworten. Diese braunen Augen sind so still wie Spiegel. Spiegel, in die man hineingehen möchte, durch sie hindurch, um herauszubekommen, was sich dahinter verbirgt.

Er hebt seine Hand, legt sie an mein Gesicht und streicht über meine Wange. Einen Augenblick lang kann ich nicht richtig atmen.

»Katharina Sander«, sagt er. Sonst nichts. Woher kennt er meinen Namen? Noch nie hat einer meinen Namen so ausgesprochen.

Ich schlürfe weiter diese kühle, säuerliche Limonade in mich hinein, so gierig, als wäre ich in der Wüste. Ich bin verdorrt. Ausgetrocknet. Ich trinke und trinke. Sein Glas ist unberührt.

Er zahlt, steht auf. »Komm«, sagt er.

Wir stehen voreinander. Hinter uns kramt die Serviererin unsere Gläser vom Tisch. Ich hätte gern seine Limonade auch noch ausgetrunken, aber ich habe mich nicht getraut, danach zu greifen. Jetzt nähert sich sein Gesicht dem meinen. Er greift nach meiner Brille.

»Nein«, sage ich. »Nein.«

Als müsste ich eine letzte Bastion verteidigen. Denn das ist eine Geste, die allein Paula zusteht.

Ich nehme die Brille selbst ab und stecke sie in die Tasche meines Rocks. Aber nicht deshalb verschwimmt sein Bild vor meinen Augen. Er beugt sich vor und küsst mich auf den Mund.

Alles um mich herum dreht sich. Ich kann nicht anders, muss mich an ihm festhalten, an seinen Armen, muss mich anklammern wie jemand, der am Versinken ist. Wir sind zusammen in einem leeren Raum. Mein Mund und seiner sind eins. Es gibt nichts außer uns beiden.

Einmal zum Sirius und zurück. Endlose Zeiten. Wo war ich? Dabei setzt die Serviererin gerade erst unsere Gläser auf dem Tresen ab.

Wir fahren nacheinander die Rolltreppen hinunter, gehen zur Straßenbahnhaltestelle. Wir gehen einfach nebeneinander her, sehen uns nicht an, sagen nichts. Steigen ein und setzen uns nebeneinander. Als ich etwas beiseite rücke, um einer Frau Platz auf der langen hölzernen Bank einzuräumen, spüre ich einen Knacks in meiner Tasche. Ich fasse hinein. Meine Brille ist zerbrochen. Ich halte die Stücke in der Hand.

»Ein Glück, dass du dich nicht daran geschnitten hast«, sagt Gerolf. Es ist alles, was er auf der ganzen Fahrt sagt.

Erst, als er im Vorderaufgang verschwunden ist, fällt mir ein, dass ich ihn nicht nach Elises Perlenkette gefragt habe. Und auch sonst nach gar nichts.

»Heute kommst du mir vor wie eine Schlafwandlerin«, sagt Paula kopfschüttelnd. »Ich muss dich um alles zweimal bitten. Außer dem Ganzen, was sowieso nicht stimmt – stimmt irgendetwas darüber hinaus nicht?«

»Meine Brille ist zerbrochen«, sage ich einsilbig. Was soll ich ihr von diesem Tag erzählen? Die Schule, der *Stürmer*-Artikel, die Prügelei, die Flucht, die Kleiderpuppe – alles ist unendlich weit entrückt, wie aus einem anderen Leben. Und das andere? Ich kann es nicht. Ich kann nicht darüber reden. Und schon gar nicht zu Paula.

»Gib mir mal das Magenta rüber. Magenta, nicht Zinnober, Katze! Was ist mit deiner Brille? Zeig mal.«

Ich habe die Einzelteile zu Haus in das Etui aus Pappmaschee getan. Nun öffne ich es. Ohne den Pinsel aus der Hand zu legen, schielt sie darauf: Der durchgeknackte Nasenbügel, das eine Glas, das aus der Fassung gefallen und sternförmig zersprungen ist.

»Hast du dich geprügelt?«, fragt sie stirnrunzelnd.

»Nein. Das ist in der Straßenbahn passiert.«

»Straßenbahn? Seit wann fährst du Straßenbahn? Wo wolltest du denn hin?«

Im Radio dudelt Jazz. Einer bläst Trompete. Mohr schnurrt unvermutet um meine Beine, und ich schreie leise auf, weswegen Paula der Pinsel abrutscht.

»Terpentinlappen, Katze! Schnell! Was ist denn mit dir? Seit wann erschreckst du dich vor Mohr?«

»Ich weiß nicht«, sage ich. Sie korrigiert. »Komm, guck zu. So setzt man Lichter. Lern was.«

Gott sei Dank, die Straßenbahn ist vergessen.

»Lass mir deine Brille hier«, sagt sie. »Morgen gehe ich

zu Benthey und lasse sie reparieren. Falls sie mich bei Benthey noch reinlassen.«

»Wieso sollen sie dich nicht reinlassen?«, frage ich, und zugleich mit meiner Frage überfällt mich das Bewusstsein, wie töricht ich rede. Paula Glücksmann. Der tote Glücksmann im *Stürmer*. Die Rassengesetze.

»Benthey ist doch ein richtig arisches Geschäft. Ob die da noch eine Mischlingsfrau zur Kundin wollen? Besser du gehst selbst. Ich gebe dir das Geld.«

Sie legt Pinsel und Palette beiseite, greift zu ihrer Handtasche, die wie meistens offen auf einem Stuhl liegt, und holt aus ihrem winzigen Portmonee zwei zusammengeknüllte Geldscheine heraus.

»Am besten, du machst es gleich. Du brauchst die Gläser doch. Und du bist auch nicht richtig bei der Sache – aus welchen Gründen auch immer.«

»Ich möchte jetzt nicht weg von dir«, sage ich. Ich habe Mohr auf den Schoß genommen. Er schnurrt und bewegt lustvoll seine Krallen. Sein Fell schimmert metallisch. In mir ist so ein merkwürdiges Gefühl. Als wäre ich so weit von ihr fort gewesen, dass ich jetzt nicht schon wieder fortrennen darf.

»Ich möchte zusehen, wie du malst.«

»Du guckst gar nicht zu«, bemerkt sie und nuschelt am Pinsel vorbei. »Du starrst Löcher in die Luft. Und ich kann auch gar nicht mehr lange malen, weil das Licht dann weg ist. Also, geh, bevor Ladenschluss ist.«

Mit einem Seufzer hebe ich Mohr von meinem Schoß und setze ihn auf der Fensterbank ab. Er miaut protestierend.

Ich bin schon an der Tür, da muss ich noch einmal zurück. Von hinten schlinge ich meine Arme um Paulas mageren Körper, drücke mein Gesicht an ihren Rücken. Das grobe Leinen ihres Kittels kratzt meine Wange.

»Katze! Was ist denn?«

Sie hält ganz still, die Arme erhoben, in einer Hand die Mischpalette, in der anderen den Pinsel. »Erdrück mich nicht«, sagt sie leise. »Sag bloß, was es ist. Schule? BDM? Die Großmutter? Was anderes?«

»Schule«, antworte ich. Schule ist es ja auch. Es ist alles und mehr. Aber Paula soll malen.

»Weißt du was? Geh morgen einfach nicht hin. Deine Großmutter schreibt dir doch bestimmt 'nen Zettel. Das ist zwar nicht unbedingt der Rat, den ich dir als Lehrerin geben sollte – aber« – sie lacht ein bisschen – »manchmal hilft es. Manchmal wird einfach was vergessen. In Ordnung?«

»Ja, in Ordnung«, sage ich und löse mich von ihr. »Nutz mal das Licht aus. Morgen darf ich kommen?«

»Morgen wie immer und zur gleichen Stunde.«

Aber wir haben nicht auf die Zeit geachtet. Jedenfalls stehe ich bei Optiker Benthey vor geschlossenen Türen.

Als ich auf unseren Hinterhof komme, wird es bereits dämmrig. Agnes Sanders Altkleiderhandlung, falls sie denn heute überhaupt offen war, hat auch schon dichtgemacht. Oben im Küchenfenster brennt Licht.

Bei uns im Hinterhaus sind die Toiletten auf der halben Treppe für jeweils vier Parteien, und von der Wohnungstür aus kommt man direkt in die Küche. Als ich aufschließe, stürzt sich der Geruch nach Bratkartoffeln mit Speck förmlich auf mich, und mir läuft das Wasser im Mund zusammen. Schließlich habe ich seit der Stulle heute früh nichts gegessen. Pausenbrote macht mir keiner und ich selbst mache sie mir schon gar nicht. Manchmal legt Agnes einen Groschen hin für eine Streuselschnecke, aber meistens vergisst sie es. Und mir war ja bis jetzt auch gar nicht nach Essen.

Agnes und Bruno sitzen am Abendbrottisch, und ich stelle erleichtert fest, dass keine Flasche draufsteht. Nicht mal eine Bierflasche. Nur die große Kanne mit Malzkaffee.

Ich setze mich zu ihnen und nehme mir, nachdem ich »'n Abend« genuschelt habe. Hier macht man sich nichts aus Förmlichkeiten. Heißhungrig schaufele ich die Kartoffeln in mich rein. Sie sind knusprig und mit Thymian und Kümmel gewürzt. Wenn Großmutter Agnes will, kann sie richtig gut kochen – einfache Gerichte wie Reibekuchen oder Heringshäckerle oder Eintöpfe schmecken bei ihr zum Reinsetzen gut, das haben ihre wechselnden Männer neidlos bestätigt. Bloß meistens hat sie keine Lust, sich an den Herd zu stellen.

Die beiden sind nicht sehr gesprächig. Sie sitzen vor ihren Tellern und sehen aneinander vorbei. Irgendwas liegt in der Luft. Haben sie sich gestritten? Bruno ist friedlich und gutmütig. Er neigt nicht zu Krawall. Als ich mir die Kanne mit Kaffee rüberhole, um mir einzugießen, merkt er sogar, dass mit meinem Gesicht was anders ist, und fragt: »Wat haste denn mit deinem Nasenfahrrad jemacht?«

»Ist kaputtgegangen«, erwidere ich und kann sicher sein, dass da keine weitere Nachfrage kommt.

»Oma«, sage ich und schiebe mir die letzten Bratkartoffeln in den Mund, »kannst du mir für morgen ’ne Entschuldigung machen? Ich hab Ärger in der Schule.«

Früher habe ich einfach unentschuldigt gefehlt. Dann, als Paula da war und ich in die Erweiterte kam, habe ich nicht mehr gefehlt. Aber ich kann da morgen nicht hingehen.

»Entschuldijung?«, fragt Agnes langsam und richtet ihre hellen Augen nachdenklich auf mich. Sie erinnern mich in diesem Moment sehr an die Augen von ihrer Schwester Luise, die ich so kalt unter dem Halbschleier hervorschimmern sah. »Entschuldijung is ’ne jute Idee.«

Sie steht auf und geht zum Küchenbüfett. Aus dem Schubfach holt sie ein fettfleckiges altes Schulheft und einen Kopierstift. Manchmal reißt sie aus diesem Heft eine Seite heraus, um eine Einkaufsliste für mich zu machen.

Jetzt schiebt sie ihren Bratkartoffelteller beiseite, fährt mit der flachen Hand über das Wachstuch der Tischdecke, legt das Heft auf die so gereinigte Fläche und nimmt die Mittelseite heraus. Dann leckt sie den Stift an und beginnt mit schief gelegtem Kopf zu schreiben.

»So«, sagt sie. »So machen wir das.« Sie reicht mir das linierte Papier über den Tisch. Um ihre Lippen spielt ein Lächeln. Die alte Agnes sieht richtig frech aus im Augenblick.

Ich lese. Da steht in großen, geraden, korrekten Buchstaben, in »deutscher« Schrift, wie wir sie auch alle in der Schule lernen: »Meine Enkelin Katharina Sander konnte nicht am Unterricht teilnehmen, da sie der Beerdigung ihres Großonkels Bertram Glücksmann beiwohnte. Ich bitte das Versäumnis zu entschuldigen. Agnes Sander.«

Sie hat keinen Fehler gemacht.

Ich sehe sie an mit offenem Mund. Mir kribbelt es im Bauch. »Ist das dein Ernst?«, frage ich, während ich langsam den Zettel zusammenfalte, ganz langsam, um meine Hände ruhig zu kriegen.

Bruno guckt kummervoll in seinen Kaffeetopf.

»Jetzt will se dich wohl ooch noch in diesen Unfug verwickeln, wa? Als ob wir nich so schon jenuch Schwierigkeiten hätten!«

»Möchte wissen, wat daran Unfug sein soll.« Die hellen Augen meiner Großmutter sind schmal. Sie sieht Bruno kampflustig an. »Det is, immerhin is det der Mann von meine Schwester. Und det is nich so, det der mir jleichjültig jewesen is. Überhaupt nich. Ick hab's rausjekriegt, dass morgen Vormittag de Beisetzung is, im alten Glücksmann'schen Familiengrab, in aller Stille. Nämlich einer von de Totengräber leiht sich bei mir unten immer 'n Zylinder aus. Hat seinen irjendwann inne Kneipe verjessen. Von den hab ick's erfahren. Und ick jeh dahin, ob det Luise nu lieb is oder leid. Und warum soll Käthe nich mitjehn?«

Bruno schüttelt langsam den großen Kopf.

»Det weeste doch von alleene, Agnes«, sagt er traurig. »Musste dich jetzt ooch noch mit den Juden vortun? Reicht's nich, wenn du mit wem zusammen bist, der rassisch unwert is? Und denn deine Schwester –«

»Was zwischen meiner Schwester und mir is, das jeht dich nischt an, Bruno«, sagt Agnes abweisend.

 »Denn lass wenigstens das Meechen raus, Agnes!«

»Warum soll sie mich rauslassen?«, frage ich und habe inzwischen den hässlichen linierten Entschuldigungszettel so klein geknifft wie eine Briefmarke. »Warum soll ich nicht mitgehen? Es ist doch mein Großonkel, nicht wahr? Das kann mir schließlich keiner verübeln.«

Agnes ist aufgestanden. Sie legt Heft und Kopierstift an ihren Platz zurück und tätschelt mir im Vorbeigehen kurz den Rücken. »Doch«, sagt sie. »Verübeln können se dir det schon. Aber det macht den Kohl ooch nich mehr fett.«

Bruno kramt in seiner Westentasche. »Holste uns noch 'n halben Liter, Käthchen? Bloß Bier. Schlummertrunk, ja?«

Was soll ich machen? Soll ich Nein sagen? Dann geht er selbst eine Querstraße weiter. Und dann bleibt er sitzen. Und Agnes kommt ihm irgendwann nach ...

Ich erhebe mich, nehme den Krug mit dem Deckel vom Bord und schließe die Tür hinter mir. Zweiter Hinterhof, erster Hinterhof – an der Tordurchfahrt nach draußen zur Straße stoppe ich. Ich nehme die schmale Tür, die hier vom Hof ins Treppenhaus nach vorn führt und muss mich für einen Moment gegen die blaugrünen Fliesen mit dem Lilienmuster lehnen. Horche nach oben. Klavierspiel. Die Kühle von Zitronenlimonade. Schwindel.

Ich kann nicht anders. Leise wie ein Geist schleiche ich an der Tür der Glücksmann'schen Wohnung vorbei, eine Treppe höher. Der Klang-Rausch ist wie eine Welle, die mich hochhebt. Gerolf Ginzel.

Was tue ich da? Schleiche mich wie eine Diebin die Treppen hoch, um jemanden Klavier spielen zu hören, um in seiner Nähe zu sein? Bin ich besessen?

Ich fasse in meine Rocktasche. Da habe ich neben dem Brillenetui, dem mehrfach gefalteten Entschuldigungszettel von Agnes, dem Fünfziger von Bruno auch noch das Geld von Paula.

Jetzt falte ich aus dem geknüllten Zettel einen Umschlag und tue das Geld für die Brille rein. Da hab ich doch vor mir einen Grund, warum ich hochgekommen bin. Stecke nun also das selbst gebastelte Kuvert bei Ginzel durch den schön polierten Messingbriefschlitz. Weil ich mir nichts schenken lasse.

Was für eine fürchterliche Angst habe ich früher gehabt, allein und des Nachts in der Altkleiderhandlung, diesem Lumpenkeller! Aber das habe ich Agnes nie eingestanden. Immer wenn sie sagte: »Heute schläfste unten, Käthchen«, habe ich genickt und »in Ordnung« gesagt. Ich weiß nicht, ob sie mich oben gelassen hätte, wenn ich ihr erzählt hätte, wie schrecklich ich mich gefürchtet habe. Schließlich gibt es oben außer der Küche bloß eine einzige Stube, und ich schlief in dem alten Doppelbett unter dem komischen Bild mit den Mädchen auf der Schaukel. Wenn Agnes ihre Männer empfing – wo sollte ich da bleiben? Es wäre höchstens noch die Küche infrage gekommen. Aber durch die mussten sie durch, wenn sie runter aufs Klo wollten. Und außerdem hört man alles. Agnes will schließlich auch leben.

Nachts im Lumpenkeller habe ich die Decke über den Kopf gezogen und mit den Zähnen geklappert, und dann habe ich diese Anfälle gekriegt. Heute weiß ich, dass es einfach nur Angst ist. Angst kann so schlimm sein, dass man nicht mehr bei sich ist und irgendwohin flüchtet. Ins Schreien. Oder ins »Jenseits«. Manchmal ist es mir auch geglückt, mich ganz weit weg zu denken. Dann habe ich mir meine Mutter vorgestellt, eine Frau, die ich nicht kannte. Sie ist gemeinsam mit meinem Vater bei einer Explosion im Gaswerk umgekommen, als sie ihm das Essen ans Betriebstor gebracht hat. Meine Mutter war in meiner Vorstellung blond und sanft und sah aus wie ein Filmstar. Dann habe ich meine Bettdecke so in den Arm genommen, als wenn das der Körper eines Menschen wäre, und mich an ihn geschmiegt.

Morgens hatte ich oft ins Bett gemacht. Aber darüber hat Agnes nie ein Wort verloren. Sie hat auch nicht geschimpft mit mir. Ich denke, sehr oft hat sie es gar nicht gemerkt, weil sie die Betten sehr selten lüftet, und das da unten hinter den alten Kleidern schon gar nicht.

Jetzt kommt mir das vor wie aus einem anderen Leben. Als wenn das gar nicht ich gewesen wäre, sondern jemand anders. »Jetzt« ist, seit es Paula gibt. Jetzt gehe ich gern auch mal freiwillig abends in den Lumpenkeller. Da kann ich noch in Ruhe ein Buch lesen, und die Gesellschaft von Agnes und Bruno ertrage ich sowieso nicht jeden Tag. Hier unten habe ich meine Ruhe. Die Ratten rascheln und fiepen, aber das stört mich jetzt nicht mehr, genauso wenig, wie mich der modrige Geruch hier unten stört. An den gewöhnt man sich mit der Zeit. Ich habe hier eine kleine elektrische Lampe mit einer langen Schnur, deshalb kann sie sowohl am Bett als auch auf dem so genannten Ladentisch stehen, wenn ich noch was zeichnen will. Wenn ich bedenke, dass in diesen Räumen, wie mir Agnes erzählt hat, mal eine sechsköpfige Familie gewohnt hat, dann komme ich mir allein hier fürstlich aufgehoben vor.

Aber heute habe ich keine Lust zum Lesen und keine Lust zum Zeichnen. Sitze zwar mit meinem Zeichenzeug da, aber ich starre nur Löcher in die Luft. Bin voller Unruhe.

Dass dieser Herbsttag so frühlingshaft warm war, das merke ich eigentlich erst jetzt, am Abend. Ich habe die Tür zum Hof weit offen gelassen, einzufangen, was von draußen kommt.

Draußen. Es ist jetzt dunkel, und aus den Küchen- und Klofenstern von Vorder-, Seiten- und Hinterhaus dringen alle möglichen und unmöglichen Geräusche und Gerüche zu mir. Lichtstreifen und bewegliche Schatten fallen über das alte Hofpflaster. So was müsste Paula malen. Ich kann das noch nicht. Die Luft ist so still, dass man sogar die Kuh muhen hört, die hier ein paar Häuser weiter noch immer auf einem Hinterhof gehalten wird und von der sich die Leute der Umgebung lieber die Milch holen als aus dem Bolle-Geschäft. Sie ist nicht verwässert, heißt es, und kuhwarme Milch soll gegen Blutarmut und Brustkrankheit helfen. Ich hab sie einmal probiert. Mir wurde sofort schlecht davon.

Eine Kuh in Berlin. Zu komisch.

Schritte auf dem Hof hin und her, auf und ab. Hier wohnen viele Leute. Sie gehen vorbei im Dunkeln. Ich sehe sie nicht, aber sie können mich sehen, wie ich da bei meiner Lampe sitze. Manchmal ruft einer einen Abendgruß herein und ich erwidere ihn. Jedes Mal, wenn ich wieder Schritte höre, zucke ich zusammen, und mich überkommt wieder dies fremde Gefühl, wie da in dem Kaufhaus zwischen den Kleidern.

Es klopft. Es ist ein zaghaftes, ein ganz leises Klopfen, stetig, ohne aufzuhören.

»Ist offen«, sage ich mechanisch. Meine Stimme kommt mir fremd vor.

Der da eintritt, grüßt nicht. Er steht als dunkler Umriss in der Tür, schlank, sehr gerade aufgerichtet. Mein Mund ist trocken. Ich denke an die Limonade aus Zitronen und habe auf einmal ein unendliches Bedürfnis zu trinken.

Erst, als er die Tür hinter sich zumacht, weiß ich, dass ich auf ihn gewartet habe. –

Er hat Pickel auf der Stirn, da, wo der Rand seiner Schülermütze zu sitzen pflegt. Er hat sehr dichte Brauen. Auf seiner Oberlippe liegt dieser leichte Bartschatten. Seine Pupillen reflektieren das Lampenlicht. Ich sehe ihn so genau, dass ich ihn mit geschlossenen Augen zeichnen könnte.

»Geh weg«, sage ich heiser. Vom Küssen sind meine Lippen wie taub.

»Nein, ich kann nicht«, sagt er. »Ich kann nicht, weil du es nicht willst.«

»Ich weiß nicht, was ich will«, flüstere ich.

»Ich weiß es auch nicht. Was ist bloß passiert? Warum muss ich dir nachlaufen bis in die entferntesten Winkel? Katharina! Ich bin durch dies Haus gegangen, um dich zu suchen. Aber ich musste nicht weit gehen. Du saßest da im Schein der Lampe – wie in einer Schale aus Licht.«

»Was sagst du da?«

»In einer Schale aus Licht, ja.«

Ich antworte nicht. In einer Schale aus Licht!? Wir stehen im Kellergeschäft von Agnes Sander, mitten zwischen alten Kleidern, Trödel, ausgetretenen Schuhen und verbeulten Hüten. Und überhaupt, in der »Schale aus Licht« kann uns jeder sehen, der vorbeikommt.

Er redet wild, eindringlich. Ich kenne diese Art, die Dinge zu benennen. Die Baretti, Kreuzspinne Baretti, redet manchmal so, wenn sie über die Anschauungen der Völkischen spricht. Schwärmerisch. Und aus Gerolfs Mund hört es sich an, als sei es ein Gedicht. Ich bin die Katze im Trödelladen. Eigentlich ist es zum Lachen. Aber mir ist nicht lächerlich dabei. Ich habe das Gefühl, dass sich zwischen meinem Magen und meinem Herzen etwas spannt und hebt. Vielleicht versteht man das unter »Ich fühle mich erhoben«? Hinter meinen Augäpfeln sitzen Tränen und brennen.

»Weißt du, dass ich von dir träume?«

Ich muss kurz die Augen schließen. Seine Hand kommt, fährt mir über das Haar, zieht die Konturen meines Gesichts nach. Und wir stehen hier im Hellen, vor aller Augen …

»Wir sollten das Licht ausmachen«, sage ich und erschrecke in dem Augenblick, wo ich es ausgesprochen habe.

»Warum?«, widerspricht er. »Warum sollen sie es nicht sehen?«

»Weil ich Katharina Sander bin und du Gerolf Ginzel, darum«, sage ich und bin froh, dass ich wieder zu Worten gefunden habe. »Und darum sollst du auch gehen.«

Auf einmal hat er etwas in der Hand. Es ist mein zum Kuvert gefalteter, zerknitterter Entschuldigungsschein für morgen.

»Bitte, Katharina. Geh da nicht hin. Das ist nicht deine Welt. Lass sie ihre Toten begraben, aber halte dich fern.«

Er redet weiter. Leidenschaftlich, leise.

»Ich sehe dich an, und du bist für mich der Inbegriff eines nordischen Mädchens. Dein rotes Haar, deine Haut, die Form deines Kopfes – eine Lichtgestalt. Du kannst nichts dafür, dass sich in diese Familie einer von den Schwarzgelben eingeschlichen hat. Aber du musst dich nicht mit ihnen gemein machen. Das sind Fremde.«

Ein Rascheln im Hintergrund ruft mich auf den Boden des Lumpenkellers zurück.

»Was ist das?«, fragt Gerolf und reckt den Hals.

»Eine Ratte«, sage ich verwirrt. Mir ist auf einmal, als ob ich mich dafür schämen muss, dass es hier Ratten gibt.

»Eine Ratte!« Er sieht mich an und scheint irgendwie empört. »Du sollst hier nicht sein.«

»Ich bin hier immer. Oder doch fast immer.«

Ja, ich bin hier. Und doch durch Lichtjahre getrennt von der Welt, in der ich mich gerade aufhalte mit ihm. Licht. Eine Schale aus Licht …

»Morgen wird es anders sein«, sagt er. »Ich will, dass du zu mir kommst.«

»Ich komme nicht in deine Wohnung«, antworte ich und denke an die Rauchs. Er fasst meine Hände. »Katharina, das musst du! Ich muss dich mitnehmen in das Allerheiligste, was ich habe – in meine Musik. Ich will dich neben mir wissen, wenn ich Wagner spiele und Liszt. Will meine Gefühle mit dir teilen. Will mit dir in die Klänge hineingehen wie in einen Dom. Bitte! Oder magst du keine Musik?«

»Ich mag Musik«, sage ich einsilbig. Was soll ich ihm

entgegnen, ihm, der glüht vor Begeisterung? Auf einmal kommt es mir so unbedeutend, so prosaisch vor, was ich ihm erwidern könnte. Er spielt auf dem Flügel des kleinen Rauch! Na und? Der konnte doch nur den »Fröhlichen Landmann« ... Die Rauchs sind fort. Leichenfledderer, wer hat das gesagt? – Ich schwebe in einer Wolke. Ich weiß gar nichts mehr. Stumm schüttle ich den Kopf.

»Ich werde dich schon noch überreden«, sagt er sanft. Zögert. Dann: »Versprichst du mir, morgen gegen Abend hier auf mich zu warten?«

Ich schüttle den Kopf. »Nein, nein. Ich verspreche gar nichts.«

»Auch gut. Du machst eine Aufgabe daraus!«, sagt er. »Auch gut. Ich werde dich schon finden, Katharina.«

Plötzlich ist sein Gesicht dicht vor dem meinen. Er umfasst meine Wangen mit beiden Händen, als wolle er mir einen Rahmen geben. »Geh nicht zu dieser Beerdigung«, sagt er leise. »Tu dir das nicht an. Das zerstört deine Aura.«

Ich öffne den Mund, um etwas zu erwidern, aber da sind seine Lippen schon auf den meinen. Ich stehe von oben bis unten in einem warmen Strom. Was ist meine Aura? Was ist sie für ihn? Wie dort in dem Kaufhaus muss ich nach ihm greifen und mich an ihm festhalten.

Draußen klicken scharfe Schritte vorüber, scheinen vor der Tür zu zögern. Mit solchen Absätzen geht keiner der Leute auf dem Hinterhof herum, weiß ich.

Aber draußen ist sehr weit draußen. Es ist nicht bloß vor der Tür. Es ist nur wie ein Geräusch von der Straße, wenn du die Fenster geschlossen hast – aus einem Universum, in dem ich mich gerade nicht aufhalte.

Als er schließlich, nach einer Zeit, von der ich nicht weiß, wie lang sie ist, zurück über die Höfe geht, ist mir, als würde ich aufwachen. Ja, ich bin immer noch in Agnes Sanders Altkleiderladen, ja, die Ratten rascheln und fiepen, und irgendwo streiten sich zwei Frauen, die eine redet leise, die andere schreit. Eine Männerstimme mischt sich auch ein. Und dann wird mir bewusst, dass die laute Frauenstimme die meiner Großmutter Agnes ist.

Ich gehe langsam, wie im Traum, zum Hinterhaus.

Sie zanken sich auf der Treppe. Das Flurlicht brennt nicht, nur oben aus unserer Küchentür dringt ein Lichtschein. Offenbar hat Agnes die Besucherin vor die Tür gesetzt oder gar nicht erst hereingelassen.

Eigentlich will ich Agnes helfen – das ist normal, wenn sich welche streiten hier im Hinterhaus. Man kommt dazu und ergreift Partei. Aber dann bleibe ich an der Treppenkehre stehen, denn mein Name ist gerade gefallen.

»Das steht Käthen zu, und das weißt du ganz genau!«, höre ich meine Großmutter gerade schreien, und die andere antwortet: »Überhaupt nichts steht ihr zu. Dass Bertram offiziell ihr Vormund war, das verpflichtete ihn in keiner Weise zur Unterhaltszahlung. Das war einzig und allein seiner Gutmütigkeit zuzuschreiben. Selbst gesetzlich festgelegte Zahlungen sind nur bis zum 16. Lebensjahr gültig. Mach dir da keine Hoffnung, Agnes. Mich zockst du nicht ab. Es ist vorbei.«

Jetzt erkenne ich auch diese Stimme. Niemand anderes als Luise. Agnes' Schwester Luise, verwitwete Glücksmann. Meine Großtante. »Du kannst dir ja einen Anwalt nehmen, wenn du was willst.«

»Anwalt! Du weeßt so jut wie ick, det ick mir keen Anwalt leisten kann, wovon denn!« Agnes klingt, als wenn sie gleich heulen wollte.

Nun mischt sich Bruno ein. »Könnt ihr nich uffhören und euch vertragen? Ihr seid doch Schwestern!«

»Also, ich habe nicht angefangen!« Das ist wieder Luises scharfe beherrschte Stimme. »Ich kann das nun einmal nicht als Zufall ansehen, dass dies Mädchen heute bei mir in der Wohnung aufgetaucht ist, und auch noch in dem Moment, als Paula gewaltsam versucht hat, einen Schreibtisch aufzubrechen, um nach einem Testament zu suchen. Die sind doch eine wie die andere. Der Apfel fällt nicht weit vom Stamm. Deine liebe Käthe knutscht sich im Übrigen da unten gerade mit einem Nazibengel rum. Ich denke, das weißt du, ja?«

»Käthe ist anständig!«

»Was du so drunter verstehst.«

Bis dahin höre ich zu. Dann drehe ich mich um und gehe zurück in meine Lumpenhöhle, werfe mich, so wie ich bin, aufs Bett und ziehe mir die Decke über die Ohren.

Ich habe nichts von all dem verstanden, nichts davon, was der Grund für diesen Streit zwischen Agnes und Luise ist. Ich habe nur gehört, dass es um mich geht. Um irgendetwas, wozu ich der Anlass sein muss, ohne es zu wissen. Unterhaltszahlungen? Bertram mein Vormund? Was hat das alles zu bedeuten?

Ich weiß es nicht. Ich weiß nur, dass all diese Familiensachen, die mir so geheimnisvoll und bedeutend vorkamen, die Bilder von Markwart in Vorderhaus und Hinterhaus, die Beziehung zwischen den Schwestern, selbst Paulas Eingebundensein in diese Dinge mich heute Abend ganz und gar nicht berühren. Ich bin von etwas anderem berührt worden.

Ich brauche nie einen Wecker. Großmutter Agnes sagt, ich hätte »eine Uhr im Bauch«. Und dass ich heute Morgen so spät aufwache, hängt sicher auch mit dieser »Uhr« zusammen. Ich weiß ja, dass ich nicht zur Schule gehe. Und offenbar will ich auch nirgendwo anders hingehen. Denn die Sonne ist schon bis zu meiner Bettdecke vorgedrungen. Warum liege ich mit Kleidern im Bett? Ich habe keine Ahnung. Mein Kopf ist wie leer gefegt. Nur ein Traum hockt noch drin und macht sich breit, aber ich kann mich nicht erinnern, was für ein Traum es war. Nur das Gefühl davon habe ich. Es ist zugleich beklemmend und lustvoll, als wenn man etwas Verbotenes tut. Aber stärker als die Beklemmung und das Unbehagen ist doch die Lust. Erhebend. Ich fühle mich erhoben.

Plötzlich ist der gestrige Abend wieder da. Aber wie auf einem Bild der großen Meister, die ich bei Paula kennen gelernt habe, gibt es Hintergrund und Vordergrund. Im Hintergrund gibt es einen Streit auf der Treppe zwischen Agnes und Luise. Sie streiten um mich, aber was das war, kommt mir ganz verwischt und unwesentlich vor.

Im Vordergrund ist die Nähe und die Wärme und das Gefühl in diesem Lumpenkeller, im Lichtschein der Lampe. Draußen ist es warm. Wir küssen uns.

Ich berühre meine Lippen. Sie sind rissig und aufgesprungen.

Langsam schlage ich die Bettdecke zurück, richte mich auf. Wie zerknittert meine Sachen sind! In der Rocktasche ist noch immer das Etui mit der zerbrochenen Brille, für deren Reparatur ich nun kein Geld mehr habe. Ich habe drauf geschlafen. Ich muss nach oben in die Wohnung gehen und mich waschen und umziehen. Noch immer hängt das Traumgefühl an mir wie ein großes nasses Tuch, in das man mich zum Schwitzen eingewickelt hat.

Als ich dann vor der Tür der Altkleiderhandlung stehe, um abzuschließen – der Schlüssel hängt ja immer um meinen Hals –, entdecke ich mal wieder einen karierten Zettel und darauf Agnes' krakelige Schrift. HEUTE VORM. WEGEN TRAUERFALL GESCHLOSSEN.

Die Beerdigung. Ich weiß nicht mal, um welche Zeit sie sein soll, oder wo. Verwirrt stehe ich vor dem Zettel und fahre mir mit den Händen durchs Haar. Vielleicht ist die Großmutter ja noch nicht weggegangen. Oder Bruno weiß Bescheid.

Aber in der Wohnung sind weder Bruno noch Agnes.

Wie üblich liegt alles wie Kraut und Rüben durcheinander, Ordnung ist nicht die Stärke von Agnes.

Meine andere Bluse (ich habe nur zwei) und der blaue Faltenrock, den ich so gern anziehe, liegen zwar gewaschen, aber ungebügelt unter einem Stapel anderer Kleidungsstücke. Im Schrank hängt noch das Kleid aus geblümtem Wollstoff. Ich hasse es, denn als ich herausgewachsen war, hat Agnes es am Saum und an den Ärmeln mit grünem Leinen verlängert. Seitdem haben sie in der Schule noch einen Grund mehr, über mich zu lachen. Aber es bleibt mir nichts anderes übrig. Mit einer Strickjacke drüber muss es gehen.

Während ich mich umziehe, sehe ich, dass die Schublade der Kommode im Zimmer herausgezogen ist. Eine Hand voll Papiere quillt aus einem Kunstledermäppchen und ist zum Teil über den Tisch ausgebreitet. Irgendwelche Amtsakten. Geburtsurkunden zum Beispiel.

Hier: Agnes Wilhelmina Sander, eheliche Tochter des Wilhelm Sander und seiner Ehefrau Anna, geb. am 1.5.1876 hierorts ... Komisch. Ich habe mir noch nie Gedanken darüber gemacht, wie alt meine Großmutter ist. Und auch nicht darüber, dass sie nie verheiratet war. Und ihre Kinder? Es soll drei gegeben haben. Von zweien hört man nichts mehr, sind irgendwo. Und meine Mutter ist tot. Ich schiebe die Papiere vorsichtig mit dem Finger auseinander. Ob da vielleicht auch die Geburtsurkunde von ihr dazwischensteckt? Stattdessen finde ich ein amtliches Papier mit einem Siegel vom Notar. Ich sehe meinen Namen. Mein Herz beginnt wie wild zu klopfen.

»Endesunterzeichneter Bertram Glücksmann ist mit seiner Schwägerin Agnes Sander vor dem hiesigen Notariat erschienen« ... Ich überfliege das Amtsdeutsch ... »Gibt zu Protokoll, die amtliche Vormundschaft über seine Großnichte Katharina Sander, uneheliche Tochter der Marie Emilie Sander, bis zu deren Großjährigkeit zu übernehmen ...«

Schnell schiebe ich das Blatt wieder unter die anderen. Mir ist heiß geworden. Also das war es, warum sie gestern gestritten haben. Das waren auch Agnes' Worte. Vormund. Der alte Herr mit dem lahmen Bein und dem silbrig dunklen Bart, der manchmal ein Wort zwischen Tür und Angel mit mir gewechselt hat, war mein Vormund. Was ist das eigentlich? Was hat ein Vormund zu tun? Offenbar gar nichts, denn er hat ja nichts getan.

Ich sehe vor mich hin. Da hätte ich ja eigentlich allen Grund, auf diese Beerdigung zu gehen. Andererseits – ein Vormund!? Sollte er sich nicht von Zeit zu Zeit um sein Mündel kümmern? Was hat er schon gemacht, außer mir im Torweg über den Kopf zu streicheln, wenn keiner zusah? Wie sagte Gerolf? »Sollen sie doch ihre Toten begraben …«

Ganz beiläufig habe ich bei diesem Blick in die Papiere auch noch erfahren, dass ich unehelich bin. Nicht, dass es mich sonderlich aufregt. Ich bin nur froh, dass ich in der Schule bloß das Waisenkind bei der Großmutter bin. Aber irgendwie habe ich immer angenommen, meine Mutter und mein Vater wären richtig verheiratet gewesen. Dabei hätte ich ja nur nachzudenken brauchen. Ich heiße schließlich Sander wie meine Mutter und meine Großmutter.

Auf einmal bin ich wütend und weiß nicht richtig warum. Weil mir keiner was sagt? Das haben sie doch noch nie getan. Warum sollten sie.

Zwischen dem ganzen Papierkram liegt etwas ganz Hübsches. Eine Klappkarte aus seidig schimmernder Pappe mit einem geprägten Spitzenrahmen. ABSCHLUSSBALL-TANZKARTE VON FRL … Der Name steht nicht da. In meiner Wut nehme ich das Ding und stecke es ein. Wozu braucht Agnes so was? Gehört ihr bestimmt nicht. Die hat nie ’nen Abschlussball mitgemacht.

Die Hände in den Taschen meiner Strickjacke vergraben, schlendere ich hinunter auf den Hof. Ich bin nun dran gewöhnt, auch für die Ferne ohne Brille auszukommen. Mit zusammengekniffenen Augen lehne ich in der Septembersonne vor der geschlossenen Tür unseres Trödelladens und grüße ein paar vorbeigehende Hausbewohner, die ich nur am Klang ihrer Stimme erkenne.

Wie viel Friedhöfe gibt es hier in der Umgebung? Und wo werden die Glücksmanns jemanden beisetzen lassen? Bestimmt haben sie irgendwo ein klotziges Erbbegräbnis auf dem Jüdischen Friedhof.

Dann fällt mir ein, dass sie ja gar nicht zur jüdischen Gemeinde gehören. Das hat mir Paula mal erzählt. Na gut, denke ich trotzig. Dann haben sie eben eins auf einem evangelischen Friedhof. Wahrscheinlich mit einem trauernden Engel aus Marmor zwischen Säulen.

Ich blinzele gegen die Sonne. Weil ich eh nichts sehe, schließe ich die Augen.

»Nichts für ungut, Fräuleinchen«, sagt jemand so dicht vor mir, dass ich zusammenschrecke. »Aber wie lange hier geschlossen sein dürfte – wissen Sie das vielleicht?«

Vor mir steht ein kleiner Mann im dunklen Mantel und hohem Hut. Er trägt einen Vollbart und hat dunkle Augen, die zwischen schweren Lidern und Tränensäcken hervorsehen. In seiner Hand hält er einen Koffer aus Vulkanfiber.

»Meine Großmutter ist auf einer Beerdigung«, antworte ich. Er steht da und sieht mich an. »Auf einer Beerdigung«, wiederhole ich. Der Mann blickt hinter sich, als wenn er erwarten würde, dass da jemand hinter ihm auftaucht.

»Ja, Beerdigungen gibt es viele«, sagt er dann. »Es sind harte Zeiten.« Er seufzt. »Das ist sehr schade, dass geschlossen ist. Ich weiß ja nicht, ob ich wiederkommen kann.«

»Vielleicht am Nachmittag«, schlage ich vor.

Ich bin so in meinen Gedanken, in meinen Wünschen und Träumen versponnen, dass ich eigentlich nur hoffe, dass er endlich geht.

Aber er geht nicht. Schüttelt den Kopf. »Am Nachmittag, da muss ich schon weg.«

Noch immer steht er da, hilflos, sieht mich an, und der Koffer hängt an seinem Arm, als wenn er viel zu schwer wäre. Erst jetzt betrachte ich ihn genauer, nehme wahr, was ich sehe.

Ein Jude, fährt es mir durch den Kopf. Er sieht beinah so aus wie die schrecklichen Bilder, die im *Stürmer* auftauchen, diese Karikaturen mit Bart und Nase und dicken Lippen und zugeschwollenen Augen. Ein Jude, der Sachen loswerden will, bevor er – ja, bevor was?

Inzwischen redet der Mann weiter. »Es wäre wohl nicht zu machen, dass Sie anstelle Ihrer Großmutter … Sie haben wohl den Schlüssel nicht …«

»Den Schlüssel habe ich schon«, erwidere ich. »Aber ich komme nicht an die Kasse.«

»Verstehe, verstehe«, murmelt er. Wieder blickt er sich um. »Aber vielleicht könnte ich einfach mal reinkommen? Wenn Sie aufschließen würden?«

Ich will nicht. Denn es hat keinen Sinn. Ich kann ihm ja sowieso nichts abkaufen. Aber ich kann es auch nicht ertragen, wenn man jemandem seine Hilflosigkeit so ansieht. Schließlich bin ich selbst auch schon oft genug hilflos gewesen.

So nehme ich denn den Schlüssel von meinem Hals, öffne die Tür und lasse den Mann in unseren Laden. Er geht gebückt an mir vorbei, als wenn er sich kleiner machen wollte. Ich kenne das von Elise Löwenberg, die geht in der letzten Zeit auch immer so.

»Ich bin Ihnen wirklich sehr dankbar, Fräuleinchen. Sehr, sehr dankbar«, sagt er, ohne mich anzusehen. Er hat seinen Koffer mit den abgestoßenen Ecken gleich auf den Ladentisch gelegt und geöffnet. »Hier sehen Sie einmal. Wirklich schöne Sachen. Für ein paar Mark. Schöne Sachen.«

Ich gehe näher ran und traue meinen Augen nicht.

In dem abgeschabten Koffer liegen Pelze. Wunderschöne, seidig schimmernde Pelze. Große Filmstars tragen solche Sachen, wie er sie hier vor meinen Augen ausbreitet: große Kragen oder Boas, die man sich um Hals und Schultern schlägt; ein Cape mit aufgesetzten Ledertaschen ist dabei, eine kleine Krawatte in Form eines weißen Tiers mit Schwanz und präpariertem Kopf. Natürlich habe ich keine Ahnung, was so etwas wert ist. Aber er hat gesagt, für ein paar Mark!

»Ganz wenig Geld«, redet er weiter auf mich ein. Er zieht eine grau glänzende Stola heraus, hält sie mir vor die Nase. »Sibirischer Weißfuchs, Fräuleinchen. Alles ehrliche Ware. Bestimmt. Keine krummen Geschäfte. Ich hatte ein Pelzgeschäft, bevor – bevor alles anfing. Bitte. Sie können damit ein Vermögen machen. Oder die Frau Großmutter. Kaufen Sie! Es muss ja keiner wissen, dass es von einem – dass es …« er verhaspelt sich, verstummt.

»Ich brauche das Geld«, sagt er gequält. »Heute ist der letzte Tag. Für das Visum.«

»Aber ich habe kein Geld«, sage ich leise. »Und ich weiß auch nicht, wann meine Großmutter wiederkommt.«

Er scheint mich gar nicht zu hören. »Probieren Sie einmal! Was für ein wunderbarer Pelz. Nichts Stufiges, keine versetzten Felle.« Er pustet in die langen Haare hinein, und dann, ehe ich's mich versehe, hat er mir diese Stola umgehängt und tritt einen Schritt zurück. »Wie für Sie geschaffen, Fräuleinchen. Sehr, sehr attraktiv.«

Ich bin wie gelähmt. Was soll ich nur tun? Das Fell kitzelt meine Wangen. Da stehe ich in meinem hässlichen geblümten Kleid mit dem angestückelten Saum und einer Pelzboa über den Schultern, und fühle mich lächerlich und ohnmächtig.

Und dann passiert etwas Entsetzliches. Der Mann schlägt die Hände vors Gesicht und beginnt zu schluchzen.

Ich reiße mir das kostbare Ding ab und werfe es zu den anderen auf den geöffneten Koffer. »Nein«, flüstere ich. »Nein! Bitte gehen Sie! Kommen Sie ein andermal wieder! Ich – wir handeln auch gar nicht mit Pelzen! Altkleider, nur Altkleider! Bitte!«

Ein Schatten in der Tür. Endlich! Agnes! Ich fahre herum. Aber es ist nicht Agnes. Es ist Gerolf.

»Heil Hitler«, sagt er und betont die beiden Worte, als wenn er eine religiöse Formel aufsagen würde. »Darf ich Sie bitten, dieses Haus unverzüglich zu verlassen. Hier hat niemand vor, mit Ihnen Geschäfte zu machen. Sie sind hier nicht erwünscht.«

Der Mann sieht gar nicht auf. Er ist gebeugt wie ein ertappter Sünder. Hastig presst und schiebt er seine Ware in den Koffer zurück, während wir stumm danebenstehen, schließt mit Mühe den Deckel, geht an Gerolf vorbei. Er läuft fast. Er hat kein Wort mehr gesagt.

Erst als er den Hof verlassen hat und die schwere Tür zur Straße ins Schloss gefallen ist, sagt Gerolf etwas. Er sagt: »Du hast dich wunderbar benommen. Wie ein wahres deutsches Mädchen.«

»Wieso?«, frage ich. Ich bin vor Scham und Entsetzen noch immer ganz betäubt.

»Wie du ihn abgewiesen hast, diesen Itzig, diesen Schacherer. Wer weiß, ob deine Großmutter das so fertig gebracht hätte.«

Gerolf greift nach meinen Händen. »Katharina!«, sagt er warm. »Ich bin so froh. Froh über das eben. Und froh, dass du nicht zu der Beisetzung gegangen bist. Ich hatte mir solche Sorgen gemacht. Wie du siehst, ich schwänze heute die Schule, deinetwegen. Ich dachte irgendwie, ... ich müsste auf dich aufpassen.« Er lacht leise. »Aber das ist gar nicht nötig. Dein Gefühl, das untrügliche Gefühl einer Arierin, bewahrt dich vor falschen Entscheidungen.«

Ich entziehe ihm meine Hände. Mir ist heiß und kalt zugleich.

»Was war daran richtig?«, frage ich, heftiger als ich wollte. »Ich habe einem armen Mann nicht helfen können. Und ich habe mich geschämt dafür.«

Er schüttelt den Kopf. »Das sind Volksschädlinge!«, sagt er mit seiner klingenden, überzeugenden Stimme. »Letztlich haben sie alles, was in ihren Händen ist, dem deutschen Volk weggenommen.«

»Und die Perlenkette von Elise Löwenberg?«, bemerke ich. »Die hat die Blaschke *ihr* weggenommen.«

Gerolf errötet. Er schluckt. »Ich wusste damals nicht, dass du – dass du eine Jüdin verteidigt hast«, sagt er leise.

»Ich verstehe dich. Dein ausgeprägtes Gerechtigkeitsgefühl hat dir einen Streich gespielt. Auch das ist arische Art. Ich habe übrigens diese Kette – also ihre Reste – beim Winterhilfswerk abgegeben.«

»Es war Elises Kette«, sage ich verwirrt.

»Alles, was dem Juden gehört, ist gestohlen«, sagt er eindringlich. »Glaub es mir.«

Mir dagegen fällt wieder die Rauch'sche Wohnung ein und der Flügel da drinnen, auf dem er nun spielt …

»Und die Beerdigung hab ich einfach nur verschlafen«, sage ich trotzig.

»Du hast verschlafen«, unterbricht er mich feurig, »weil dein Unterbewusstsein dir das Richtige eingegeben hat.«

Ich schweige bedrückt. Hat er nicht in gewisser Weise Recht? Ich wollte da nicht hin.

Er redet weiter. »Ich weiß, wie schwer es ist, in dieser neuen Zeit die Orientierung zu finden. Und nicht immer gelingt es gleich. Aber ich bin hier bei dir, und ich stehe dir zur Seite. Die Front verläuft zwischen gesund und krank, zwischen deutsch und undeutsch, zwischen nordisch licht und semitisch finster. Und in deinem Herzen spürst du das. Katharina!« Voller Überschwang legt er die Arme um mich, drückt mich an sich. »Ich bin so froh. So froh, dass es dich gibt.«

Und ich? Ich gebe mich dieser Umarmung hin, wie man sich in ein warmes Wasser fallen lässt, und mir ist es so unendlich gleich, was er sagt, wenn ich dies Strömen und Fließen zwischen uns fühle. –

»Ich will dir etwas zeigen«, sagt er. Er nimmt mich an der Hand und zieht mich fort, hinein in das Quergebäude, die fünf Treppen hoch – der Weg, den ich nehme, wenn ich zu Paulas Atelier will! Mir ist vor Schreck auf einmal ganz heiß. Was weiß er über Paula und mich? Das sind getrennte Welten, die nichts miteinander zu tun haben dürfen.

»Wohin gehn wir?«, frage ich, und meine Stimme klingt gepresst.

»Du wirst schon sehen«, sagt er.

Gott sei Dank, an der Ateliertür von Paula geht er vorbei, nimmt sie nicht zur Kenntnis, und ich eile vorüber, mit weggedrehtem Kopf, wie jemand, der sich wegen einer bösen Tat verstecken muss, aufatmend gleichzeitig und bedrückt. Paula ist nicht da, rede ich mir zu. Trotzdem komme ich mir vor wie ein Dieb in der Nacht. Drei oder vier Türen weiter hält er an und zieht einen kleinen Bund mit zwei Schlüsseln aus der Tasche.

Dann erklärt er mir das Gleiche, was mir Paula auch schon einmal gesagt hat: Dass dies ehemalige Dienstbotenkammern gewesen seien. Dass sie nun meistens leer stünden. Dass man mit einem Schlüssel durch die kleine Eisentür da vorn auf den Dachboden des Vorderhauses und dann zur vorderen Treppe kommen könne. Und während er redet, schließt er auf.

»Meine Eltern haben so eine Kammer mitgemietet«, sagt er. »Und ich habe sie ihnen abgetrotzt. Ein Bereich ganz für mich. Ganz für uns, wenn du willst. Sei willkommen, Katharina. Komm herein.«

Der Raum ist schmal und hat nur ein kleines Fenster – Paula muss für ihr Atelier wohl zwei solcher Kammern zusammengelegt, die Wand durchbrochen und das große Fenster eingebaut haben. Dielen, roh verputzte Wände. Auf der Erde eine Kastenmatratze mit Kissen und einer großen schönen Decke aus bunter Wolle. Ein Stapel Noten und ein Stapel Bücher. Weiter nichts. Kein Führerbild an der Wand. Beklommen sehe ich mir die Bücher an. Spenglers »Der Untergang des Abendlandes« liegt da und Bücher anderer Autoren, die wir in der Schule lesen. Gustav Freytag und Hans Carossa. All das, wovon ich nie etwas wissen wollte. Ein Teil von Gerolfs Welt. Wohin bin ich bloß geraten?!

Weiter hinten sehe ich den blumenförmigen Trichter eines Grammophons und einen Stapel Schellackplatten in bräunlichen Hüllen.

»Nun, was sagst du? Wir müssen uns nicht zwischen den Ratten in deinem Trödelkeller treffen. Hier stört uns keiner. Keiner wird wissen, dass wir hier sind. Hier ist es ruhig.«

Ja, und Paula ist zwei Türen weiter, denke ich.

»Was hast du? Fürchtest du dich? Nichts wird geschehen, wovor du Angst haben müsstest.«

Fürchte ich mich? Ich weiß es nicht. Mir ist unbeschreiblich zumute. Als wenn sich alles um mich herum auflösen wollte und zu neuer Form gerinnen. Wie wenn man in so ein buntes Jahrmarktsding guckt, ein Kaleidoskop, wo sich bei jeder Bewegung deiner Hand die Teile neu anordnen, zu anderen, verwirrenden Mustern.

Wieder hat er meine beiden Hände ergriffen, führt mich zu der Matratze, zieht mich mit sich herunter.

Ich befreie mich mit einem Ruck.

»Vertrau mir doch. Ich achte dich. Nichts Unehrenhaftes –«

»Was willst du von mir, Gerolf Ginzel? Wir haben uns erst dreimal gesehen.«

Es klingt ganz anders, als ich es sagen wollte. Ich wollte Abstand ausdrücken. Stattdessen ist es ein Staunen geworden.

Er nickt. »Ja. Erst dreimal. Es ist wie in den Büchern und in den Opern. Kennst du das? Wagner. Von Tristan und Isolde. Oder Siegmund und Sieglinde.« Sein Gesicht glüht vor Begeisterung.

»Ich kenne das nicht«, antworte ich. Er dreht den Kopf weg. Ich sehe seinen bräunlichen Nacken, den korrekten Haaransatz und die unkorrekte Locke über der Stirn.

Mit einem tiefen Ausatmen sagt er: »Mein Gott, bin ich froh. Froh, dass ich es bin, der dich mit dieser herrlichen Musik vertraut machen kann. Sieh einmal. Das uralte Ding. Ich habe es meiner Mutter förmlich abgebettelt – wir haben inzwischen modernere Apparate. Aber der Klang ist ganz gut.«

Er ist aufgestanden und wühlt in dem Stapel der Schallplatten. »Dies? Oder doch lieber – ja, dies hier.« Vorsichtig, als handele es sich um einen Schatz, holt er die Platte aus der Hülle, dreht die Kurbel, setzt behutsam die Nadel auf.

Erst rauscht es nur und schnurrt. Und dann geschieht es. Eine Männerstimme, hell, sehnsuchtsvoll und überschwänglich. Ein berauschender Strom von Musik, innig und wild zugleich. »Winterstürme wichen dem Wonnemond«. Ein Strahlen, vor dem ich die Augen schließen muss, geblendet von der Magie des Klanges. Ich lausche mit meinem ganzen Körper. Nein, ich lausche nicht. Ich werde zu einem Teil dieser Kräfte, mitgerissen, verwandelt, aufgelöst. Es gibt nur noch dies. Und neben mir Gerolf, er ebenfalls ein Teil davon. Wir beide eins in Tönen.

Weine ich? Meine Wangen sind feucht.

Dann wieder nur das Schnurren, und seine Stimme neben mir. »Wagner. Siegmunds Lied.«

Er hält meine Hand. Wir reden nicht weiter.

Als ich den Kopf zu ihm wende, sehe ich auf seiner Lippe einen feinen Blutstropfen. Er hat seine Zähne darauf gepresst. Ich beuge mich vor und lecke das Blut ab. Es schmeckt salzig. –

»Katharina, das kommt aus dem Griechischen. Das heißt: die Reine«, flüstert er.

»Ich wollte, du würdest auch Katze zu mir sagen wie alle anderen. Ich bin nicht rein.«

»Doch, für mich bist du das. Du bist ganz anders als die anderen. Nur du selbst. Wie keine andere. Du bist wie – wie die Frauen, die dieser große Musiker zum Leben erweckt. Sieglinde, Brunhilde. Katharina. Komm morgen zu mir. Ich will es dir auf dem Klavier vorspielen. Da wird es erst recht lebendig.«

»Nein«, sage ich. Wir sitzen nebeneinander auf dieser Matratze, wo wir uns eben geküsst haben, lange, wild und selbstvergessen. Unsere Gesichter glühen.

»Warum nicht?«

»Ich mag nicht in diese Wohnung. Die Rauchs sind fort, bei Nacht und Nebel. Und auf einmal sitzt jemand anders drin. Wie der Kuckuck im fremden Nest. Sogar den Flügel habt ihr übernommen. Es – es bedrückt mich.«

»Du bist so zart fühlend«, sagt er und zieht meinen Kopf an seine Wange. »Aber glaub mir, so ist es nicht. Katharina: In Wirklichkeit sind *die* die Kuckucksjungen, die sich ins fremde Nest gesetzt haben. Das ganze jüdische Wesen sitzt wie ein Kuckuck im Nest des deutschen Volkes und zehrt von unserer Kraft und unserem Blut. Unser Volksvermögen ist es, was sie an sich gerafft haben. Wir tun nichts anderes, als uns zu reinigen von diesen Schmarotzern. Wir nehmen in Besitz, was uns gehört von Rechts wegen.«

»Wo habt ihr denn vorher gewohnt? Da müsst ihr doch die Hälfte stehen gelassen haben?«

Jetzt fährt ihm die Röte ins Gesicht. »Wir haben den Juden bezahlt für das, was wir übernommen haben, wenn du das meinst«, sagt er knapp. »Nach den im Augenblick für sie vorgeschriebenen Tarifen. Das sind Schädlinge. Und das, was wir zurückgelassen haben, wurde an bedürftige Volksgenossen verteilt. Kostenlos. Schließlich sind wir alle eine große Gemeinschaft.«

»Und ich bin für dich also die Großnichte von so einem Schädling«, sage ich bedrückt. Er schüttelt energisch den Kopf. »Es gibt keine Blutsbande zwischen euch. Du bist ein deutsches Mädchen und nichts weiter. Eine Arierin mit dem leuchtenden Haar unserer germanischen Vorfahren.«

Hände in meinem Haar, wühlen darin. »Katharina!«

»Lass mich, Gerolf!«

»Nein«, sagt er. »Nein. Ich will und werde dich nicht lassen. Ich will dich hinüberziehen auf unsere Seite. Auf die Seite, zu der du gehörst.«

Die Zeichenstunde bei Paula! Die beste Stunde vom ganzen Tage! Und ich habe sie verpasst.

Erst als ich mich von Gerolf verabschiedet habe, als er durch die kleine Tür zum Vorderhaus gegangen ist, überfällt es mich siedend heiß. Ein paar Meter weiter sitzt sie und wartet auf mich. Wie kann so etwas geschehen? Ich war wie betrunken.

Ich rase den Gang entlang und werfe mich gegen ihre Tür. Abgeschlossen. Niemals zuvor hatte Paula abgeschlossen!

»Mach auf, bitte, mach auf, Paula! Ich bin's! Deine Katze!«

Nichts. »Paula!« Ich beginne mit der flachen Hand gegen die Tür zu schlagen. Die Tränen stürzen mir aus den Augen, ich kann nichts dagegen tun. Ich lehne den Kopf an das Holz. Ich heule.

Und dann geht der Schlüssel und sie steht im Türrahmen. Unter dem offenen Malerkittel trägt sie ein schwarzes Kleid, sicher noch von der Beerdigung. Die Brille hat sie auf die Stirn geschoben und mustert mich schweigend.

»Ich schließe jetzt lieber immer ab, es treiben sich so viele Leute hier oben herum«, sagt sie. »Und du hast dich verspätet. Ich dachte schon, du kommst heut nicht.«

Irre ich mich, oder ist ihr Ton kälter als sonst? Ich wage nicht, sie zu umarmen, schleiche mich an ihr vorbei ins Atelier, mit gesenktem Kopf, wische meine Tränen mit der flachen Hand fort.

»Warum hast du nicht aufgemacht?«

»Ich war eben beim Malen. Du weißt doch, dass man dann manchmal nichts anderes mitkriegt.«

Ich hebe endlich den Blick und sehe auf das große Bild, und mir ist, als würde sich mir die Brust weiten. Weg ist das, was zwei Türen weiter war.

»Paula! Du bist fertig!«

»Fertig eben nicht, Katze, aber doch ein großes Stück weiter. Offenbar sind Trauerfälle sehr inspirierend. Heißt es nicht, dass Kunst durch Leiden wächst?« Sie lacht kurz und grimmig auf.

Ich kneife die Augen schmal. Auf diese Entfernung kann ich mit bloßem Auge die Einzelheiten nicht erkennen. Wie immer Paula sich fühlen mag – dieser Arbeit sieht man keine Traurigkeit an, keinen Zorn. Die Farben leuchten und blühen.

Ich gehe näher heran. Alles ist noch genauer, noch plastischer geworden. Unten in der Ecke ist eine neue Bildidee entstanden.

Ein aufgebahrter Mann in weißem Hemd wird getragen von sechs anderen Männern, die wie der Tote lange dunkle Bärte haben. Sie sind in schwarzen Überröcken und tragen schwarze Hüte. Einen Moment kommt mir die Episode in Agnes' Trödelkeller in den Sinn, der Mann mit dem Koffer voller Pelze – es schmerzt wie ein Stich. Aber diese Männer haben fröhliche Gesichter. Einer geht ihnen voraus, trägt an einer Stange, als wenn es eine Laterne wäre, einen sechseckigen Stern. Der Stern wirft ein goldenes, warmes Licht auf die Szene. Es ist ein rätselhaftes Bild, und es ist auch ein heiteres Bild.

»Wie schön es ist!«, flüstere ich hingerissen.

»Ja, ich denke, es wird langsam«, erwidert sie und wischt sich die Finger am Lappen ab.

»An diesem scheußlichen Tag gibt es immerhin eine Sache, die mich ein bisschen aufrichtet. Ein Brief von der Galerie Stokowsky. Das ist eine kleine Galerie, die sich ein paar Extravaganzen leisten kann, weil amerikanisches Geld drinsteckt. Mit anderen Worten, die Stokowsky hat einen Teilhaber jenseits des großen Teichs. Und so kann sie sich was trauen. Stell dir vor, es soll eine Ausstellung geben. Mit Bildern der Halbjüdin Paula Glücksmann. Mutig, was?«

»Aber das ist ja wunderbar!«, sage ich. »Paula, du wirst berühmt!«

»Noch berühmter, als ich schon bin«, sagt sie trocken. »Deshalb muss ich fleißig sein, damit PAULAS KATZE noch mit an die Wand kommt. – Es war übrigens vernünftig, dass du nicht auf die Beerdigung gegangen bist. Dagegen ließ es sich deine Großmutter nicht nehmen, mit ihrem Bruno zu erscheinen. Sieh mich nicht so entsetzt an. Es ist doch nichts passiert. Die beiden alten Damen haben so getan, als wenn sie sich noch nie im Leben gesehen hätten – was ein bisschen schwierig war, denn außer uns war nur noch einer von Bertrams alten Kunden erschienen. Einer, wohlgemerkt! Der war schon ein bisschen trottlig und hatte offenbar gar nicht mitgekriegt, unter welchen Umständen Herr Glücksmann gestorben war und dass er am Grab eines nichtarischen Zeitgenossen stand. Vielleicht hätte er noch gern das Horst-Wessel-Lied gesungen. Ja, es war eine schöne Beerdigung.«

Ich stehe da und bin wie mit Glut übergossen. »Ich hätte auch kommen sollen«, murmele ich, aber Paula winkt ab. »Bewahre! Was geht dich dieser Teil der Familie an? Du bist ja gar nicht richtig mit ihm verwandt!«

»Paula, ich war heute deswegen extra nicht in der Schule. Aber dann habe ich verschlafen.«

»Man verschläft gern das, was man nicht tun will«, sagt sie, ohne mich anzusehen. »Hoffentlich hast du die Zeit wenigstens genutzt und dir deine neue Brille abgeholt.«

Die Brille! Mir bleibt nichts erspart.

»Ich war noch gar nicht bei Benthey«, sage ich. »Ich konnte nicht.« Ich mache eine Pause. »Das Geld. Ich hab es nicht mehr.«

»Was heißt das?«

Ich sehe zu Boden. »Ich hab es verloren«, murmele ich, und nun habe ich zum ersten Mal in meinem Leben Paula angelogen.

»Das ist aber sehr ärgerlich«, sagt sie. »Denkst du, ich hab einen Goldesel im Dienst?« Sie kramt schon in ihrer Tasche.

»Nein, nicht! Bitte, Paula. Ich werd es mir irgendwie beschaffen. Es ist ganz allein meine Schuld, ich muss es auch ausbaden.«

»Red nicht solchen Unsinn. Irgendwie beschaffen! Willst du Zeitungen austragen oder was? Vielleicht den *Völkischen Beobachter*? Wenn du irgendwas musst, Mädchen, dann ist es gucken. Jemand, der malt, muss seine Augen gebrauchen.«

Sie drückt mir einen Schein in die Hand. »Am besten, du gehst gleich, damit es noch erledigt wird und du es nicht wieder irgendwo verschusselst. Olle Karline!« Sie fährt mir mit der Hand durchs Haar.

Heute ist mir schon jemand so durchs Haar gefahren. Mich überläuft ein Schauer.

»Ja, ich geh gleich«, sage ich. Bloß weg hier, weg von ihr, ehe ich vor Scham in die Erde versinke. Wenn ich doch über das andere mit ihr sprechen könnte! Aber es ist, als wenn eine unsichtbare Barriere aufgerichtet ist – zwischen der einen Bodenkammer und der anderen. Wie soll ich ihr erklären, dass ich mich mit einem Völkischen treffe – auch wenn der ganz anders ist als alle anderen, die ich kenne?

Um überhaupt was zu machen, fahre ich in meine Tasche und halte ihr die Tanzkarte hin. »Sieh mal, was ich gefunden habe!«

»Gefunden?«, sagt sie und runzelt die Stirn. »Wo? Auf der Straße?«

»Ach, Paula. Es lag irgendwo bei Agnes herum. Kann bloß nicht ihres sein.«

Sie nimmt mir die Karte aus der Hand. Schlägt sie auf. »Nein, wirklich nicht«, sagt sie. »Das ist nicht von ihr. Scheint so, als ob meine Mutter und mein Vater auch nicht immer glücklich gewesen sind.«

Ich recke den Hals, aber sie zeigt mir nicht, was sie gesehen hat. Klappt die Karte zu und legt sie zwischen ihre Malerutensilien.

Ich gehe langsam raus. Der Wahrheit die Ehre: Ich schleiche mich davon.

Wenn man schlecht sehen kann, richtet man sich irgendwie ein. Aber ich hatte eine Brille und bin ohne sie aufgeschmissen. Ich kann schon von Glück sagen, wenn mir bloß vorgeworfen wird, dass ich irgendwen nicht gegrüßt habe. Aber es kommt schlimmer.

Ich bin noch keine hundert Meter vom Haus weg, als jemand hinter mir ruft: »He, Sander, stehen bleiben!«

Das wäre normalerweise für mich immer das Signal gewesen, so schnell loszurennen, wie ich nur kann. Aber ich habe Angst, blind wie ich bin, irgendwen anzurempeln. Also bin ich so dumm und bleibe stehen. Wenn man so durcheinander ist wie ich, macht man grundsätzlich das Falsche. Das merke ich, als ich mich umdrehe. Hinter mir steht Blaschke. SA-Mann Blaschke in Uniform und Stiefeln, Blockwart Blaschke, ehemaliger stellungsloser Kellner, der jetzt alles ausschnüffelt und meldet, was in den Häusern unseres Karrees passiert. Der Vater von Hannelore Blaschke.

»Na, das ist ja fein, dass du mir übern Weg läufst, du rothaariges Miststück«, schnauft er, und gleichzeitig hat er meine beiden Oberarme mit schraubstockartigem Polizeigriff gepackt – so, dass es wehtut. Ich mache, was ich in solchen Situationen immer mache, seit ich die Katze bin, hinter der sie her sind. Trete ihm gegen das Schienbein. Aber das nützt nichts. Er trägt Stiefel. Alle von der SA haben Stiefel bekommen und sind sehr stolz drauf. (Hannelore hat uns wütend erzählt, dass sie sie abzahlen müssen!) »Katzen wie dich, die sollte man gleich bei der Geburt ersäufen!«, schnieft er genüsslich, während er mich hin und her rüttelt. Ich sehe sein rot angelaufenes Gesicht nur verschwommen. Ist vielleicht auch besser. »Hast du meiner Hannelore auf die Nase gehauen, ja oder nein?«

Am besten, man sagt gar nichts. Wozu soll ich mich verteidigen? Er hat immer Recht.

Er zieht die Luft durch die Zähne ein. »Pass mal auf, wenn ich mit dir fertig bin, dann erkennst du dich im Spiegel nicht wieder, du asoziales Element! Du kannst deiner Hure von Großmutter 'nen schönen Gruß von mir bestellen, und wenn sie dich nicht erziehen kann – da gibt's auch noch nationalsozialistische Besserungsanstalten für solche wie dich!«

Er lässt meinen linken Arm los, wahrscheinlich, um mir einen Schlag ins Gesicht zu versetzen, aber ich nutze die Gelegenheit und ducke mich schnell weg, obwohl mir der andere Arm fast ausgekugelt wird. Blaschke hat Kräfte wie ein Stier.

Er schnauft vor Empörung. »Willste wohl stillhalten?«

Es tut höllisch weh, so weh, dass ich den größten Blödsinn sage, der mir gerade einfällt. »Fassen Sie mich nicht an! Ich bin befreundet mit Gerolf Ginzel. Wenn der mit seinem Vater spricht ...« Diese Nazis kennen sich vielleicht untereinander.

Ich werde losgelassen, augenblicklich.

»Meinst du etwa wirklich *den* Sturmbannführer Ginzel?«, fragt Blockwart Blaschke misstrauisch.

Sturmbannführer! Soviel ich weiß, ist das ein hohes Tier. »Na klar mein ich den!«, sage ich und reibe meine Oberarme. »Der bei uns im Vorderhaus wohnt. Der Dr. vet. med.«

Doktor und vet. med. kann er Blaschkes wegen sein so viel er will, das beeindruckt ihn nicht, wie's scheint. Er wiederholt einigermaßen fassungslos: »Der Sohn von Obersturmbannführer Ginzel ist dein Freund, du rote Krabbe? Wie geht denn das zu?«

Und ich? Ich bleibe ihm die Antwort schuldig. Mir ist richtig schlecht. Ich verwünsche meinen Einfall. Vielleicht hätte ich lieber die paar Schläge von Blaschke einstecken sollen, als mich auf diese Weise zu retten.

Sturmbannführer Ginzel! Ich wollte, diese Leute wären nie in unser Haus eingezogen. Oder Gerolf wäre jemand anders.

1935

Zweiter Teil

Bildersturm

»Katze, ich brauche dich!«

Noch nie habe ich es erlebt, dass Paula den Hinterhof betritt. Jetzt steht sie in Agnes Sanders Altkleiderladen, groß und eckig und heftig atmend.

»Was ist passiert?«, frage ich erschrocken und lege meinen Zeichenstift aus der Hand. Großmutter sortiert Sachen im hinteren Raum und fragt: »Is da Kundschaft, Käthe?«, ohne vorzukommen.

»Ich muss mal kurz weg«, sage ich und umgehe eine Antwort. Paula ist schon wieder draußen, und ich laufe ihr hinterher.

»Wohin gehen wir?«, frage ich – denn sie beginnt, mit ihren langen Schritten die Treppen im Vorderhaus hochzusteigen. »In die Wohnung«, erwidert sie kurz. »Luise will Markwarts Bilder verkaufen. Wir müssen das verhindern.«

Schon wieder in diese Wohnung? Nein.

»Bitte. Was soll ich dabei?«, stottere ich. Ich habe Angst vor Luise. Nicht nur wegen unserer ersten und letzten Begegnung dort, sondern vor allem wegen des merkwürdigen Gesprächs zwischen ihr und Agnes, das ich belauscht habe.

»Du sollst einfach nur neben mir stehen, damit ich nicht allein bin. Ich will, dass sie dich neben mir sieht.«

Das ist eine Antwort, mit der ich überhaupt nichts anfangen kann, und als Erklärung kommt sie mir ganz sinnlos vor. Denn zu Paulas Schutz tauge ich in diesem Fall nicht. Was haben diese Bilder mit mir zu tun? Ich weiß ja nur, dass sie von Paulas Lehrer stammen. Aber sie scheint wie von Sinnen.

Als wir die Diele in der Beletage betreten, traue ich meinen Augen nicht. Die Wände sind leer. Die ganze Bilderpracht ist verschwunden. Dann entdecke ich, dass sie, alle in Leinwand eingeschnürt, aneinander gelehnt am Paneel stehen. Es verschlägt mir den Atem. Wie gewickelte Mumien, wie frierende Kinder kommen sie mir vor. Es sind doch Bilder! Irgendwie scheint mir, dass man mit dergleichen nicht so umgehen kann.

Paula geht mit ihren großen Schritten auf die Bild-Pakete zu und beginnt das erste, das sie zu fassen bekommt, auszuwickeln. Sie entknotet die Schnur mit ihren langfingrigen, geschickten Händen, nimmt, wenn es ihr zu lange dauert, die Zähne mit dazu.

»Hilf mir!«, fordert sie mich auf, aber ich stehe wie angewachsen am Fleck. Sie schlägt die Leinwand zurück, wie wenn ein Theatervorhang aufgezogen wird. Die Farben leuchten mir entgegen. Es ist das große Bild mit den zwei Frauen auf der Schaukel.

»Diese Bilder verkaufen!«, murmelt sie zwischen den Zähnen.

»Aber wie willst du es verhindern?«, frage ich zaghaft. »Was willst du machen?«

»Ich werde sie wieder aufhängen!«, erklärt sie entschlossen.

In diesem Augenblick wird mir klar, dass Paula außerhalb jeder Überlegung handelt, nur aus ihrer Empörung heraus. Denn wenn sie wieder anhängt, was hier verschnürt auf einen Käufer wartet – dann benimmt sie sich wie ein trotziges Kind. Sie erreicht gar nichts, verzögert nur die Ausführung von Luises Entschluss.

»Warum«, wage ich zu fragen, »willst du sie nicht wegbringen, solange es noch geht?«

»Wegbringen?« Sie blinzelt hinter den Brillengläsern. »Wohin wegbringen?«

»Wohin, das weiß ich nicht. Vielleicht ja in dein Atelier?«

»Aber da würde ich sie ja stehlen«, flüstert sie.

»Wieso? Du hast mir doch gesagt, der Maler hätte sie dir und Luise geschenkt. Dann kann sie doch nicht allein darüber bestimmen.«

»Nein. Nicht ganz so. Er hat sie Luise *für mich* geschenkt, bevor er ins Ausland ging. Ich war damals – ich war gerade nicht erreichbar.« Sie sieht vor sich hin. »Aber du hast Recht. Man sollte sie einfach wegbringen, ihrem Zugriff entziehen.« Trotzdem beginnt sie, die Bindfäden des nächsten verpackten Bildes zu lösen – eine ganz sinnlose Handlung, falls sie wirklich vorhat, sie wegzuschaffen.

»Paula«, sage ich. »Warum packst du sie aus?«

»Es tut mir weh, wenn sie so verschnürt sind«, erwidert sie, und obwohl es verrückt klingt, kann ich sie verstehen. Bilder, die man nicht ansehen kann, sind wie Kinder, die in der Ecke stehen müssen, mit dem Gesicht zur Wand.

In dem Augenblick geht der Schlüssel im Türschloss.

Luise, ganz in Trauer, das Hütchen mit dem Halbschleier auf dem Haar, steht da wie im Rahmen, auch sie wie ein schönes dunkles Bild, klein und zierlich vor dem Hintergrund des hell erleuchteten Hausflurs, und jetzt empfinde ich ihr Kommen fast als befreiend. Endlich wird etwas geschehen.

Luise schnaubt durch die Nase.

»Es war zu vermuten«, sagt sie. »Nur, dass du das Kind anschleppen würdest, damit habe ich nicht gerechnet.« Sie geht an mir vorbei, als wenn es mich gar nicht gibt, ihre hohen Absätze klappern. Ohne Paula anzusehen, legt sie ihre Handtasche beiseite und beginnt, das Schaukel-Bild wieder einzupacken.

»Mutter! Ich werde nicht zulassen, dass diese Bilder fortgegeben werden!«

»Aber was willst du denn dagegen tun?«, fragt Luise. Es klingt fast mitleidig. »Willst du dich mit dem Kind an der Seite davor werfen und sie mit deinem Körper verteidigen?«

»Es sind doch Markwarts Bilder!«

»Eben. Weil es Markwarts Bilder sind. Darum kann und will ich sie loswerden. Ich habe sie nie gemocht, das weißt du. Und sie dienen nun genau dem Zweck, zu dem sie mir von Markwart übergeben worden sind. Sie sollten für eine gewisse Person eine finanzielle Hilfe sein, in Notzeiten.«

»Was meinst du?«

Luise ist fertig mit dem Einpacken des Bildes. Sie macht das schnell und geschickt. Jetzt richtet sie sich auf und nimmt ihren Hut mit dem Halbschleier ab. Ich erinnere mich nicht, ihr vorher schon einmal ins Gesicht gesehen zu haben. Es ist trotz der Falten um den Mund und auf der Stirn noch immer ein reizvolles, schönes Gesicht. Die schräg geschnittenen blauen Augen sind wie kalte Feuer unter den gewölbten Brauen. Sie steht hoch aufgereckt vor ihrer Tochter. Paula ist fast einen Kopf größer als sie. Aber von Luise geht eine wilde Entschlossenheit aus. Sie wirkt jetzt überhaupt nicht wie eine feine Dame.

»Das weißt du sehr genau«, sagt sie. »Soll ich das wirklich vor dem Kind ausbreiten? Schick es endlich dahin, wo es hingehört – in seinen Hinterhof.«

Paula greift nach meiner Hand. »Katze bleibt jetzt hier. Und dass sie kein Kind mehr ist, das müsstest selbst du begreifen. Inwieweit sie auf den Hinterhof gehört, das ist ja wohl auch noch nicht ganz klar, oder?«

Ich bin einmal wieder Gegenstand eines Streites und fühle, wie die Panik in mir aufsteigt. Wenn sie mich doch nur weglassen würde. Aber Paula drückt meine Hand ganz fest. Vielleicht stimmt es ja, dass sie mich hierbei braucht, auch wenn ich nicht verstehe, um was es geht. Ich versuche, meine Ruhe zu bewahren.

Luise hat sich abgewendet. Es kommt mir so vor, als wenn sie sich scheut, mich anzusehen. Was hat sie gegen das Mädchen aus dem Hinterhof, die Enkelin ihrer versoffenen Schwester – was geht in ihr vor? Sie spricht weiter: »Wir können von großem Glück sagen. Die Reichskammer der Bildenden Künste hat dem Verkauf der Bilder des Juden Markwart an einen ausländischen Interessenten zugestimmt – natürlich kassiert sie eine Provision, auch wenn Markwart als *entartete Kunst* gilt. Du weißt ja selbst, wie diese Bilder hierher gelangt sind. Sie wurden aus allen Museen entfernt. Und nun gehen sie nach Amerika. Wie schön. Wir bekommen eine ziemliche Summe und die können wir gebrauchen. Aber du musst natürlich dastehen und lamentieren, weil diese Schinken nicht mehr an den Wänden hängen.«

»Gibt es außer Geld noch irgendwas, woran du denken kannst, Mutter?«

Luise fährt herum, und einen Augenblick denke ich, sie will auf Paula losgehen. Aber sie mustert sie nur von oben bis unten mit diesen hellblauen kalten Augen.

»Du ahnungsloser Engel!«, sagt sie verächtlich. Meine Anwesenheit scheint sie vergessen zu haben. »Begreifst du nicht, was jetzt passiert, nachdem diese Gesetze rausgekommen sind? Die sind gefundenes Fressen für jemanden, und du solltest wissen, wen ich meine. Vorher war es sozusagen eine kleine Leibrente, die kassiert wurde. Jetzt kann man bedeutend mehr rausschlagen. Was damals nur ein Betrug war, ist jetzt eine Verschleierung fremdrassischen Blutes. Er hat sich natürlich sofort bei mir gemeldet. Es geht um Kopf und Kragen, Paula. Wir müssen zahlen, unendlich zahlen! Hast du vergessen in deinem verträumten Malerstübchen, dass wir erpresst werden?«

Ich atme tief und ganz langsam. Es ist einmal wieder so weit. Die allerschrecklichste Situation für mich: Hier wird über ein finsteres Familiengeheimnis geredet, von dem mir scheint, dass es auf irgendeine unbestimmte Weise auch mit mir zu tun hat, und ich kenne es nicht. Paula lässt meine Hand los und beginnt zu schluchzen.

Es ist, als wenn eine Saite in mir springt. Mein inneres Zittern scheint sich in einem Punkt zu konzentrieren und sich zu verwandeln, es wird zu einer Art Feuer, das mir bis in die Fingerspitzen schießt. Ich spüre zum ersten Mal, dass ich den Anfall beherrschen kann. Ich wende mich Paula zu, umarme sie fest, bemerke, wie das Schluchzen in ihrem Körper entsteht, fange es gleichsam auf, wie man Stöße auffängt und mildert, und währenddessen getraue ich mich, Luise anzureden.

»Warum sind Sie so – so feindlich gegen Paula? Sie ist Ihre Tochter! Warum können Sie das nicht mit ihr zusammen erledigen, das hier, wovon Sie sprechen, statt gegen sie? Wär das nicht einfacher?«

Luise ist zwei Schritte zurückgetreten. Sie sieht mich an, nein, sie sieht uns an, wie wir da umschlungen stehen, zwei und doch wie eins, denn ich fühle Paulas Kraft in mir und merke, wie meine auf sie übergeht.

»So ein Pärchen!«, murmelt Luise. Es hört sich verwundert an. Paulas Schluchzen hat nachgelassen. »Mutter –«, sagt sie.

Aber Luise scheint sie nicht zu hören. Sie wendet sich an mich. »Kind, oder – wie nennen sie dich? – Katze? Katze, ich geb dir zwei gute Ratschläge. Der erste lautet: Misch dich nicht ein. Es gibt Dinge, die bleiben lieber im Dunkeln. Und der zweite ist: Wenn du bei Paula etwas bewirken kannst, dann halte sie davon ab, unüberlegte Aktionen gegen mich zu starten. Kein Suchen nach angeblichen Testamenten und keinen Eingriff in meine Rechte als Haushaltsvorstand. Die Bilder gehören mir und ich tue genau das damit, was Markwart vorhatte, als er sie mir gab. Er hat vorgesorgt vor seinem Tod. Wenn sie hier versauern, von niemandem gesehen als von zwei einsamen, alten Frauen – was ist das für einen Unsinn. Draußen kann es ja eine Markwart-Renaissance geben, durch diesen Sammler und Käufer. Obwohl ich das nicht glaube. Ich sage es noch einmal. Mir haben sie nie gefallen, und am wenigsten die, auf denen ich gemalt worden bin.«

»Mutter«, sagt Paula ruhig. »Bitte. Nur eins lass wenigstens hier. Die Mädchen auf der Schaukel. Du weißt, was es für mich bedeutet hat. Es war das erste Bild, das ich kopieren durfte, sozusagen mein Gesellenstück. Lass wenigstens das hier. Ich komme mir sonst vor wie jemand, dem man die Wurzeln abgeschnitten hat.«

Luise sieht sie nicht an. »Nimm es und lass mich in Ruhe.« Sie schiebt das eben wieder verpackte Gemälde zu Paula hinüber. »Aber häng es nicht hier auf. Ich will nichts mehr davon sehen.«

Sie dreht sich um, geht, eine Tür fällt ins Schloss. –

Paula schiebt mit beiden Händen ihre Brille hoch, reibt sich die Augen. Dann schüttelt sie den Kopf, als wenn sie etwas entfernen will.

»Nun, immerhin. Eine große Niederlage und ein kleiner Sieg!«, sagt sie mit der Andeutung eines Lächelns. »Markwarts schöne nackte Mädchen werden nun meine kleine Kammer erhellen. Damit ich ihn auch ja nicht vergesse!« Sie misst mich mit einem merkwürdigen Blick. »Ich will dir mal was verraten. Das hier –«, sie beißt sich auf die Lippe. Unterdrückt ein Lachen. »Das hier ist gar nicht das Original. Es ist meine Kopie. Das Original hängt bei euch im Hinterhaus.«

»Wieso das?«, frage ich verwirrt.

»Das ist eine lange Geschichte, Katze. Und jetzt vielleicht nicht so wichtig. Sagen wir einmal so: Markwart war Agnes wohl einen Gefallen schuldig.«

»Und deine Kopie?«

»Ist so gut, dass man sie kaum erkennen würde. Aber es gibt ein Zeichen. Es steht was auf der Rückseite.«

Das klingt geheimnisvoll. Aber im Moment ist mir nicht nach *diesem* Geheimnis.

»Irgendwann musst du mir erklären, was ihr da geredet habt«, sage ich.

Paula seufzt. »Luise hat Recht. Es gibt Dinge, die im Dunkeln bleiben sollen. Frag mich nicht, Katze. Bitte frag mich nicht.« Sie sieht mich an mit einem Blick voller Jammer und Traurigkeit. Sicher hat sie ihre Gründe. Sicher. Aber vielleicht sollte ich jemand anderen fragen.

»Diese Bilder!« Sie schlingt die Arme um mich, streicht mir wieder durchs Haar. Auf eine bestimmte Weise. Wie der Junge in der anderen Bodenkammer es tat. Mich überläuft es. Und als habe er da oben darauf gewartet, beginnt in diesem Moment das Klavierspiel, wieder so etwas feierlich Beschwingtes, Erhebendes. »Auch das noch«, sagt Paula. »Liszt! Das ist genau die Situation, in der ich Liszt nicht vertragen kann!«

Sie küsst mich auf die Stirn und geht den langen Korridor hinunter, sicher zu ihrem winzigen Zimmerchen hinter der Küche. Schleppt das große sperrige Gemälde in seiner Hülle mit sich und lässt mich stehen. Die anderen verpackten Bilder stehen stumm da wie ungelöste Rätsel.

Agnes kramt noch immer in ihren Beständen, als ich zurückkomme.

Ich setze mich an meinen Skizzenblock, aber ich kann jetzt nicht zeichnen. »Soll ich dir was helfen?«, frage ich, und ohne die Antwort abzuwarten, gehe ich in das Hinterzimmer. Es riecht nach Mief und Mottenpulver. Agnes tauscht die »Sommerkollektion« gegen die »Herbst- und Winterkollektion« aus – das heißt, sie verstaut die leichten

Sachen in den Säcken, aus denen sie vorher die Mäntel und Pullover herausgenommen hat, und streut reichlich Mottenpulver dazwischen. Früher, erinnere ich mich, hat sie Töpfe und Gläser und Geschirr verkauft, alte Kaffeemühlen und Bügeleisen. Aber inzwischen ist ihr der Kleinkram zu viel geworden, und sie handelt nur noch mit Kleidern und Schuhen.

Agnes schnauft asthmatisch. Ihr fällt solche Arbeit immer schwerer. Sie ist dick, im Gegensatz zu ihrer dürren älteren Schwester Luise, und sie hat ein Rückenleiden.

»Warum hilft dir Bruno nicht?«, frage ich und kriege nur ein ärgerliches Knurren zu hören. Es scheint, dass Bruno bei der Flasche sitzt, und es ärgert Agnes, wenn sie nicht mitmachen kann. Wir arbeiten eine Weile schweigend. Dann sagt sie: »Wenn dir wat jefällt und dir passt, dann nimmste dir det einfach, Käthe, klar? Du brauchst ja 'n Wintermantel, nich?« Ich nicke. Bloß von diesen abgeschabten, mottenlöcherigen Dingern möchte ich keinen haben. In der Schule ist es mir mehr oder weniger egal, ob sie mich wegen meiner Sachen aufziehen. Aber wenn ich Gerolf in einem dieser Dinger begegnen würde – ich fühle, wie mir das Blut in die Stirn steigt.

Mir fällt ein, wie ich heute Vormittag dagestanden habe, mit dieser schimmernden Boa über meinem alten Kleid ...

»Warum kaufst du eigentlich keine Pelze auf, Oma?«, frage ich.

Agnes richtet stöhnend den Rücken gerade und drückt die Hände ins Kreuz. »Pelze? Würde ick schon. Aber wer verkauft solcher Lumpenbude wie mir 'n Pelz? Damit kann man doch Jeld machen.«

»Es war jemand hier«, sage ich vorsichtig. »Der wollte jede Menge Pelze verkaufen, für ein paar Mark, hat er gesagt. Er hat sie mir gezeigt. Wunderschöne Pelze.«

Agnes streift mich mit einem Seitenblick. »Für heiße Ware bin ick nich zuständig«, sagt sie knapp. »Hehler sollen woanders hinjehn.«

»Das war aber ganz bestimmt kein Hehler«, erwidere ich und senke unwillkürlich meine Stimme. »Das war ein Jude. Der brauchte Hilfe.«

Einen Moment ist es still. Dann sagt Agnes ungewöhnlich heftig: »Ick hoffe, der kommt nich wieder. Hab jenuch von de Meschpoche. Die bringen einen nur in Deubels Küche. Eijentlich jloob ick den Nazis keen Wort. Aber det von wejen Zinsknechtschaft und Überfremdung – da is wat dran. Die nehmen uns doch aus wie de Weihnachtsjänse! Selbst ihr Anhang stinkt vor Geiz. Frag mich, wie det hier weiterjehn soll –« Sie verstummt plötzlich.

Mein Herz klopft, während ich mich vorwage. »Stimmt es, dass Bertram Glücksmann mein Vormund war?«, frage ich.

»Wer sagt das?«

»Ich hab's gelesen. Es lag auf dem Tisch.«

Sie knurrt. »Sojar vorm Gesetz is se im Recht«, sagt sie scheinbar zusammenhanglos. »Ab sechzehn muss man keen Unterhalt mehr zahlen. Und du bist ja sechzehn jeworden.«

»Heißt das, Bertram Glücksmann hat für mich Unterhalt gezahlt?«

»Stimmt jenau. Und? Musste eben deine jroßen Rosinen verjessen und arbeiten jehn. Andere in deinem Alter sind ooch nicht mehr inne Schule.«

»Ich hab keine großen Rosinen im Kopf«, widerspreche ich und denke an meine Malerei. Aber davon weiß sie ja gar nichts. Oder will nichts wissen. »Ich möchte bloß verstehen, warum das so war. Warum hat er denn für mich gezahlt?«

»Käthe«, sagt sie und es klingt sehr ernst, »soll ick dir 'n juten Rat geben: Wat ick nich weeß, det macht mich nich heeß. Paar Sachen sollte man am besten da lassen, wo se sind. Im Dunkeln. Da kommt nischt Jutes bei raus, wenn man die ausbuddelt. Und nu hör uff mit de dumme Fragerei. Jetzt reicht's. Guck lieber mal hoch inne Wohnung, wat Bruno macht. Ob er – ob er keene Dummheiten anstellt. Letzte Zeit will er immer so jern inne Wirtschaft. Und det soll er ma lieber lassen, wejen sein Klumpfuß. Wenn er da det Maul aufreißt und die Falschen sitzen daneben – det könnte schiefjehn.«

Während ich über den Hof gehe, überlege ich, dass Agnes beinah die gleichen Worte benutzt hat wie Luise – von den Dingen, die im Dunklen sind und die man ruhen lassen sollte.

Aber ich will das nicht. –

»Obersturmbannführer? Es ist nur ein Rang bei der SA. Ja, ein hoher Rang. Mein Vater war von Anfang an bei der Bewegung. Einer der Ersten hier im Land, die gesehen haben, dass unser Volk vor dem Abgrund steht und wer es retten kann.«

Ich hätte gar nicht davon anfangen sollen. Wir haben uns getroffen in der Dachkammer, und wieder hat es uns zueinander gezogen wie magnetische Felder. Wir sind atemlos und sprachlos von unseren Küssen und den Berührungen.

Und dann nahm mich die Musik auf. Wieder Wagner. »Was deutsch und echt, weiß keiner mehr!«, singt die tiefe, eindringliche Männerstimme, und danach kam irgendwann der Chor, viele Stimmen zum Jubel vereint, alle mit dem gleichen Ziel, eine riesige Welle, auf der wir beide dahinsegelten auf unsere nächste Insel.

Viel später fiel mir Blockwart Blaschke wieder ein. Kam meine Frage.

»Bist du auch so ein hohes Tier in deiner Mannschaft? Es gibt Leute, die verfallen gleich in Starre vor Ehrfurcht, wenn von so einem Obersturmbannführer geredet wird«, sage ich grantig. Aber er gibt mir geduldig, beinah ein bisschen verlegen Auskunft.

»Wenn du mit Mannschaft die Hitlerjugend meinst – ich bin Kameradschaftsführer. Das ist nichts weiter. Ich würde bloß wünschen, dass du nicht so abschätzig darüber reden würdest, Katharina. Du weißt doch gar nichts von uns und von dem wahren Wesen des Nationalsozialismus. Du kennst nur diese dummen und primitiven Leute – auf der einen und auf der anderen Seite. Ich wollte, ich könnte dir zeigen, wie schön und kraftvoll das Erwachen unseres Volkes ist.«

Er redet voll Feuer, und seine Augen glänzen. Ich sage gar nichts. Immer, wenn er über dieses neue Deutschland spricht, kommt mir alles ganz anders vor. Erhebend. Neu. Es ist, als wenn in meinem Kopf die andere Hälfte meiner Erfahrungen und meiner Welt ausgelöscht ist. Wie kann das, was er mir erzählt, das Gleiche sein, was ich auf unserem Schulhof erlebe – der stumpfsinnige Drill der Mädchen im BDM, das Rumgebrülle, diese Verschwörung der Brutalität?

Seine Welt fängt offenbar ein paar Straßenzüge weiter an.

»Warst du schon einmal in einem der großen nationalen Propagandafilme – hast du schon einmal gesehen, wie Leni Riefenstahl den Aufbruch der Massen fotografiert? Diese unglaublichen Bilder? Komm mit mir ins Kino, Katharina, bitte. Ich zeige es dir. Ich wäre so glücklich, Hand in Hand mit dir in so einem Film zu sitzen.«

»Ich gehe in kein Kino«, sage ich.

Ins Kino darf ich nicht. Im Allgemeinen ist es Agnes völlig egal, was ich mache, aber das hat sie mir verboten. Ich bin vor Jahren ein paar Mal in Kinderfilmen gewesen und hinterher war ich, nach ihren Worten »zu nischt mehr zu gebrauchen«. Ich fühlte mich seltsam benommen; hatte Kopfschmerzen und Augenschmerzen zugleich, irgendwie kam ich mir vor, als wenn ich ganz und gar mit Watte umwickelt war. »Schwache Nerven«, nennt das Agnes. Es stimmt schon, dass ich jeder Art von Bildern gegenüber sehr empfindlich bin. Wahrscheinlich, weil ich mich nach diesen Filmbesuchen so merkwürdig gefühlt habe, bin ich auch nie heimlich gegangen, obwohl das kein Problem gewesen wäre, außer woher ich das Eintrittsgeld geschnorrt hätte.

Er ist enttäuscht. »Warum nicht?«

»Ich kann diese bewegten Figuren auf der großen Leinwand nicht aushalten. Sie machen mich krank.«

»Aber Katharina –« Er überlegt. »Ich glaube, ich habe eine Idee. Kannst du dich heute Abend mit mir treffen? Draußen, vor unserer Haustür?«

Ich zucke die Achseln. Agnes scheint es nicht sonderlich aufzuregen, dass ich mit einem »Nazibengel rumknutsche«, wie ihre Schwester Luise es nannte. »Meine Großmutter kümmert sich nicht darum, was ich mache«, antworte ich also. »Wenn ich sage, dass ich im Laden schlafe, ist das in Ordnung. Aber wohin gehen wir?«

»Ich möchte dich überraschen. Es ist Kino, und es ist kein Kino.«

Wenn ich Ja sage, so ist es nur, weil ich gern noch einmal mit ihm zusammen sein möchte an diesem Abend. –

Im September ist es um halb acht Uhr abends zwar schon dunkel, aber noch warm. Ich warte vor der Tür, die Strickjacke über der Schulter. Irgendwann ist er da und legt seine Arme um mich, und wir gehen eng umschlungen durch die Straßen Berlins, wie ein richtiges Liebespaar das macht. Ich habe keine Ahnung, wohin er mich führt. Ich achte nicht darauf. Wir sprechen nichts. Die Nacht ist um uns herum laut und bunt. Straßenbahnen klingeln, Autos hupen, Passanten unterhalten sich laut, um gegen diesen Lärm anzukommen, und das wechselnde Licht der Reklamen fleckt uns und die Gesichter um uns herum mit grellen Farben. Mir ist das alles gleich.

Irgendwann, das merke ich, sind wir in die Leipziger Straße eingebogen und stehen vor dem Postamt.

»Die haben aber jetzt zu«, sage ich träumerisch.

»Die schon«, erwidert er. »Aber das, wohin wir wollen, hat erst um acht Uhr geöffnet.«

Er geht mit mir durch einen Gang in den ersten Stock hinauf.

»Wohin führst du mich?«

»In eine Fernsehstube.«

»Eine Fernsehstube? Also doch ein Kino!«

»Nein, Katharina. Das hier ist etwas ganz anderes. Im Kino wird ein Film eingelegt. Hier kommt das Bild aber sofort zu uns, so wie es entsteht. Das ist eine unglaubliche, wunderbare Neuerung, eine Pionierleistung auf dem Gebiet der Technik. Paul Nipkow hat das entwickelt und der Führer selbst hat schon einer Sendung beigewohnt. Es ist sensationell. Schon jetzt gibt es überall in Berlin diese Stuben für die Bevölkerung. Und bald wird es so kommen, dass in jedem Wohnzimmer des Reiches, wie jetzt der Volksempfänger, ein Apparat steht, mit dem man Bilder empfangen kann!«

Während seines begeisterten Wortschwalls hat er von einer Kassiererin in blauem Kittel und Mützchen zwei Eintrittskarten gekauft.

»Fernsehen? Ist das nicht irgendein Schwindel?«

Er bringt mich zu unseren Plätzen. »Katze! Der Führer selbst ...«

Ich winke ab. Ich mag mich nicht über seinen Führer mit ihm streiten.

Langsam füllt sich der Raum. Dann wird es dunkel, genau wie im Kino, und genau wie im Kino erhellt sich eine Fläche vorn, aber es ist keine Leinwand, sondern eine Art Glaskasten. Gerolf drückt meine Hand. Schemenhaft zunächst im Grau, dann wie das Negativ eines Fotos, schließlich mit flimmerndem Umriss erscheint das Gesicht einer blonden, jungen Frau. Eine helle, forsche Stimme meldet sich als der Fernsehsender »Paul Nipkow« aus Berlin-Adlershof. Und dann wird der »Aktuelle Bildbericht« angekündigt. Der Abschluss-Aufmarsch vom *Parteitag der Freiheit* aus Nürnberg.

Und eigentlich sollte ich jetzt aufstehen und weglaufen. Ich will nichts wissen von diesen Leuten, die Paula per Dekret zu einem Menschen zweiter Klasse gemacht haben, die verängstigten Mädchen die Ketten vom Hals reißen, die Steine schmeißen und Fassaden beklieren und ihre Schandverse grölen. Ich will mir keinen Parteitagsaufmarsch ansehen. Aber da ist die Hand, Gerolfs feste warme Hand, die die meine festhält, dicht neben meinem Körper. Gerolf und seine Worte von arischen Lichtgestalten und völkischem Aufbruch. Und er ist neben mir.

Und dann fesselt mich noch eine Sache, je mehr, desto länger ich hinsehe: Plötzlich kann ich über viele Kilometer Entfernung hinweg bei einem Geschehen dabei sein, das gerade jetzt, in diesem Augenblick, stattfindet, so, als wär ich selbst an diesem Ort. Und noch dazu wird mir bewusst: Jemand anders sieht für mich. Ich muss mit seinen Augen sehen, aus seinem Blickwinkel.

Ich bin nun mal eine Bilder-Guckerin. Das hat man mir beigebracht in den letzten zwei Jahren. Hier zeigt mir jemand seine Sicht der Welt, und es ist nicht die meine, aber es ist eine sehr ungewöhnliche. Das leicht verschwommene dieser Bilder stört mich nicht. Im Gegenteil, es hilft mir. Meine kurzsichtigen Augen sind es gewohnt, die Unschärfe rings um mich auszugleichen. Je unschärfer, desto besser für mich. Diese Bewegung von Massen, wie ein riesiges Ballett, das flammende Licht der Fackeln und Pylone, die hoch aufgereckten Gestalten auf der Tribüne, der Gleichschritt marschierender Füße – ich bin auf einmal in seinem Sog. Ich kann nicht mehr heraus. Ein Feuerwerks-Sonnenrad am Himmel wird zu einem Hakenkreuz. Ein Wald von Armen fährt zum Gruß in die Höhe. Man bricht auf. Man triumphiert.

Auf dem Höhepunkt setzt die Musik ein. Fanfarenrufe, strahlende Triumphgesänge. Wieder, wie bei Gerolf, als er zum ersten Mal die Platte anspielte, fühle ich, wie mir die Tränen in die Augen schießen. Aufgewühlt, beseligt, ergriffen und erhoben. Gemeinsam mit allen anderen.

Ich komme zu mir, als der Bildschirm dunkel wird. Im Raum stehen sie und singen das Horst-Wessel-Lied, und ich entdecke, dass ich ebenfalls stehe. Neben mir singt Gerolf, hingebungsvoll den Arm zum *deutschen Gruß* erhoben. Was ist mit meinem Arm? Ist er unten? Ja. Aber mein Gesicht ist überströmt von Tränen, und mein Körper bebt, als wenn ich Schüttelfrost hätte.

Als wir hinaustreten auf die Leipziger Straße, glaube ich, dass meine aufgewühlten Sinne mir etwas vorgaukeln, denn ich höre den gleichen Gesang gleichsam über der Stadt schweben. Noch immer kann ich meine Tränen nicht beherrschen. »Was ist das?«, flüstere ich.

»In allen Städten finden heute Fackelzüge statt, zu Ehren des Parteitags. Komm. Wir gehen zu den Linden.«

Wir gehen nicht. Wir laufen. Erst noch Hand in Hand. Dann lässt er mich los, als er merkt, dass ich viel schneller bin als er. Ich laufe! Der Wind bläst mir unter die Achseln. Die Straße scheint mir entgegenzufliegen. Ich habe das Ge-

fühl, dass sich meine Fußsohlen federnd vom Pflaster abstoßen, dass ich nur noch anzutippen brauche. Der Gesang und die Helligkeit kommen näher. Die hehren Empfindungen von vorhin sind gleichsam in mir drinnen, beleben mich, machen mein Blut rascher fließen.

Hinter mir höre ich Gerolfs Schritte. Verfolg mich, hol mich ein! Fang mich, wenn du kannst! So oft bin ich schon verfolgt worden, aber noch nie war es so lustvoll. Ich fliehe nach vorn in einer süßen Panik, stoppe erst, als ich sie vor mir sehe, die Menschenmassen in Uniform und im Gleichschritt, als ich den Rauch der Fackeln atme und das Schmettern der Fanfaren höre. Ein Spielmannszug marschiert die Linden hinunter. Das Licht bricht sich im Metall ihrer Instrumente.

»Komm hierher!«

Er ist auf den Sockel des Blücher-Denkmals gestiegen und streckt mir seine Hand entgegen, und ich schwinge mich zu ihm hoch. Ich fühle mich befreit, leicht. Ich lache ihn an, und seine Augen glänzen im Widerschein der Fackeln.

»Beginnst du jetzt, etwas zu begreifen von unserer Bewegung?«, fragt er dicht an meinem Ohr. Ich antworte nicht. Unsere Bewegung? Meine und seine ganz allein.

Die Fanfaren und das Singen hüllen uns ein. Vor meinen Augen schwanken die Fahnen mit den Hakenkreuzen, so wie sie auf dem Bildschirm geschwankt habe, ein glorreicher Wald. Die Bilder, die ich da drin gesehen habe, sind bei mir geblieben und zwingen mich, auch dies hier mit den Augen jener fernen Kamera zu betrachten. Bin ich verhext?

Ein Mann in brauner Uniform und Koppel mit Schulterriemen nähert sich uns. Er hält ein Bündel brennender Fackeln in der Hand und schreit zu uns hoch: »Nehmt eine Fackel, Volksgenossen!«

Gerolf macht eine abwehrende Bewegung.

»Warum keine Fackel?«, rufe ich übermütig. »Her damit!«

Feuer und Rauch und der Geruch des brennenden Pechs steigen zu mir auf. Ich beuge mich vor und nehme die halb heruntergebrannte Lunte in die Hand.

»Vorsichtig«, mahnt Gerolf leise. »Manchmal fällt etwas ab.«

Ich lache.

»Was tut das?«

Tatsächlich löst sich ein Stück und sinkt knisternd zur Erde, glühendes Sackleinen, mit Harz und Teer getränkt.

»Schön!« Ich hebe den Rest zu mir hoch und schwenke ihn um meinen Kopf. Die Hitze kommt und geht, sie weht mir um die Ohren und macht mein Haar fliegen.

Und dann ist alles nur noch heiß.

Ein versengter Geruch fährt wie ein Glutstoß in meine Nase bis ins Gehirn. Ich schreie. Alle schreien. Die Fackel fällt aus meiner Hand. Aber die Hitze hört nicht auf. Ich fühle, dass ich falle, aber mit mir springt er, und immer noch schreiend, fühle ich seine Hände an meinem Kopf. Und dann ist es vorbei.

Um uns herum ist eine Traube von Passanten, während da vorn der Aufmarsch mit den Fackeln weitergeht, so ungerührt, wie wenn es ein großer Strom wäre, der ins Meer fließen will.

Sie reden aufgeregt durcheinander. »Was ist passiert? Um Gottes willen, die Fackel! Da ist jemand angebrannt! Einen Arzt!«

»Keinen Arzt. Beruhigen Sie sich Volksgenossen. Es war

nur das Haar. Ihr Haar hatte Feuer gefangen. Ist schon gelöscht. Danke für die Hilfe.« Das ist Gerolfs Stimme. Ich schlage endlich die Augen auf. Er steht vor mir, schwer atmend. »Komm schnell«, sagt er leise. Er reicht mir keine Hand, um mir aufzuhelfen. Ich raffe mich mühsam vom Pflaster auf. Beim Sturz muss ich mir den Knöchel geprellt haben, es tut weh. Ich hinke. Er rennt vor mir her zur Spree, klettert über die Absperrung, die Treppen hinunter zu dem dunklen, von tanzenden Lichtern gefleckten Wasser und taucht mit einem Stöhnen seine Hände bis zu den Handgelenken hinein. Erst da wird mir klar, dass er mit bloßen Händen meine Haare gelöscht hat.

Ich stehe da oben, zittere und traue mich nicht zu ihm. Der versengte Geruch ist um mich, Ekel erregend. Wenn Agnes eine geschlachtete Ente über der Gasflamme dreht, um die Federreste abzubrennen, riecht es auch so. Mit Mühe schlucke ich den Speichel herunter, der sich in meinem Mund sammelt. Ich will mich nicht übergeben.

Endlich kommt er langsam die Stufen hoch. Sein Gesicht ist verschlossen vor Schmerzen.

»Ist es sehr schlimm?«, frage ich angstvoll.

Er zuckt die Achseln. »Es geht so«, erwidert er mit gepresster Stimme. »Es tut nur im ersten Moment sehr weh. Vater wird das schon richten. Er ist zwar nur Tierarzt –« Er versucht ein kleines Lachen.

»Zeig es mir bitte.« Er schüttelt den Kopf. »Wir fahren mit der Straßenbahn nach Haus, das geht schneller«, schlage ich vor. Aber auch dazu schüttelt er den Kopf. »Ich will jetzt nicht ins Helle. Und du – du solltest vielleicht auch nicht.«

Ich greife nach oben. Unter meinen Fingern knistert sprödes verkohltes Haar, löst sich gleichsam auf, wie sich ein verbranntes Stück Papier auflöst. »Oh mein Gott!«

»Du wirst eben deine Frisur noch ein bisschen kürzer tragen müssen«, sagt er und lächelt mühsam.

»Gerolf«, flüstere ich und fühle, wie das Weinen aus meiner Brust aufsteigt wie ein Springquell. »Du hast mir das Leben gerettet!«

Seine braunen Augen sind dicht vor mir, glänzend, mit unnatürlich geweiteten Pupillen.

»Sollte ich die verbrennen lassen, die ich –«, er schluckt. Uns beiden stockt der Atem.

Dann vollendet er den Satz: »– die ich liebe?«

Wir liegen uns in den Armen und heulen.

Von meinem Haar bleibt auf der einen Seite nicht viel übrig. So mache ich gleich kurzen Prozess in des Wortes wahrer Bedeutung und wüte mit der Schere drauflos. Schließlich stehe ich vor dem winzigen Spiegel im ungewissen Licht des Hinterstübchens der muffigen Altkleiderkammer, zu meinen Füßen liegt ein rötlicher Haarteppich, und ich fühle mich so, als wenn ich mir mit dieser Schur eine Schuld abgewaschen hätte. Aber wieso? An wem habe ich mich denn schuldig gemacht? Gewiss, weder Paula noch Agnes noch sonst wer aus dieser Familie würde verstehen, was mir heute Abend zugestoßen ist, was ich durchlebt habe. Aber meine Gefühle für sie sind noch immer gleich. Ich bin nur – nun ja. Ich bin in Liebe. Denn verliebt ist nicht das richtige Wort für diese wilde Sache.

Ich kann nicht einschlafen. Setze mich an meinen Skizzenblock und lasse meine Hand für mich denken.

Es wird einmal wieder ein Gerolf-Bild. Ein Gerolf zwischen Flammen, zu seinen Füßen das Wasser der Spree – wie in der Oper, von der Paula mir erzählt hatte, als wir Ausschnitte im Radio hörten. Die Zauberflöte. Eine Probe, bei der man durch Feuer und Wasser muss, um eingeweiht zu werden. Eingeweiht ... Heute kam mir dieser große Aufmarsch mit den vielen gleich gestimmten Menschen, dem Licht und dem Gesang wahrhaftig vor wie ein Bündnis von Eingeweihten. Vielleicht stimmt es ja, dass hier ein Volk im Aufbruch ist. Dass die hässlichen Seiten, die ich bisher immer nur gesehen habe, wirklich nur Randerscheinungen sind, die Kinderkrankheiten eines neuen Lebens ...

Ich bin dann doch müde. Und das Bild ist sehr gut geworden. Paula hätte ihre Freude daran, wenn ich es ihr zeigen würde. Aber das tue ich nicht. Ich will es Gerolf schenken.

Einen Moment lang habe ich überlegt, ob ich mir für unterwegs ein Tuch umbinden soll. Und dann habe ich mir gesagt: wozu? Damit schiebt man es nur ein bisschen hinaus. Also betrete ich den Schulhof mit hoch erhobenem Kopf.

Um mich herum tritt Stille ein, jene mir wohl bekannte Stille, aus der dann das Gejohle hervorbricht. Ich bin im Nu eingekreist. Es war ein Fehler. Ich hätte lieber zu spät kommen sollen und zuerst die Klasse betreten.

Die Blaschke plus Bruder, Horst Grettenbach, die Becker, all meine besonderen »Freunde« sind um mich herum.

»Jetzt hat sie's geschafft!«, sagt Blaschke mit genussvollem Hohn. »Jetzt ist sie wirklich die Allerschönste!«

Und Becker kommentiert: »Sieht aus wie 'ne Zuchthäuslerin!«

»Kein Wunder bei der Verwandtschaft. Lumpenmüllers Lieschen!«

»Seid ihr fertig?«, sage ich. »Dann lasst mich durch.«

Blaschkes großer Bruder drängt mich gegen die Wand. »Wie fasst sich so was denn an?«, fragt er mit einem schiefen Grinsen. Er ist ein ungeschlachter Lulatsch mit lauter Pickeln im Gesicht. Rennen kann er lange nicht so schnell wie ich. Aber hier ist kein Entkommen. Er will meinen Kopf berühren, und ich haue ihm die Hand weg.

»Lass die bloß in Ruhe!«, bemerkt seine Schwester und mimt Erschrecken. »Weißte denn nich? Die hat jetzt 'n starken Beschützer! Das is die Stute von eurem HJ-Scharführer.«

Das habe ich davon, dass ich Blockwart Blaschke gegenüber die dumme Ausrede benutzt habe.

»Wäre ja doch interessant, mal nachzugucken, was dem an der kahlen Katze gefällt!«

Eine Hand landet auf meiner Brust. Ich ziehe das Knie hoch und ramme es dem großen Blaschke zwischen die Beine, und der brüllt auf. Jemand versucht meine Arme festzuhalten. Ich beiße in ein Handgelenk und weiche im letzten Moment einem Fausthieb aus. Aber der Ausgang dieses ungleichen Kampfs steht fest. Jemand spuckt mir ins Gesicht – Becker wahrscheinlich, die nichts vom Zuschlagen hält und immer erst wartet, dass die anderen die Arbeit machen.

»Rollige Katze! Geiles Stück! Was trägt sie denn für Unterwäsche?«

Ich trete um mich. Kreische. Weiß, dass ich verloren bin.

»Was geht denn hier vor?«

Die Kreuzspinne mit ihrer Stahlklingen-Stimme. »Auseinander! Sofort!«

Der Kreis um mich herum löst sich auf.

»Die Katze hat meinen Bruder in den Bauch getreten!« Das ist natürlich die Blaschke.

Die Lehrerin steht klein und gerade und unbeugsam zwischen den Schülern. Nun ist ihre Stimme sanft. »Ich will nichts wissen. Prügeleien wie in einer Volksschule! Das hat für alle ein Nachspiel. Wir sind hier eine höhere Bildungsanstalt und kein Catcherring, Herrschaften. In eure Klassenzimmer! Ich werde dem Direktor Meldung machen.«

Ich wische mir mit dem Ärmel übers Gesicht. Sie mustert mich schweigend, während die anderen sich trollen.

»Sander auf die Mädchentoilette. Wasch dich.«

Ich stehe da in dem Geruch aus Urin und Desinfektionsmittel und lasse den Wasserstrahl über meine Hände laufen, tauche das Gesicht in die Handflächen. Versuche, meinen Atem wieder ruhig zu kriegen. Da höre ich ihre Absätze auf den Fliesen des Gangs klappern.

»Sander. Ist dir was Ernsthaftes zugestoßen?«

»Nein«, sage ich. »Nicht mal Nasenbluten. Alles in Ordnung.«

»So.« Wieder sieht sie mich von oben bis unten an. »Ich rate dir ernstlich, nicht ständig zu provozieren. Was du mit deinen Haaren gemacht hast, das ist ein Skandal, und du musst dich nicht wundern, wenn deine Mitschüler unangemessen reagieren. Man kann den Menschen nicht allzu viel zumuten, das solltest du wissen. Nun gut. Morgen sollten sich die Wellen geglättet haben. Du bist für heute vom Unterricht dispensiert.«

Klack, klack, die Absätze. Weg ist sie.

Das Wetter ist schön. Erst mal kann ich nicht nach Haus. Ich muss versuchen, meinen Atem wieder ruhig zu kriegen und das hier zu vergessen. Komisch. Als ich noch gar nichts weiter war als die Katze und Lumpenmüllers Lieschen, da hat mir so eine Geschichte wie diese wenig ausgemacht, außer, mir tat etwas weh. Man kann sich prügeln, man kann verlieren, man kann gewinnen. Aber nun bin ich wer anders. Wer, das weiß ich selbst nicht. Aber eins steht fest: Jemand, der sich nicht von seinen Mitschülern verhöhnen lassen will.

Ich beschließe, diesen Vormittag noch ein bisschen herumzulaufen. Aber so schön ist die Gegend ja auch nicht. Häuserfassaden. Wenig Grün. Schließlich gehe ich durch das schmiedeeiserne Gittertor eines Friedhofs. Ziemlich klein, aber ein paar Bäume und eine Bank, wo man sich hinsetzen kann. Die Blätter werden schon gelb. Eine alte Frau mit Gießkanne, schwarz gekleidet, geht an mir vorbei. Ich strecke die Füße von mir, lege den Kopf in den Nacken und schließe die Augen. Was für eine Ruhe!

Irgendwann ist es vergessen. Unwichtig geworden. Nicht mal mehr lästig. Nur die Kreuzspinne geht mir nicht aus dem Kopf. Warum kümmert sie sich um mich? Scheinbar hilft sie mir. Meint sie es gut? Ich weiß es nicht.

Dann schlendere ich über den kleinen Friedhof. Hinten sind die frischen Gräber. Ich lese die Aufschriften auf den schon verwelkten Kränzen. Plötzlich durchfährt es mich wie ein elektrischer Schlag. Eine helle Schleife mit dunklem Aufdruck. EWIG UNVERGESSEN: BERTRAM GLÜCKSMANN. LIEBENDER EHEMANN UND VATER.

Keine weiteren Kränze. Wieso habe ich gedacht, es gibt irgendwo ein protziges jüdisches Erbbegräbnis? ER liegt hier, auf diesem kleinen Gemeindefriedhof. Sie waren ja gar nicht mehr in der jüdischen Gemeinde ... Ich weiß so gar nichts von Paulas Vater. Nun bin ich doch noch an seinem Grab gewesen, wenn auch nicht zur Beerdigung.

Vielleicht ist es das überhaupt, dass wir alle so wenig voneinander wissen. Eine Frau, die malt. Ein Junge, der Musik macht. Und für mich sind sie durch eine unsichtbare Grenze auf einem Dachboden getrennt. Dabei könnten sie einander vielleicht verstehen –

Seit gestern Abend habe ich meine Großmutter und ihren Freund nicht gesehen. Habe meine Sachen für mich allein gemacht. Aber Agnes scheint meinen kurz geschorenen Kopf überhaupt nicht wahrzunehmen. Sie hat offenbar andere Sorgen als die ungewöhnliche »Frisur« ihrer Enkelin. Bruno dagegen starrt mich an, als wenn ich vom Mars kommen würde.

»Kleene, was haben se denn mit dir anjestellt? Det is ja furchtbar.«

Er hebt schwerfällig seine Hand und befühlt meine Stoppeln. Die Bewegung ist zittrig. Vor Schreck über mein Aussehen oder vom Schnaps, das weiß ich nicht. Wie auch immer, sein Mitgefühl tut mir gut.

»Ich hab das selber gemacht«, erwidere ich und versuche ein Lächeln. »Mir war ein Malheur passiert.«

»'n Malheur?« Er seufzt. »Ick hab so 'n Jefühl, als wenn die janze Welt een eenziges Malheur is. Agnes un ick, wir jehören sowieso zu die Sorte von Leuten, die keen Löffel dabei ha'm, wenn Erbsbrei regnet. Aber du, Kleene ... Hab immer jedacht, du verdienst et mal besser als wir.«

»Bloß weil meine Haare ab sind, muss ich doch nicht gleich zum Pechvogel werden!«

Er scheint mich nicht zu hören. Senkt die Stimme. »Biste in de Schule jewesen? Ham dir da 'n paar Nazis ...?«

»Ich sag dir doch, dass ich es selber war!«

»Die machen uns alle kaputt! Alle!«

Ich fliehe aus der Hinterhofwohnung. Brunos Elend macht mir zu schaffen. Und sein Entsetzen über meine »Schur« auch. Eigentlich hat er ja Recht, wenn er meint, dass die »verfluchten Nazis« dahinter stecken ...

Paula arbeitet immer noch an ihrem großen Bild. Der Termin der Ausstellung ist da und sie möchte es unbedingt noch dazuhängen.

Den Pinsel quer im Mund, das Haar verwirrt und voller Farbkleckse, schiebt sie ihre Brille von der Stirn auf die Nase und beäugt mich.

»Hm«, knurrt sie. »Du siehst aus wie die heilige Johanna auf dem Scheiterhaufen«, und ich erschrecke furchtbar, wie nah sie der Sache gekommen ist. Sie auch ...

»Willst du mir was darüber erzählen?«

»Nein«, sage ich und fühle, dass ich rot werde.

»Gut.« Sie wendet sich wieder ihrem Bild zu.

Ich weiß nicht, was ich mit diesem »gut« anfangen soll. Ist es ihr egal? Will sie mich nicht belästigen? Ist sie so versunken in das Malen, dass ihr alle anderen Dinge unwichtig werden?

Ich helfe ihr ein bisschen. Wir reden über die Ausstellung.

»Kommst du morgen mit? Ich brauche dich. Wir fangen an, die Bilder zu hängen.«

Ich freue mich. Aber sie ist ganz weit weg. Auf ihrer Stirn erscheint jene Falte, die anzeigt, dass sie sich ganz und gar auf ihre Malerei konzentriert. Dass die inneren Bilder stärker sind als alles, was sie umgibt, und dass jetzt nichts und niemand zwischen sie und ihr Bild kommen darf. Auch ich nicht.

Als ich mich verabschiede, merkt sie es nicht einmal.

Und während ich die paar Schritte zu der nächsten Dachkammer gehe, ist es mir, als würde ich eine unsichtbare Grenze überqueren. Von einem Leben in das andere.

Er starrt auf die Skizze, fassungslos.

»Zauberflöte«, murmelt er. »Du kennst die Zauberflöte. Und du kannst wunderbar, wunderbar malen. Aber ich –« Er streckt seine verbundenen Hände von sich ab, als wolle er mich umarmen – eine Geste voller Hilflosigkeit, die mir die Tränen in die Augen treibt. Und gleichzeitig denke ich: Er weiß gar nichts von mir. Er hat sich nie bemüht, etwas zu erfahren. Für ihn war ich immer bloß das Mädchen aus dem Hinterhof mit der zweifelhaften Verwandtschaft. Warum hat er nie gefragt? Noch immer sieht er das Bild an, schüttelt langsam den Kopf. »Machst du das so – aus dir?«

Ich muss lachen. »Spielst du ›so aus dir‹ Klavier?«

»Nein, natürlich habe ich einen Lehrer.«

»Siehst du. Und ich habe eine Lehrerin. Sie hat ihr Atelier übrigens ein paar Türen weiter auf diesem Dachboden.«

»Hier auf diesem Dachboden? Kann ich sie kennen lernen?«

»Ich denke, das ist vielleicht keine so gute Idee«, weiche ich aus. Mir ist heiß geworden. Auf was lass ich mich da ein? »Sie bereitet gerade eine Ausstellung vor und hat furchtbar viel zu arbeiten.«

»Aber das ist ja ... Katharina! Eine wirkliche Künstlerin unterrichtet dich? Wie heißt sie denn? Kenne ich vielleicht ihren Namen?«

Ich lache gequält. Mir ist nicht wohl bei der Sache. Aber jetzt will ich es versuchen.

»Du kennst ihn ganz bestimmt«, sage ich. »Sie heißt Paula Glücksmann und wohnt in der großen Beletage-Wohnung unter der euren.«

Gerolf hebt langsam seinen Blick. Die braunen Augen sind verdunkelt, die Pupille riesig. Er atmet tief und stockend aus. »Eine Jüdin«, flüstert er. »Du lässt dich von einer Jüdin unterrichten.«

»Eine Halbjüdin«, korrigiere ich heftig. »Ein Mischling, nach diesen neuen Gesetzen. Und außerdem ist sie einfach meine Tante. Herrgott, Gerolf. Sieh mich nicht an, als wenn ich Wunder wer weiß was getan hätte! Meine Tante! Und ich mag sie.«

»Deine Tante. Und du magst sie«, wiederholt er tonlos. Er lässt sich auf die Matratze fallen, verbirgt den Kopf in den gekreuzten Armen.

»Fass mich jetzt nicht an«, sagt er. »Bitte. Warte einen Augenblick.«

Er rührt sich nicht. Ich kriege es mit der Angst zu tun. Vorsichtig stehe ich auf, gehe von ihm weg und lehne mich an die Wand, ohne ihn aus den Augen zu lassen.

»Sie ist eine Künstlerin. Und du bist ein Künstler. Wieso tust du so, als wenn die Welt zusammenbricht?«

»Die Welt? Oh mein Gott!«, stöhnt er. Schweigen breitet sich aus. Mein Herz klopft. Etwas beginnt in mir zu steigen. Was hab ich bloß angerichtet? Was hab ich versucht ohne langes Nachdenken? Und was ist nun daraus geworden? Die eine und die andere Welt – ich krieg sie nicht zusammen.

Alles war falsch.

Und dann merke ich, dass es geschieht. Das Zittern kommt, der Krampf steigt in mir auf. Ich sollte jetzt losrennen, weg, ganz weit weg, rennen, rennen. Das ist das Einzige, das hilft. Aber ich kann nicht. Ich stehe wie angenagelt an dieser Wand und warte darauf, dass ich erlöst werde, durch eine winzige Geste, durch seine Stimme, durch seinen Blick. Es ist zu spät.

Ich schreie.

Ich schreie, aber ich habe im letzten Moment die Hände vor den Mund gepresst, sodass es sich anhört, wie ein ersticktes Röhren. Wenn ich losgebrüllt hätte, dann hätte mich Paula gehört. Durch die Wände hindurch. Wäre hierher gekommen. Nicht das auch noch.

Mir ist schwarz vor Augen. Ich kann nichts hören, nichts sehen. Nur spüren. Und endlich spüre ich die Berührung, seine Arme um mich, seine verbundenen Hände an meinem Kopf. Ich komme langsam zurück.

»Katharina! Mein Liebes, mein Armes! Es war zu viel für dich. Verzeih mir. Aber es war auch für mich zu viel. Viel zu viel.«

Er leitet mich zu unserer Matratze, der einzigen Möglichkeit, sich zu setzen, beginnt mich sanft und behutsam zu küssen. Noch immer zittere ich.

»Katharina. Ich habe dir doch gesagt, was dein Name bedeutet? Das ist griechisch und heißt ›die Reine‹. Ich will versuchen, es dir zu erklären: Das warst du für mich von Anfang an. Etwas Reines. Eine Blume, die – verzeih mir –, die auf einem Müllberg erblüht ist. Dein Sonnenhaar, die Sonnenzeichen in deinem Gesicht – ja, ich meine die Sommersprossen; sie sind die nordische Art, das Licht zu grüßen. Deine Kraft, die ganz aus dir selbst kommt. Mir war das genug. Ich wusste, du würdest dich befreien und zu deinem Volk finden. Zu mir finden. Und dann sehe ich auch noch – du bist eine Musentochter! Und gerade das wollen sie ausnutzen! Da greifen sie ein und versuchen, dich zu fangen!«

»Wer versucht, mich zu fangen?«, frage ich beklommen.

»Die Nachtseite. Die anderen, mit denen deine Familie zu tun hat. Ich dachte, nach dem Tod dieses – dieses alten Mannes da vorn, wäre die Bedrohung für dich erloschen. Und nun erfahre ich, dass du weiter Umgang hast mit dieser Mischlingsfrau. Deine Lehrerin. Deine Tante. Ich war so erschrocken, Katharina.«

»Was für eine Bedrohung soll es denn sein, wenn mir jemand Zeichenunterricht gibt?«

»Dass sie dir Zeichenunterricht gibt? Das ist nur das eine, Katharina. Noch bist du unverbildet. Du stellst ein Geschehnis dar nach dem Vorbild der urdeutschen Oper, der Zauberflöte – nur Wagner geht mir da drüber. Noch hat dich das Gift nicht erreicht. Noch vermittelt sie dir ja nur die Technik. Aber irgendwann kommt das andere. Da kommt ihre Sicht von der Welt. Da kommt das Fremde, das Abartige. Und dem darfst du dich nicht aussetzen. Ich werde es nicht zulassen, und wenn du selbst die Kraft nicht findest, dann muss ich dir helfen.«

Meine Stimme schwankt. »Aber Paula ist eine wunderbare Künstlerin und ein wunderbarer Mensch. Ich –«

Gerolf seufzt und lehnt seinen Kopf gegen den meinen. »Das ist ja das Furchtbare. Und das macht es für uns alle so schwer. Bestimmt hast du Recht. Sie ist sicher ein guter Mensch, und vielleicht hat sie sogar Talent. Aber sie kann nicht dagegen an! Es ist in ihrem Blut – das Zerstörerische, das Zersetzende, die Verneinung all unserer Werte. Es ist eine große Tragik um diese Mischlinge. Diese Menschen zwischen den Rassen. Hin und her gerissen. Immer eine Grenze überschreitend.«

Hin und her gerissen. Immer eine Grenze überschreitend. Aber das bin ich ja auch! Plötzlich fröstelt es mich. Mir fällt das Gespräch zwischen Agnes und Luise ein. Bertram war mein Vormund ... Wo stehe ich selbst? Zwischen allen Fronten? Nicht dies und nicht jenes?

Gerolf sitzt noch immer auf Abstand, hat mich, mit seinen verbrannten Händen meine Oberarme packend, gleichsam vor sich hingesetzt. Seine Augen glänzen so, dass man sich beinah fürchten muss.

»Katharina, Reine! So wahr ich dich liebe! Ich werde dich herausreißen aus diesem Boden. Weg von deiner asozialen Großmutter, weg von der jüdisch verseuchten Tante. Und weg auch von denen in deiner Schule, die dich verhöhnen, weil du zu trotzig bist, anzuerkennen, dass Deutschland auf dem rechten Weg ist. Weg von den Narren und den Toren und den Kranken!«

Seine Stimme überschlägt sich. Ich fühle mich an die Reden des Führers erinnert. Ich will nicht, dass er so redet. Ich will nur, dass er mich im Arm hält.

»Bitte, Gerolf«, flüstere ich. »Du machst mir Angst. Du machst mir noch immer Angst. Sag nichts mehr.«

Er dreht den Kopf zur Seite. »Kannst du – kannst du eine Musik auflegen für uns. Sie hilft uns. Bestimmt.«

Ich stehe auf. Taste mich hinüber zu dem Plattenstapel, nehme irgendetwas aus der Hülle, lege es auf, drehe die Kurbel, platziere die Nadel. Eine Musik von derartiger Wildheit fällt über mich her, als hätte ich eine Schleuse zu einem reißenden Wasser geöffnet.

»Was ist das, Gerolf? Mein Gott, was ist das?«

»Wagner. Walküre. Du hast den Walkürenritt aufgelegt, Katharina.«

»Es ist – als ob es mich wegschwemmt!«

Die Musik ist ein Sturzbach, der mir alle Besinnung raubt. Der Rhythmus wird eins mit dem Jagen meiner Pulse.

Noch hält mich Gerolf. Ich presse mich an ihn. Aus der sanften Wärme, die ich spüre, wird ein Feuer, das bis in meine Fingerspitzen vordringt. Der rasende Rhythmus treibt uns vorwärts. Er reibt seinen Kopf an meinen Brüsten, schiebt seine Beine zwischen meine Knie. Ich öffne mich bereitwillig für ihn, schlinge meine Arme um ihn. Ich nehme mit beiden Händen seinen Kopf hoch, bringe sein Gesicht vor das meine, lasse meine Zunge über seine geschlossenen Augenlider gleiten, bin wieder auf seinem Mund. Um uns tobt der Walkürenritt. Ich spüre, wie sich sein Körper verändert. Die Musik ist wild, urtümlich, gewaltig.

»Ich will all das, was du willst«, murmele ich. In meinem Bauch ist eine Sonne am Aufgehen. Seine weiß umwickelten Hände ragen neben meinem Gesicht auf wie zwei Richtmarken, zwischen denen ich mich bewege, drehe, wende. Er stöhnt.

Und dann stützt er sich auf die Ellenbogen auf und dreht sich mit einem leisen Ächzen zur Seite.

Die Musik ist zu Ende. Nur noch das leise Schnurren der Mechanik.

Ich liege wie preisgegeben.

»Katharina, meine Liebste! Nein, ich werde es nicht tun. Ich will dich aufbewahren. Es gibt einen Schwur, den wir geleistet haben. Wir von der deutschen Jugend. Uns zu bewahren, bis wir – ja, bis zur Ehe. Ich will nicht, dass unsere reine Liebe entweiht wird durch – durch niedrige Sexualität.«

»Was war jetzt niedrig?«, frage ich verwirrt. Ich krümme mich zusammen auf dieser Matratze, schließe das Brennen in meinem Körper ein mit meinen Armen und Beinen.

Er flüstert neben mir. »Ich will dich rein erhalten. Dich

und mich. Wir dürfen nicht einfach unseren Begierden nachgeben. Sonst können wir uns später nicht mehr achten.«

»Warum können wir uns nicht mehr achten?« Hat er nicht selbst gesagt, dass er mich liebt?

Er atmet schwer.

»Das ist eines der Kennzeichen der arischen Rasse«, sagt er mühsam. »Dass wir in der Lage sind, uns zu beherrschen. Dass wir uns nicht von unseren Trieben leiten lassen. Dass wir entsagen und warten. Gier ist ein Zeichen unwerter Menschen. Ungehemmte Sexualität – die hat das Judentum in unser Volk hineingetragen.«

Das Feuer in mir ist immer noch da. Aber nun erfüllt es mich mit bedrückendem Unbehagen. Es ist nun ein anderes Feuer. Ich beginne mich zu schämen. Bin ich so etwas? Ein unwerter Mensch, der sich nicht beherrschen kann? Liegt es im Blut? Wer kann mir das sagen? Aber es war ja diese Musik, die in mir war wie ein Stachel, der mich vorwärts trieb. Mich und ihn. Diese deutsche Musik.

Nun ist er aufgestanden und geht in dem kleinen Raum hin und her.

»Ich begehre dich genauso wie du mich«, sagt er gequält.

»Sollen wir uns nicht mehr sehen?«, frage ich angstvoll.

»Nein! Das fasst du falsch auf, Liebste. Wir werden uns sehen, uns hier sehen, uns küssen und liebkosen. Nur – wir müssen uns beherrschen. Ich weiß, dass wir das können. Du und ich. Schließlich sollst du einmal –«, er bricht ab.

»Was soll ich?«

Er hockt vor mir, vor meiner Matratze. Seine großen Augen sind zu mir aufgeschlagen ohne zu blinzeln.

»Du sollst einmal meine Frau werden.«

In seiner Stimme ist ein Beben.

Ich springe auf und renne an ihm vorbei aus der Tür. Höre, dass er mir hinterherruft, aber ich bleibe nicht. Renne vorbei an Paulas Tür und die Treppen hinunter in einer wilden unbeschreiblichen Mischung von Entsetzen und Unglauben und Freude, rasender Freude. Das alles ist zu viel für mich und passt in keinen der Bilderrahmen, die ich kenne. Es ist eine völlig andere Anordnung von Gefühlen und Dingen.

Ich renne über den Hof und aus dem Hausflur und auf die Straße und um den Block herum. Es ist ein merkwürdiges Gefühl, wenn man keine Haare mehr hat, die im Wind fliegen können. Man ist wie nackt.

In was für Welten werde ich geworfen?

Ich muss die Frage stellen. Ich muss es wissen.

Ich marschiere bei Paula ein, ohne überhaupt angeklopft zu haben. Dass es ein paar Meter weiter den anderen Raum gibt, das ist mir sehr bewusst. Es gibt keine säuberliche Trennung mehr. Das da strahlt aus. Es ist in meinem Rücken wie ein paar unsichtbare Flügel.

Paula hat eine große Lampe angeschaltet, ich habe noch nie eine so helle und lichtstarke Lampe gesehen. Bei diesem Licht malt sie auch in der Nacht. So spät war ich noch nie hier.

Das Radio spielt laut. New Orleans. Ich kenne mich, dank ihrer, da inzwischen aus. Auf dem Tisch steht eine Kaffeekanne unter der Wärmemütze.

Die Lampe macht das Atelier sehr warm. Paula hat unter ihrem Malerkittel offenbar nur ihren Rock an. Ihre Brüste zeichnen sich ab in dem dünnen farbenbekleckten Leinen. Sie ist keine junge Frau mehr.

Sie summt mit ihrer kratzigen Stimme den Jazz mit. Nicht, dass sie sich umgesehen hätte, als ich hereinkam. Sie malt und malt. Ich weiß gar nicht, was an diesem Bild noch zu verbessern wäre, aber sie ist offenbar immer noch nicht zufrieden.

Ich stehe unschlüssig an der Tür und fühle mich irgendwie verloren. Kann sie sich denn nicht wenigstens herumdrehen zu mir?

»Ich will dich was fragen, Paula!«, sage ich und merke, wie aufsässig sich meine Stimme anhört.

»Nur zu!« Sie setzt ein paar Glanzlichter, tritt etwas zurück, sättigt den Pinsel neu mit Weiß. Gut, wenn es denn auf diese Weise stattfinden soll …

»Bertram war mein Vormund, nicht wahr?«

Sie setzt ihre Lichter. Und dann sinkt die Hand mit dem Pinsel herunter.

Nun habe ich es geschafft. Ohne mich anzusehen geht sie zum Radio und dreht die Lautstärke herunter.

»Was hast du eben gesagt?«

»Bertram. Er war mein Vormund.«

»Wenn du es weißt, ist es ja gut.«

»Und warum?«

»Warum was?«

»Warum war er mein Vormund? Vormund, das ist doch fast so wie ein Vater, nicht?«

»Was willst du wissen?«

»Ob Bertram mein Vater war, will ich wissen«, sage ich, und mein Hals ist wie zugeschnürt.

Sie sinkt auf den Stuhl, guckt vor sich hin. »Na, das wäre denn wohl doch des Guten zu viel«, sagt sie, wie zu sich selbst. »Wie kommst du denn auf diesen Blödsinn?«

»Ich weiß nicht, ob es Blödsinn ist«, erwidere ich und fühle, dass sich meine Hände zu Fäusten ballen, ohne dass ich es will. »Ich hab nur zugehört bei einem Gespräch. Dass Bertram Unterhalt für mich gezahlt hat an Agnes. Da ist es doch nicht so weit ...«

Paula hat die Brille abgenommen. Sie stützt ihren Ellenbogen auf den Tisch und hat die Hand über die Augen gelegt.

»Er war mein gesetzlicher Vormund«, sage ich hölzern. »Ich hab das Papier gesehen.«

»Du solltest nicht in diesen Geschichten herumstochern.« Ihre Stimme klingt fremd.

Plötzlich fängt sie an zu lachen. Es ist dies raue, höhnische, verzweifelte Lachen, vor dem ich mich fürchte. Da möchte ich immer am liebsten wegrennen.

»Bertram ihr Vater! Grundgütiger, das wäre ...« Sie lacht immer noch.

»Katze!«, sagt sie müde und streckt den Arm nach mir aus. »Also erstens: Schlag dir das aus dem Kopf. Ich schwöre dir – mein Vater ist nicht dein Vater. Zum anderen: Bitte, lass mich malen. Lass mich dies Bild zu Ende bringen. Und lass mich diese Ausstellung machen. Und wenn wir die hinter uns haben, und sie ist ein Erfolg geworden – ein Erfolg in diesem heillosen, verruchten, mörderischen Land, trotz alledem – dann werd ich die Ruhe finden und dir etwas erzählen, was für uns beide wichtig ist. Dann ist die Stunde dafür gekommen. Manche Dinge müssen lange reifen. Einverstanden?«

Ich nicke. Ihr Arm sinkt herunter.

Im offenen Fensterspalt mauzt es leise. Mohr kommt von seinem Streifzug über die Dächer zurück. Er springt lautlos vom Fensterbrett und streicht mit erhobenem Schwanz um unsere Beine.

»Kannst du Mohr noch sein Fressen geben? Ich habe ihn ganz vergessen über der Malerei heute.«

Ich nicke.

»Du weißt, wie ich das Bild nenne? PAULAS KATZE.«

»Gut«, sage ich.

PAULAS KATZE? Erst als ich Mohr das Futter in die Schale tue, wird mir klar, dass wir beide gemeint sein könnten, das Tier und ich. Oder sogar beide gemeint sind.

Ich will sie fragen. Aber sie steht schon wieder vor ihrer Staffelei.

Sie hat mich nicht ein einziges Mal angesehen, nachdem ich die Frage gestellt habe. Was verschweigen sie mir nur alle? Und warum weist sie es so weit von sich – dass er mein Vater war, der alte Herr? Wovor soll mich das Geheimnis bewahren? Was soll ich nur glauben? Der Boden unter mir scheint wegzuschwimmen, als wenn ich auf einer Insel inmitten einer Flut stehen würde.

Ich gehe Gerolf aus dem Weg. Und er mir offenbar auch. Unsere Kammer bleibt leer. Einmal, als ich weiß, dass er noch im Gymnasium ist, schleiche ich mich hinauf und drücke vorsichtig die Klinke herunter. Der Raum ist offen. Er ist leer und kalt, und ich bekomme eine Gänsehaut. Dann blicke ich hoch – und erschrecke. Gerolf hat inzwischen hier ein Führerbild aufgehängt. Es sieht auf mich herunter, mit starrem Blick, Furcht einflößend und seltsam unirdisch. Bisher war er für mich nur der Mann, der im Radio schreit und endlos lange den Arm hochhalten kann zum *deutschen Gruß*. Aber was für eine Gewalt hat er über die Menschen! Wenn jemand wie Gerolf so darauf schwört, was er verkündet – vielleicht bin ich wirklich nur verblendet? Vielleicht ist in diesem Hitler der Funke all dessen, was mir diese Musik, diese Aufmärsche, die riesigen Gemeinsamkeiten verkünden, und ich werde lernen, dies auch für mich ganz zu erkennen?

Aber dann bin ich bei Paula und denke nicht mehr daran. Paula bereitet die Ausstellung vor.

Am Sonntag soll die Eröffnung sein. Vernissage nennen sie das. Am Sonnabend gehe ich nicht in die Schule, sondern helfe Paula, die Bilder einzurichten.

Wir fahren nach Mitte. Frau Stokowsky, die Galeristin, ist eine kleine rundliche Person, ihre Haare sind fast so kurz wie meine im Augenblick. Sie trägt auf der Nase einen Kneifer, der ihr ständig herunterrutscht, denn diese Nase ist klein und stupsig und bietet wenig Halt. Sie trägt ein so genanntes Reformkleid, eine Art Sack ohne Taille, gerade herunter bis zu den Waden, und eine lange Halskette. Sie redet laut und ohne Unterbrechung, während sie uns bei der Arbeit zusieht und Ratschläge gibt.

»Das ist mein Schwanengesang hier in Berlin. Ich sitze auf gepackten Koffern. Ab nach Chicago. Ich habe dort

Geschäftspartner, müssen Sie wissen. Die kluge Frau baut vor. Mich treffen Katastrophen nicht unvorbereitet, mich nicht. Wie ich weiß, haben auch Sie Verwandtschaft in den Staaten. Dergleichen sollte man sich in diesen Zeiten warm halten. – Finden Sie nicht, dass das noch ein bisschen höher könnte? Ich sage immer: Auge in Auge mit dem Betrachter. Das Licht ist auch besser, sehen Sie? – Ja, natürlich habe ich ein paar nette kleine Nazidrohbriefe gekriegt. Ein Segen, dass mich das nicht mehr berührt. Sollen sie doch krakeelen. Tja, dass es einen Andrang geben wird zu dieser Vernissage, das bezweifle ich, um ganz ehrlich zu sein. Die Leute haben doch alle die Hosen voll. Aber die internationale Kunstszene wird Kenntnis von der Ausstellung nehmen. Und das ist das Entscheidende, Paula. In seinen besten Bildern hat Markwart so was gemacht wie Sie. Stimmt es übrigens, dass Ihre private Markwart-Sammlung ins Exil geht? Sehr vernünftig.«

»Sie geht nicht ins Exil«, sagt Paula und passt einen Rahmen an. »Sie ist verkauft worden. Ganz ordinär ins Ausland verkauft. Und es ist leider auch nicht meine, sondern die meiner Mutter. Ich hätte es niemals zugelassen.«

Die rundliche Frau zuckt die Achseln. »Aber es ist sicherer. Wissen Sie, welche Ausmaße die Bilderstürmerei hier noch annimmt? Ich kann die Entscheidung Ihrer Mutter schon verstehen. Sind schon alle Genehmigungen da?«

»Hm«, knurrt Paula an ein paar Nägeln im Mund vorbei. »Halt das mal, Katze. Sehr passend. Am Tag nach dieser Vernissage gehen Markwarts Bilder aus dem Land.«

»Nehmen Sie's nicht so tragisch, Paula. Ich wollte Ihnen Ähnliches wünschen. Also ich verspreche Ihnen, in Chicago werde ich für Sie werben. Sie haben hier doch nichts verloren.«

»Oh doch«, sagt Paula und lächelt an mir vorbei. »Ich hätte hier schon was verloren.«

»Na, wie Sie meinen. Kommen Sie, einen Tee trinken? Ihre junge Schülerin natürlich auch.«

Paula hat den Arm um mich geschlungen, als sie mit mir ins Hinterzimmer der Galerie geht, und mir ist so wohl wie lange nicht mehr. Die Stokowsky gießt uns Tee ein und bietet Zigaretten an – auch mir. *Deutsche Frauen rauchen nicht. Das ist unweiblich.* Natürlich nehme ich an und ziehe pro forma an dem bitteren Kraut, das mir den Atem nimmt. Die Galeristin pafft wie ein Schlot, und auch Paula zieht mit genüsslich geschlossenen Augen an einer »Juno« und pustet Kringel, wie es die Frau auf der Reklame tut.

»Ich bin schon so gespannt auf das Bild, für das wir die große Fläche rechts freihalten«, plaudert Frau Stokowsky weiter. »Ein Chef d'ouevre, ein Hauptwerk, nehme ich an. Bringen Sie es heute noch vorbei?«

Paula zuckt die Achseln. »Ich weiß nicht. Ich möchte heute Abend vielleicht noch einmal draufschauen. Sie wissen ja, es gibt Kinder, von denen man sich schwer trennt.« Und wieder bekomme ich ihr Lächeln. »Ich denke, ich werde es erst am Sonntag früh mitbringen.«

»Mir auch recht. Eine Überraschung. Sie können es auch anbringen, wenn die Vernissage schon begonnen hat, was halten Sie davon?«

»Vielleicht. Vielleicht gar keine schlechte Idee. Sie sind eine gute Spielleiterin!« Sie lehnt sich zurück, schlägt die Beine übereinander. Selten habe ich sie in der letzten Zeit so fröhlich, so entspannt gesehen. »Eine andere Frage ist ja wohl, ob überhaupt jemand kommt, um meine Bilder zu sehen.«

Die Kunsthändlerin gießt uns Tee nach. Ich nehme drei Löffel Zucker und bemerke, wie die beiden Frauen einen amüsierten Blick austauschen. Wieder werde ich rot.

»Machen Sie sich keine Sorgen. Klein aber fein. Die Ausländer kommen. Und die wahren Kunstfreunde. Handverlesen. Von mir persönlich gebeten.«

»Keine Angst vor der Straße?«

»Die Straße hat im Allgemeinen anderes zu tun, als sich um kleine Galerien zu kümmern. Die Straße schlägt lieber einem reichen Juwelenhändler das Schaufenster ein, falls er denn noch im Lande sein sollte … Ein Glück, dass Sie bis jetzt so wenig bekannt sind. Wer soll schon wissen, dass Paula Glücksmanns Ahnentafel nicht den Anforderungen der neuen Gesetze entspricht.«

»Der Tod meines Vaters hat viel Staub aufgewirbelt. Der Schandartikel im *Stürmer* …«

»Ph! Malen Sie den Teufel nicht an die Wand, Paula. Wir brauchen alle starke Nerven. Und nun entschuldigen Sie mich. Mir fällt ein, dass ich noch ein paar Einladungen per Rohrpost unter die Leute bringen muss. Sie haben ja auch noch zu tun.« –

»Sie redet wie ein Wasserfall und ist oft nicht gerade taktvoll«, sagt Paula, als wir wieder bei unserer Arbeit sind, »aber sie ist eine patente Person. Ich freu mich auf morgen, Katze.« Ich antworte nicht.

Sie schiebt ihre Brille von den Haaren runter auf die Nase und reckt sich tatendurstig. Ich sehe, dass sie vor Aufregung und Vorfreude rote Flecken auf Hals und Wangen hat.

Wir haben zu tun. Ich schiebe meine Gedanken weg. Vergesse sie. –

Wir stehen beide vor PAULAS KATZE im Atelier.

»Das wird und wird nicht fertig«, murmelt sie und hat schon wieder die Palette in der linken Hand. »Immerzu fällt mir wieder etwas ein, was man verändern oder verbessern könnte.«

Ich kann mich nicht satt sehen an diesem Bild.

Im Mittelpunkt sitzt Mohr, der Kater, mit seinen lang bewimperten Menschenaugen, die sie ihm gegeben hat, und starrt dem Betrachter unverwandt ins Gesicht. Sein Blick zieht mich an wie ein Strudel. Und um seinen Hals hängt wie ein Medaillon der sechseckige Stern. Der Judenstern. Wer ist Mohr? Ist er nur ein Tier, oder ist er ein Zeichen? Alles an diesem Bild ist geheimnisvoll, alles scheint einen doppelten Sinn zu haben. Um die Katze herum wimmelt es von Details. Im Lauf der Zeit sind es immer mehr geworden. Immer mehr Verweisungen, immer mehr Querverbindungen, die man deuten könnte, sicher, aber die man auch einfach auf sich wirken lassen darf.

Dieser Zug von alten Männern, die jemanden zu Grabe tragen. Bertrams Beerdigung. Was mich damals schon verwundert hat: Alle haben fröhliche Gesichter, auch der Mann, der der Prozession diese Laterne vorausträgt, die in Wirklichkeit wieder der gelborangefarbene Stern ist. Rätselhaft, traurig und heiter zugleich.

Nichts an Paulas Bild ist düster. Selbst die komische kleine Guillotine – oder ist es ein Galgen? –, die da in der Ecke zwischen den hellen Häusern der Stadtlandschaft ist, bekommt einen schimmernden Reflex vom Schatten der regenbogenbunten Kugel, diesem durchsichtigen Gebilde – der Seifenblase – in dem das Kind hockt. Ein Embryo? Ein künstlicher Mensch? Sein Gesicht ist verborgen. Wer kann es sein? Bin ich das? Und was bedeutet das Todeszeichen des Galgens in der Ecke? Woanders wieder schüttelt sich ein Baum im Frühlingssturm. Blütenblätter wehen wie Schnee auf die Katze zu…

Ganz gleich, ob man die Geheimnisse entschlüsselt oder nicht – man kann einfach nicht loskommen von diesem Gemälde.

»Das ist Zauberei«, sage ich leise.

»Unsinn, das ist bloß Handwerk!«, wehrt Paula ab. Sie mischt die Farben und beginnt, um die durchsichtige Kugel – Glasgehäuse oder Seifenblase – und um das Kind mit kurzen hingetupften Pinselstrichen einen kleinen Flammenkreis zu malen.

»Was machst du da?«, frage ich. Meine Stimme ist klein vor Schreck.

»Weiß nicht«, erwidert sie. Sie ist schon wieder in dieser Art von Abwesenheit angekommen, in die sie verfällt, wenn es sie packt.

»Paula! Warum malst du Feuer?«

»Feuer? Wie? Es erhellt diese Ecke des Bildes, findest du nicht? Da fehlte noch etwas Orange, neben den Sternen bei den Toten und bei dem Tier …«, antwortet sie abwesend.

»Was ist jetzt? Wird das Kind verbrennen?«

»Ich denke, es wird sich zu schützen wissen«, flüstert sie wie in Trance. Dann, wieder wach: »So. So ist es gut.« Sie nickt und summt leise etwas. »Starke Scheite schichte du mir – das stammt von diesem Wagner, diesem lautstarken.«

Ich bin zusammengezuckt bei dem Namen Wagner. Mir wird siedend heiß. Was weiß sie?

»Was hast du mit dieser Musik zu schaffen?«, frage ich unsicher.

»Gar nichts. Fiel mir nur so ein. Passt auch nicht zum Bild, oder? Dreh doch mal das Radio an.«

Meine Finger sind unsicher. Ich fummle an den Knöpfen, aber auf allen Wellen wird um diese Stunde nur geredet.

»Ach, ist das ärgerlich«, knurrt sie, einen ihrer Pinsel zwischen den Zähnen. »Stell wieder ab. Ich bin ja auch – ja, ich bin ja auch fertig. Gut.«

»Ja, gut. Aber warum muss das Kind im Feuer sein?«

»Vielleicht begibt es sich freiwillig hinein«, erwidert sie, ohne mich anzusehen. Ich habe auf einmal den ganzen Bauch voller Angst. Was weiß sie?

»Aber wieso –«

»Das bisschen Haar, was dir da geblieben ist, das riecht nach Rauch. Immer noch.«

»Paula!«

»Lass mal, Katze. Jetzt machen wir zusammen diese Ausstellung. Danach bin ich ein anderer Mensch. Und dann werden wir miteinander reden. Denn ich habe dir etwas sehr Wichtiges zu sagen. Mir ist es gleich, ob Luise damit einverstanden ist. Und du, deine Sachen – ja, das musst du selber wissen. – Oh, das war natürlich falsch, jetzt noch einmal an das Bild zu gehen. Die Farbe ist ja morgen noch gar nicht trocken genug für einen Transport. Na, wir werden sehen.«

Sie wäscht ihre Pinsel, räumt auf. PAULAS KATZE bleibt auf der Staffelei. Die anderen, nicht für die Galerie ausgewählten Gemälde, teils fertig, aber nicht für »würdig« befunden, teils noch unvollendet, lehnt sie an die Wände, sodass hier im Atelier so etwas wie eine zweite kleine Ausstellung entsteht. Ich bin nicht imstande, ihr zu helfen, stehe mit hängenden Armen.

»Hübsch, nicht?«, sagt sie und betrachtet ihr Werk mit schief gelegtem Kopf. »Eine ganze Menge, was sich da so angesammelt hat in letzter Zeit. Das hat mit dir zu tun, Katze.«

»Mit mir?«

»Ja, gewiss. Du bist vielleicht so etwas wie eine Muse für mich gewesen – auch wenn sich das jetzt fürchterlich hochtrabend anhört. Nächste Woche wird hier keine neue Leinwand aufgezogen. Da gibt es nur eins: deinen Zeichenunterricht. Du bist zuletzt zu kurz gekommen.«

Sie streicht mir übers stopplige Haar.

»Morgen um acht packen wir das Bild ein und gehn zur Stokowsky. Und dann um elf Uhr, gleich nach der Eröffnung, hängen wir PAULAS KATZE. – Ach, mir ist, als wenn ich Champagner getrunken hätte statt diesen hässlichen Kräutertee! Warum sagst du nichts? Freust du dich nicht mit mir?«

»Doch«, sage ich matt.

»Aber?«

»Was ist es, was du mir dann sagen willst, nach der Ausstellung?«

»Etwas, das unser Leben verändert.«

»Ich muss dir auch was sagen.«

»Umso besser. Gute Nacht, Katze.« –

Was soll mein Leben nun noch verändern? Es ist doch ohnehin schon alles durcheinander.

Als ich auf den Hinterhof komme, ist noch Licht in der Wohnung der Großmutter. Um diese Zeit sitzt sie mit Bruno sonst in der Küche, und die hat das Fenster zum anderen Hof heraus. Irgendwas ist anders.

Agnes hockt am Wohnzimmertisch, vor sich die Flasche mit dem Klaren. Sie hat den Kopf in beide Hände gestützt und sieht vor sich hin.

»Na, lässte dich auch mal blicken?«, sagt sie. Die Flasche ist zwar halb leer, aber sie hat nicht die schwere Zunge wie sonst, wenn sie solche Mengen getrunken hat. »Soll ick dir mal wat sagen? Bruno is weg.«

»Weg?«, wiederhole ich und denke an all die anderen Männer, die sie schon verlassen haben. Meistens war ich heilfroh über ihr Verschwinden. Aber Bruno?

»Ne, nich so«, sagt Agnes. »Er is nich abjehaun. Ick hab ihn inne Kneipe jelassen. Und nu is er weg.«

Sie schenkt ihr Glas voll. Das ist ein so genannter »Wachtmeister«, ein Gefäß, in das ein Doppelter passt.

»Ick hab ja versucht, ihn im Haus zu behalten. Aber so 'n Mann is doch keen Karnickel. Kann man doch nich in 'nen Käfig sperren. Der muss doch mal unter Leute. Bloß für 'ne halbe Stunde in seine olle Stammkneipe wollte er. Wo er alle kennt. Is eben die Frage, wie jut man alle kennt. Un ob det die Richtijen sind. Un wat man kippt in so 'ner halben Stunde. Und wat man dann erzählt.«

Sie führt ihr Glas mit der raschen, routinierten Bewegung einer alten Trinkerin zum Mund und stürzt es in einem Zug hinunter.

»Nach zwee Stunden bin ick denn hinjejangen. Keen Bruno. Erst wollte mir niemand wat sagen. Aber denn sind se doch mit de Sprache rausjerückt. Bruno hat anjefangen zu schwadronieren. Da war eener mit Parteiabzeichen unterm Revers. Der hat ihn mitjenommen.« Sie schiebt das Glas heftig von sich. »Herrjott, als wenn det nich reicht mit dem kranken Been. Rassisch minderwertig! Muss er sich ooch noch in die verfluchte Politik reinhängen!«

»Und nun?«

Sie erhebt sich schwerfällig. »Ick jeh schlafen. Nützt ja ooch nischt, wenn ick hier rumsitze und hoffe, dass er aufkreuzt. Kannste mir 'n Jefallen tun, Käthchen? Schläfste heute Nacht hier bei mir in dem jroßen Bette? Damit wat Lebendijes da is.« – Natürlich bleib ich heute hier oben in der Wohnung.

Im Bett dreht mir Agnes gleich den Rücken zu. Ich sehe ihre massigen Schultern, die rötlichen Haarzotteln, dann murmelt sie: »Nacht, Meechen«, und knipst die Nachttischlampe aus. Ich liege wach und sehe auf den Lichtschein, der vom Hof durch die alten schief hängenden Jalousien hereinfällt, wechselnd, je nachdem, welche Fenster gegenüber erleuchtet oder verdunkelt werden.

Nach einer Weile – sicher denkt sie, dass ich inzwischen schlafe –, merke ich, wie das Bett zittert. Agnes' schwerer Körper bebt von unterdrücktem Schluchzen, das immer mehr anschwillt. Schließlich ist es ein lautes Weinen, das sie unter der Bettdecke zu ersticken versucht.

Ich liege still und rühre keinen Finger. Soll ich sie anfassen, sie streicheln? Wenn sie gewollt hätte, dass ich sie tröste, hätte sie nicht meinen Schlaf abgewartet.

So war es immer.

Mein Herz ist voller Traurigkeit und dumpfer Vorahnungen. Der Tag, auf den sich Paula so freut, und ich mit ihr – er scheint jetzt auf einmal wie unter dunklen Wolken verborgen.

Dass mir Gerolf erklärt hat, ich wäre die Frau, die er heiraten will, das kommt mir jetzt vor, als wenn es vor Lichtjahren gewesen ist. Meine alte Welt hat mich wieder. Als ich endlich eingeschlafen bin, träume ich wirres Zeug von Pelzen und dunklen Wassern mit Flammen darüber. –

Am Morgen benimmt sich Agnes wie immer, hantiert in der Küche, brüht mürrisch ihren Muckefuck. Der einzige Unterschied ist vielleicht, dass sie für mich eine Tasse und ein Holzbrettchen hingestellt hat. Das musste ich mir sonst immer selbst nehmen.

»Heute is Sonntag«, sagt sie. »Da haben die Ämter zu. Da kann ick jar nichts machen. Die werden ihn bestimmt über Sonntag drin behalten, und am Montag kann er wieder raus. Det machen die so. Dann hat er seinen Denkzettel weg und hält nächstes Mal die Schnauze. Wenn er Montag nich kommt – ja, denn muss ick wat anfangen.« Sie zuckt die Achseln, als wäre sie schon jetzt von der Aussichtslosigkeit dessen, was sie da anfangen will, überzeugt.

Dass ich meine schöne Bluse mit dem weißen Kragen anziehe, bemerkt sie gar nicht.

Oder es ist ihr egal.

»Kommst du Mittag rein?«, fragt sie. »Ich könnte Kartoffelpuffer machen. Mit Appelmus.«

Die Kartoffelpuffer von Agnes sind ein Gedicht, wenn sie sich denn mal dazu aufrafft. Aber weiß ich, wie lange das bei der Stokowsky dauert?

»Warte lieber nicht, Oma«, antworte ich. »Wir heben uns die Puffer auf, wenn Bruno wieder da ist.« Sie lacht kurz auf. Als ich sie zum Abschied umarmen will, schiebt sie mich weg. »Na, na. So doll wird's ja vielleicht nich kommen«, grummelt sie. Da bin ich froh, dass ich sie nachts, als sie weinte, nicht angerührt habe.

Als ich über den Hof gehe, ist meine schlechte Stimmung vom Abend verflogen. Die Luft ist herbstlich klar und kalt. Es weht ein reiner Wind von Norden, der nicht wie der Ostwind so oft den Geruch von den Schlachthöfen bringt.

Wetter, um die Drachen steigen zu lassen.

Paula steht im Atelier vor ihrem Bild, die Ellenbogen abgespreizt, als wolle sie gleich einen großen Kreis malen und es darin einschließen, und guckt kritisch darauf.

»Ich hab in der Nacht noch mal was daran gebessert«, sagt sie schuldbewusst, »und nun ist die Farbe noch nicht ganz trocken. Das dauert noch mindestens eine Stunde. Was machen wir bloß?«

Sie trägt das schwarze Kleid, das sie zu Bertrams Begräbnis anhatte, aber mit einem großen Kragen aus Klöppelspitze. Die hoch gewachsene knochige Person sieht damit fast vornehm aus. Noch nie habe ich an ihr Schmuck gesehen. Aber heute hat sie ein Armband mit einem großen Stein am Handgelenk. Sie ist ganz festlich.

»Du siehst schön aus«, sage ich. Sie winkt ab. »Lass mal. Das gelingt mir nicht. Wär es wohl allzu schlimm, wenn du noch hier warten würdest, bis alles trocken ist? Du kannst mit dem Finger nachprüfen. Das ist eine Leinwand, anderthalb mal einen Meter. Bisschen sperrig, aber leicht. Hier ist das Zeug zum Verpacken. Hab ich aus Luises Vorräten abgestaubt. Dann könntest du das Bild vorsichtig nehmen und nachkommen. Ja, Katze? Das wäre wunderbar.«

Eigentlich möchte ich von Anfang an dabei sein. Aber ich spüre ihre Ungeduld und ihre Freude.

»Geh nur. Ich mach das schon«, sage ich.

Sie küsst mich auf die Wange. »Hier hast du die Schlüssel zum Atelier. Bringst du mich noch bis auf die Straße? Ich bin aufgeregt, wie lange nicht mehr. Ach, Katze, was für ein schöner Tag! ... Und spannend ist es übrigens auch. Die Leute haben doch mehr Zivilcourage, als man so denkt. Weißt du, wer auch zur Ausstellung kommen will? Deine Lehrerin. Die Baretti.«

»Die Kreuzspinne?« Ich hab es fast geschrien.

Paula lacht. »So nennt ihr sie? Na, eure ›Kreuzspinne‹ war immerhin die Einzige, die mir noch die Hand gegeben hat auf dem Schulhof, als die Braunen an die Macht kamen. Die ist wirklich nicht uneben.«

Ich muss an meine Erlebnisse mit ihr denken. Ihr Interesse an mir. Die Nürnberger Gesetze in meiner Schultasche. Eine Warnung, also doch.

Wir gehen durchs sonntäglich stille Haus. Als wir am Türschild »Ginzel« vorbeikommen, sagt Paula: »Bemerkenswert still die letzten zwei Tage. Kein heroisches Klaviergedröhne.«

Ich schweige schuldbewusst. Mit Brandwunden an den Händen kann man natürlich nicht Klavier spielen. »Kommt Luise auch zu der Vernissage?«, frage ich, um überhaupt etwas zu sagen.

»Luise?« Paula sieht mich von der Seite an. »Luise hält von meinen Bildern genauso viel wie von Markwarts. Oder noch weniger. Ich habe sie gar nicht gefragt. Außerdem geht Luise sonntags in die Kirche. Übrigens erst seitdem die Völkischen am Ruder sind. Ich nehme an, sie denkt sich was dabei. Vielleicht, um für das baldige Ende des braunen Spuks zu beten. Der braune Spuk, das hat Bertram immer gesagt. Der braune Spuk – er hat bald abgewirtschaftet. Von wegen!« Sie lacht ihr raues Lachen. »Entschuldige. Ich wollte gar nicht auf so ein Thema kommen heute. Aber du hast Schuld. Mit deiner Frage, die mir um ein Haar die Laune verdorben hätte.«

Wir stehen vor der Haustür. »Bis gleich, Katze. Ich muss zur Straßenbahn. Wünsch mir Glück.«

Während ich ihr nachsehe, kommt ein paar Häuser weiter meine Lieblingsfeindin Hannelore Blaschke, Blockwartstochter, raus. Trotz der frühen Stunde schon in voller Jungmädelmontur, von den weißen Kniestrümpfen über den dunkelblauen Flauschrock und die berchtesgadener Strickjacke mit dem grünroten Rand bis hoch zur wasserstoffblonden Schneckenfrisur.

Die haben eben auch ihr Tun.

Das Haus scheint wie ausgestorben. Ich schleiche auf Zehenspitzen die Treppen hoch. Aus der Ginzel'schen Wohnung riecht es nach Kaffee. Da scheint man früh aufzustehen. Vor dem Namensschild und dem Klingelknopf, auf den ich damals meinen Finger gelegt habe, um Ruhe zu fordern, bleibe ich einen Moment stehen. Damals? Du meine Güte, das ist doch erst ein paar Herzschläge her. Die andere Seite der Welt.

Hinter der Tür sind Stimmen zu hören, Schritte.

Meine Sehnsucht nach Gerolf ist wie eine große Welle, die von mir ausgeht. Er muss spüren, dass ich hier stehe, nur durch ein paar hölzerne Bretter und ein Schloss von ihm getrennt. –

Da drin nähern sich Schritte der Tür.

Ich renne nach oben, so leise und so schnell es nur geht, verschließe meine Ohren vor allem, was sich da unten tun könnte, öffne die Tür zum Trockenboden, stecke den Schlüssel in die Durchgangstür, vorbei an der bewussten Dachkammer, bin im Atelier, lehne mich aufatmend an die Wand. Wieder auf der anderen Seite. Wieder bei Paula. Die wunderbaren Farben des Bildes wirken beruhigend auf mich.

Heut ist Paulas Tag. Und ich gehöre dazu.

Mohr springt aufs Fensterbrett und mauzt. Er will über die Dächer stromern. Ich mache ihm auf und sehe, wie er geschmeidig den First hinaufklettert, als gäbe es keine Tiefe da unten. Ich beneide ihn. Er kennt keine Furcht. Es muss für ihn das sein, was ich manchmal beim Laufen empfinde: das Gefühl der Freiheit, verwandt dem Fliegen. Spatzen schilpen irgendwo ärgerlich, und mit knatterndem Flügelschlag erhebt sich ein Schwarm Stadttauben in die Luft. Die muss er wohl aufgescheucht haben.

Ich kehre zum Bild zurück. Hocke mich in der richtigen Distanz davor, so, dass ich meine Brille auf die Stirn hochschieben kann, und lasse mich hineinziehen in die Traumlandschaften rund um PAULAS KATZE.

Ja, natürlich. Es ist mein Bild. Die Katze bin ich. Und ich bin auch das Kind in der Kugel, das sich vor den Flammen bewahren kann, indem es eingeschlossen ist – worin? Vielleicht ist es auch keine Kugel, sondern eine Blase, wie eine Luftblase im Wasser. Aber warum brechen die Treppen an dieser Seite ab, und warum steht dort die Hinrichtungsmaschine? Wer wird bedroht?

Ich spaziere weiter durch diese Traum-Gegenden. Dort unten, das ist Bertram, der von den Juden zu Grabe getragen wird. Das ist der jüdische Stern, wie sie ihn an die Schaufensterscheiben schmieren zum Hohn. Aber warum trägt die Katze, warum trage ich ihn um den Hals – wenn doch Bertram nicht mein Vater ist?

Die Lösung der Geheimnisse scheint zum Greifen nah. Aber wenn ich die Hand ausstrecke, löst sich alles auf, wie wenn man eine Wolke berühren möchte und nur feuchte Finger bekommt.

Kirchenglocken! Ich schrecke auf. Das ist die Zionskirche. Sonntagsgottesdienst – es wird höchste Zeit für mich. Vorsichtig prüfe ich die Farbe mit dem Finger. Ich nehme die Leinwand auf ihrem dünnen Holzrahmen von der Staffelei.

Die Verpackung, die Paula von Luise »abgestaubt« hat,

jene Verpackung, in der das Bild von den Mädchen auf der Schaukel war –, sie ist wirklich wunderbar zweckmäßig. Das Bild kommt in eine Art von leichtem Sperrholzgestell, derart, dass die Leinwand selbst nirgendwo Kontakt mit dem Rupfenstoff hat, der darumgehüllt wird. Sorgfältig verschnüre ich die Stricke und knote mir einen Griff. Das Paket ist wirklich nicht schwer, ich kann es mit angewinkeltem Arm tragen.

Als ich zur Straßenbahnhaltestelle komme, fährt mir die Tram gerade vor der Nase weg. Aber das ist mir eigentlich egal. Es ist ja Zeit genug. Ich kann auch zu Fuß gehen. Die Straßen sind so wunderschön leer am Sonntagvormittag, kaum Passanten und noch weniger Autos. Das Bild trage ich mal mit der rechten und mal mit der linken Hand und balanciere es aus gegen diesen Wind, der Drachen steigen lässt und sicher auch meine bemalte Leinwand anheben und wegwirbeln könnte, und ich würde dranhängen wie der fliegende Robert am Schirm im Struwwelpeter – das einzige Kinderbuch, das es in Agnes' Hinterhofwohnung gab und das ich mir tausend Mal angesehen habe.

Ich singe leise vor mich hin.

Paulas großer Tag.

Als ich eine Querstraße vor der Galerie Stokowsky bin, kommen mir ein paar kleinere Gruppen von Leuten in ziemlicher Eile entgegen. Sie sind alle sehr gut gekleidet. Die meisten haben den Kopf gesenkt und sehen niemanden an. Ein paar andere gestikulieren eifrig, ich höre Englisch und Französisch. Auch zwei, drei Autos fahren an mir vorbei. Jemand streift mich und mein Paket mit einem Seitenblick und sagt dann: »Ich würde an Ihrer Stelle jetzt nicht in dieser Richtung weitergehen, Fräulein. Vielleicht in 'ner Viertelstunde, da ist es ruhiger.«

Das fehlte noch.

Ich tue so, als wenn ich ihn gar nicht gehört hätte, und gehe weiter. Schneller. Vor zur Straßenkreuzung. Dann höre ich schon die Sprechchöre. Abwechselnd das Gegröl und das Krachen und Splittern zerbrochener Scheiben. Es ist wie damals vor zwei Jahren, als ich mit Paula unterwegs war, die Hand in ihrer Hand und in der Manteltasche. Der Albtraum wird wahr. Ich warte nur auf die Schreie.

An der Ecke bleibe ich stehen.

Sie sind vor der Galerie aufmarschiert in ihren HJ-Monturen, ein paar Zivilisten sind auch dabei, und natürlich sehe ich auch das Braun der SA. Die Sprechchöre kann ich nun verstehen. Es ist das alte Zeug mit *Deutschland erwache, Juda verrecke*. Und dann noch: *Judenkunst – entartete Kunst.*

Ich will losstürmen, durch diesen Mob hindurch, hin zu Paula, hin zu den Bildern. Bremsen quietschen. Ein Auto hält direkt neben mir, die Räder der einen Seite auf dem Bordstein, die Tür geht auf. Ein kleiner Herr mit Glatze und Schnurrbart beugt sich heraus. »Fräulein Sander?«

»Lassen Sie mich. Ich muss da hin.«

»Eben das bin ich beauftragt zu verhindern. Ich soll Ihnen sagen: Die Personen sind in Sicherheit. Kümmern Sie sich bitte um das, was Sie bringen wollten.«

Ich starre ihn an. »Wer sind Sie?«

»Ein Kunstfreund und ein Freund von Frau Stokowsky«, sagt er knapp. »Kann ich Sie ein Stück im Auto mitnehmen?«

»Nein!«, stoße ich hervor. »Ich muss da hin. Ich muss –«

»Da ist nichts zu retten«, erwidert er. »Hören Sie, ich möchte mich hier nicht länger aufhalten. Ich bin kein Held.

Wenn Sie nicht mitfahren wollen – umso besser für mich. Mehr kann ich nicht tun.«

Die Tür klappt zu. Der Motor heult auf, die Reifen quietschen. Der Wagen schießt davon. Ich starre ihm nach. Hätte wohl doch einsteigen sollen, wenigstens, um zu erfahren, wohin Paula und die Galeristin geflüchtet sind – nun ist es zu spät.

Ein paar der Randalierer sind durch das Auto und sein Manöver aufmerksam geworden, man sieht zu mir hin. Ich drehe mich um und beginne zu laufen. Keiner kann so laufen wie ich. Ich bin die Katze und niemand holt mich ein. Ich laufe. Ich laufe.

Das Bild, das sperrige Paket, macht mich einmal stolpern, ich fange mich nur mit Mühe kurz vor dem Sturz. Nehme es nun und hänge es mir über die Schulter, halte den Griff aus Strippen mit beiden Händen. Das Holz des Gestells schlägt im Takt meiner Schritte gegen meinen Rücken. Als ich um die Ecke biege, fasst der Wind von hinten zu. Nun wird das Paket zum Segel, zum großen Drachen hinter mir, schiebt mich vorwärts. Lauf, Katze, lauf!

Vor der Haustür halte ich keuchend inne. Vielleicht ist Paula schon da. Vielleicht wartet sie im Atelier auf mich.

Aber dann, ohne dass ich überlege, weiß ich, dass dies Bild nicht zurück darf ins Atelier. Es muss an einen sicheren Ort. Wo es niemand vermutet. Die ganze Wohnung der Glücksmanns steht voller verhüllter Bilder …

Paula hat mir ja ihren Schlüsselbund gegeben. Und Luise geht jeden Sonntag in die Kirche. – Ich schleppe meine Last hoch in die erste Etage und öffne mit zittrigen Fingern die Wohnungstür. Meine Lungen brennen und ich habe Seitenstechen. Aber mein Kopf und meine Beine sind leicht und lebendig und voller Energie.

Das Bild in beiden Händen, betrete ich die große Diele, um es zu den anderen zu stellen – und erstarre.

Die verhüllten Bilder sind nicht mehr da. Stattdessen stehen im Raum vier mannshohe Transportkisten aus massivem Holz mit großen Schlössern. Die Schlösser sind mit Plomben versiegelt. Hinter vergitterten Cellophanscheiben kleben die Adressen und Transportbriefe mit den pompösen Stempeln der Reichskulturkammer.

Während ich noch fassungslos auf die Ungetüme von Kisten blicke, mein Paket vor mich hingestreckt wie eine Gabe, die keiner annehmen will, ereilt mich der zweite Schreck.

Ich habe keine Tür gehen hören, keinen Schritt, gar nichts. Sie steht auf einmal vor mir wie aus dem Boden emporgewachsen, klein, gerade, ganz in Schwarz. Sie ist nicht in der Kirche. Luise.

»Verzeihen Sie«, stottere ich, als ich wieder Luft kriege. »Ich bin – ich habe –«

»Guten Tag sagt man«, erwidert sie kühl, »auch wenn man ungebeten hereinkommt. Andererseits, ich habe so etwas eigentlich erwartet.«

»Ich habe den Schlüssel von Paula«, sage ich und versuche, das Bild irgendwie hinter mich zu bugsieren. »Ich wollte nur –«

Sie lässt mich zappeln. Steht einfach da und sieht mich an. Ich raffe all meinen Mut zusammen.

»Ich wollte das hier unter den anderen Bildern verstecken. Die Nazis haben nämlich die Galerie gestürmt. Paula konnte weg, hab ich gehört. Sie hat mich bitten lassen –« Wieder bleiben mir die Worte weg.

»War es ihre Idee oder deine, es hier mit unterzuschieben?«

»Meine«, sage ich mit trockenem Mund.

Sie nickt. »Offenbar bist du nicht ganz so konfus, wie es mir zu Anfang vorgekommen ist. Aber du siehst ja. Morgen ist Abtransport. Am Sonnabend waren Zoll und Reichskulturkammer hier, im Haus des Juden Glücksmann. Alles dicht. Was nun?«

Ich zucke mit den Achseln. »Ich bring das hier wieder ins Atelier«, sage ich hilflos.

»Na, das wäre wohl! Das heißt, ihnen in die Hand arbeiten! Oder meinst du, die kommen nicht auf den Gedanken, das Atelier zu stürmen? Das war nun doch wieder etwas kopflos, Kind. Wie ihr überhaupt kopflos seid. Es war doch zu erwarten, dass dergleichen passiert! Heutzutage eine Ausstellung! Du meine Güte, wie weltfremd seid ihr eigentlich?«

»Die Frau von der Galerie hat gesagt –«, hebe ich an, um »uns« (wer ist das? Paula und ich?), um uns zu verteidigen, aber Luise winkt ab. »Die Galeristin! Die kann viel erzählen. Sie betrifft es ja nicht. Die ist demnächst weg und über alle Berge und hat noch einen tollen Ruf als mutige Frau, die sich für geächtete Künstler in Nazideutschland einsetzt! Das bisschen zerschmissene Scheiben – es gab doch zerschmissene Scheiben? – die zahlt ihr die Versicherung.«

Woher weiß sie nur so gut Bescheid? Ich habe Furcht vor ihr. Sie ist inzwischen ein paar Mal rund um die Transportkisten herumgegangen. »Stell das Bild hier ab«, befiehlt sie mir. »Geh den Gang runter zur Küche. Unter dem Fenster ist ein Wandschrank. Darin ist ein Werkzeugkorb. Den bringst du her.« Und, da ich sie anstarre: »Nun mach schon. Sieh mich nicht an wie jemand, dem Gott seinen Verstand geraubt hat.«

»Aber was wollen Sie denn machen?«

»Du kannst ruhig du zu mir sagen. Schließlich bin ich ja irgendwie mit dir verwandt. Wenn auch ein bisschen anders, als du wahrscheinlich denkst. Was ich vorhabe? Das Gleiche, was du vorhattest. Dies Bild unter den anderen verstecken. Mach schon! Sind die Leute aus der Ecke von Agnes alle so langsam?«

Ich trabe den Korridor hinunter, vorbei an den kahlen Wänden, in die Küche, finde den Kasten, das Körbchen, wie sie sagt. Ich fühle mich betäubt, wie jemand, dem man eins vor den Kopf gegeben hat. Ich komme den Ereignissen nicht mehr hinterher. Gehe zurück in die Diele.

Luise öffnet den Kasten, entnimmt ihm einen Schraubenzieher und eine Art Meißel und beginnt mit der Geschicklichkeit eines gelernten Handwerkers, die Rückwand der Transportkiste abzuschrauben.

»Halt nicht Maulaffen feil«, sagt sie. »Hilf mir. Bring mir was, wo ich die Sachen drauflegen kann, damit ich sie nachher genauso wieder anbringe. Und gib mir die Drahtschere, falls du weißt, was das ist.«

»Die Drahtschere?«

»Na gewiss. Morgen kommt die Speditionsfirma. Die guckt sich beim Verladen nur an, ob die Verplombung in Ordnung ist und die Begleitbriefe stimmen. Die Rückseite der Kisten interessiert die nicht.« Sie nimmt das Werkzeug in beide Hände und durchtrennt die Metallbänder. Vor Anstrengung ächzt sie leise. Die Rückwand ist nun abnehmbar. Sie richtet sich auf, stemmt die Hände ins Kreuz. »Nicht, dass ich einen Hexenschuss kriege. Und du, zieh los und hol die Übrigen.«

»Die Übrigen?«

»Herrje!« Sie stößt ungeduldig die Luft aus. »Willst du mir erzählen, dass in diesem Atelier nicht noch mehr fertige Bilder herumstehen? Beeil dich. Ich hab keine Lust, dass denen was in die Klauen kommt. In dieser Kiste ist noch Platz genug.«

Ich rase los, nehme den Weg über die Hinterhöfe. An der anderen Wohnung und an der anderen Kammer vorbei traue ich mich einfach nicht. Als ich in Paulas Atelier stehe, kommt die Sonne durch. Die Farben der Gemälde leuchten. Ich reibe mir die Augen. Ist das vielleicht alles nur ein Albtraum, aus dem ich in diesem Augenblick erwache? Am liebsten möchte ich hier bleiben, die Tür zuschließen hinter mir, alles da draußen vergessen. Das hier ist meine Zuflucht und mein Leben gewesen über die letzten Jahre hinweg, nur das. Nie war es mir so klar wie heute. Und nun?

So viele Bilder, wie ich zu tragen vermag, raffe ich in meine Arme. Schon auf dem Weg zur Treppe des Quergebäudes, fällt mir ein, dass es mehr als unklug wäre, mit dieser Last öffentlich über die Höfe zu gehen, und ich überwinde meine Beklemmung und gehe über den Dachboden hinüber zum Vorderhaus.

Noch zweimal muss ich den Weg machen. Ich nehme auch Paulas Skizzenmappen mit und den Stapel Aquarelle, der auf dem Tisch liegt.

Jedes Mal, wenn ich in die Beletage komme, hat Luise bereits alles in der Kiste verstaut.

Sie ist so unheimlich schnell.

»So«, sagt sie. »Es ist zwar nicht alles perfekt verpackt, aber es wird schon genügen. Wo ist das Radio? Hol mal noch das Radio, Kind. Das ist ein hochwertiges Gerät. Hat mein verstorbener Mann selbst für Paula gebaut. Und dann gibst du mir die Schlüssel. Die Vorstellung, dass du hier hereinspazieren kannst, wie es dir beliebt, passt mir nicht.«

Ich fühle, dass ich rot werde. »Das hatte ich nicht vor, keine Sorge«, sage ich heftig.

Sie nickt, ohne mich anzusehen.

Erst als ich wieder oben bin, fällt es mir ein: Was soll aus Mohr werden!? Ich gehe an das offen stehende Fenster und rufe nach ihm, aber Mohr ist keine Katze, die auf Zuruf kommt, und wahrscheinlich ist er ohnehin außer Hörweite. Ich kann hier nicht abschließen. Mohr ist zwar ein Streuner, aber er ist auch verwöhnt. Er hat es nicht gelernt, allein zu überleben. Er wird hierher zurückkommen, dann kann ich ihn versorgen.

So entferne ich, bevor ich mich mit dem kleinen Radio belade, den Atelierschlüssel von dem Bund. Als ich den Sicherheitsschlüssel vom Ring zerre, rutscht auch gleich noch der Schlüssel zur Dachbodentür nach. Sei's drum. Ohne zu überlegen, stecke ich beide in die Tasche. Das Atelier lasse ich unverschlossen. Wenn sie wirklich kommen, wie Luise meint, müssen sie ja nicht auch noch die Tür eintreten.

Unten auf der Diele sieht alles völlig unverfänglich aus. Ich kann keine Bruchstelle an den Metallbändern entdecken. Alles korrekt.

»Wie hast du das gemacht?«, frage ich. »Meine Sache«, erwidert sie abweisend und nimmt mir Radio und Schlüsselbund ab. Ob ihr auffällt, dass es zwei Schlüssel weniger sind, weiß ich nicht. Jedenfalls erwähnt sie nichts.

»Trag das Werkzeug an seinen Platz«, kommandiert sie, als wenn ich das Dienstmädchen wäre, »und feg hier aus. Dann kannst du gehn.«

»Paulas Bilder –«

»Paulas Bilder gehn morgen nach Übersee. Das ist das Beste, was ihr passieren kann. Es gibt nur eine Sache, die noch besser wäre: wenn sie selbst auch in so einer Kiste wäre und mitreisen könnte.«

Ihre Augen zwischen den Fältchen sind klar und kalt wie Eis, ihre Mundwinkel nach unten verzogen. Sie steht da und stützt die Hände gegen ihr Kreuz und sieht an mir vorbei, und was für Gefühle das sind, die hinter ihren Worten stecken, das weiß ich nicht zu sagen. Es kann Fürsorge sein, oder Verzweiflung, oder auch Hass. Sie ist mir unheimlich wie eh und je. Sogar ihre schnelle Tat macht sie mir unheimlich.

»Wo wird Paula jetzt sein?«, frage ich und würge an dem Du, mit dem ich sie anreden soll. »Was meinst du?«

Sie zuckt die Achseln, wendet sich ab.

»Hoffentlich weit weg, und das für eine ganze Weile.«

1935

Dritter Teil

Kuckuckskinder

Nein, sie sind nicht zum Atelier gekommen.

Den ganzen Tag habe ich mit gespitzten Ohren unten im Laden gesessen, und alle paar Stunden bin ich nach oben gegangen. Alles ruhig.

Als es schon fast dunkel war, kam Mohr nach Hause, zerzaust, schrecklich müde. Die Milch im Napf war sauer. Ich habe ihn hochgehoben und mitgenommen in meinen Keller, obwohl er sich sträubte – alle vier Pfoten steif abgespreizt, die Krallen ausgefahren. Aber irgendwo muss er ja bleiben, bis Paula wieder da ist und sich alles normalisiert hat.

Paula. Von Paula keine Spur.

Auch von Agnes nicht. Ich habe keine Ahnung, wo sie sich diesen Tag und diese Nacht aufgehalten hat. In der Wohnung war sie jedenfalls nicht.

Und auch Gerolf lässt sich nicht blicken.

Irgendwann schlafe ich ein zwischen den Lumpen. Mohr liegt auf dem Bett, eingekuschelt in die Kuhle zwischen meinem Bauch und meinen angezogenen Beinen. Aber er schnurrt nicht und bewegt auch seine Krallen nicht ein und aus, wie er es tut, wenn er sich wohl fühlt. Jedes Mal, wenn die Ratten irgendwo rascheln, zuckt er mit den Ohren und verkriecht sich tiefer im Bettzeug. Der alte Raufer hat Angst vor Ratten. Und Heimweh. Ich streichele ihn, um ihn und mich zu beruhigen. Offenbar hat er genauso schlechte Nerven wie ich. Tiere wie er sind keine Tröster. Fordern alles und geben nichts. Aber immerhin gehört er zu Paula.

Als ich mich am Montag zur Schule aufmache (keine Paula, keine Agnes, keine Nachricht), sehe ich, dass ein Lastwagen vom Deutschen Lloyd gerade die Kisten aus dem Vorderhaus abholt. Immerhin.

Auf dem Weg bekomme ich Gesellschaft. Elise Löwenberg geht auf einmal neben mir.

Zart, klein, dunkelhaarig. Guckt sich ständig um.

Ich sehe sie von der Seite an. An ihrem Hals trägt sie wieder ihre Perlenkette.

Sie bemerkt meinen Blick. »Ist ein paar Zentimeter kürzer«, sagt sie tonlos. »Mein Vater hat sie zurückgekauft von der Winterhilfe.«

Ich schweige bedrückt. Irgendwie tut sie so, als wenn das meine Schuld wäre.

»Dein Kavalier musste sie ja gleich abliefern, nicht wahr.«

»Das ist nicht mein Kavalier. Der kam zufällig vorbei.« Ich fühle, wie mir das Blut zu Kopf steigt.

Sie antwortet nicht. Sagt dann, noch leiser: »Schlimme Sache gestern, hab ich gehört. Sie haben eine Galerie zerschmissen und die Bilder mit Säure bekippt.«

»Ja«, sage ich. »Sonst noch was?«

»Ja. Sie haben wen verhaftet.«

»Wen?«, frage ich. Meine Kehle ist auf einmal wie zugeschnürt.

»Eine Lehrerin von deiner Schule. Eine, die sie ›die Kreuzspinne‹ genannt haben.«

Ich stoße die Luft mit einem Seufzer aus. Nicht Paula. Paula ist in Sicherheit.

Friederike Baretti. Warum denn? Elise redet weiter.

»Sie war bei dieser Ausstellung. Hat sich irgendwie eingemischt. Du weißt ja selbst, wie das heutzutage ist. Der Volkszorn. Da ist Verhaften manchmal noch das kleinere Übel.«

Sie guckt wieder über die Schulter. »Ich geh dann lieber voraus. Man muss uns ja nicht zusammen sehen.«

Sie beschleunigt ihre Schritte. Rennt fast.

»Woher weißt du …?«

»Ist doch egal.« Weg ist sie, und ich stehe da und kann es nicht fassen. Die Baretti! Und bis vor kurzem hab ich sie für eine Feindin gehalten. Zumindest für eine zwielichtige Person. Hat sich nicht nur in Paulas Ausstellung getraut. Hat Paula sogar verteidigt. Paula und ihre Bilder. Und nun?

Ich gehe langsam weiter. Wie betäubt. In der Schule herrscht eine merkwürdige, bleierne Ruhe. Grüppchen stehen beisammen. Es wird getuschelt. Blicke gehen hin und her. Ich bleibe unbehelligt.

Im Unterricht bin ich so zerstreut, dass zwei Lehrer mir triumphierend schlechte Noten verpassen können. Die Stimmung im Kollegium ist gereizt.

Und dann haben wir Rassenkunde. Rassenkunde ist eins der Fächer, die die Baretti unterrichtet. Statt ihrer betritt nun Theurkauf das Klassenzimmer. Gibt keinerlei Erklärungen ab, außer, dass er dies Fach in Zukunft übernehmen würde.

Montag ist im Allgemeinen nicht Theurkaufs großer Tag. Es heißt, er würde an den Wochenenden derartig ausführliche Stammtischrunden abhalten, dass ihm zum Wochenbeginn immer noch der Kopf brummen würde. Meist lässt er uns eine Arbeit schreiben und verkriecht sich hinter seinen *Völkischen Beobachter*.

Aber heute geht von ihm so eine kalte, triumphierende Kraft aus, dass die Klasse gleichsam erstarrt.

Er hat sich etwas ausgedacht. Verteilt an alle Schülerinnen ein dünnes Faltblatt in zackiger Runenschrift: Der Wortlaut des *Reichsbürgergesetzes* und des *Gesetzes zum Schutze des deutschen Blutes und der deutschen Ehre*. Brandneu herausgekommen fürs Volk. (Damals hatte mir Baretti ihr Exemplar in die Tasche gestopft – was wollte sie wohl damit bezwecken? Sollte ich mich vorsehen? Wegen meines Großonkels Bertram?) Wir haben die ganze Stunde Zeit, es in Ruhe zu studieren. Zum Schluss können wir dann Fragen stellen – falls wir welche haben.

So, wie er das sagt, ist es ziemlich klar, dass wir keine haben sollen.

Es ist die letzte Stunde. Alle sind jetzt eigentlich müde, aber Dr. Theurkaufs Gegenwart wirkt. Keiner getraut sich zu gähnen. Ich drehe den Stift in der Hand. Meine Gedanken sind ganz woanders. Paula und die verhaftete Lehrerin und, ja, natürlich auch Gerolf.

Wenn ich einen Stift zwischen den Fingern habe, ist er auch beschäftigt. Dagegen kann ich nichts machen. Ich kritzele auf den Rand, Hakenkreuze. Sonnenräder. Sterne.

Paragraph 3. Juden ist das Hissen der Reichs- und Nationalflagge und das Zeigen der Reichsfarben verboten … das Zeigen der jüdischen Farben …

Jüdische Farben? Was mögen jüdische Farben sein?

… das Zeigen der jüdischen Farben gestattet. Die Ausübung dieser Befugnis steht unter staatlichem Schutz.

Unten auf dem Blatt ist noch Platz. Ich mache eine kleine Zeichnung von der Begräbnisszene aus PAULAS KATZE:

Der Aufgebahrte, die Männer in dunklen Mänteln und Hüten, die Laterne, die ein Stern ist – jener spezielle Stern, der um den Hals von Mohr gehängt ist. – Ich zeichne diese sechseckigen Sterne unter die Hakenkreuze.

»Einsammeln!«

Ich schrecke auf. Daran habe ich gar nicht gedacht. Er will die Dinger wiederhaben. Christa Kern, das Mädchen, das die Aufgabe hat, ist anständig. Ich schiebe ihr mein bekritzeltes Blatt zu und zwinkere, und sie verstaut es zwischen den anderen und richtet den Stapel ordentlich.

Aber der Doktor fächert auf dem Pult alles wieder auseinander. Seine Augenbrauen gehn in die Höhe. Ich sehe, wie er sich strafft.

»Schmierfinken gibt es überall«, sagt er honigsüß. »Und was haben wir denn da? Den unverkennbaren Stil unserer zeichnerisch hoch begabten Sander. Sander, aufstehen! Komm nach vorn und zeige der Klasse selbst, was du da auf ein Gesetzblatt gesudelt hast!«

Ich bin merkwürdig gelassen. Gehe also nach vorn, nehme das Blatt und halte es hoch.

Die Klasse raunt, aber unter dem Blick Theurkaufs werden alle sofort wieder still.

»Das ist kein Gesudel«, sage ich. »Das hat mir nur geholfen, die Frage zu formulieren, die ich am Schluss der Stunde stellen wollte.«

»Eine Frage? Hört, hört. Sander hat eine Frage. Dann mal heraus damit. Wir sind ganz Ohr.«

»Es betrifft Paragraph 3«, sage ich.

Theurkauf zieht eins der Blätter zu sich heran. Aus dem Kopf weiß natürlich auch *er* nicht, was Paragraph 3 ist.

»Juden ist das Hissen der Reichs- und Nationalflagge und das Zeigen der Reichsfarben verboten«, liest er vor. »Dagegen ist ihnen das Zeigen der jüdischen Farben gestattet. Die Ausübung dieser Befugnis steht unter staatlichem Schutz.« Er macht eine kleine Pause. »Ein Paragraph, der von dem strengen und ausgeprägten Rechtssinn der Gesetzgeber spricht. Ein nahezu großzügiger Paragraph. Und was wäre nun deine Frage, Sander, die dich bewogen hat, das Reichsbürgergesetz voll zu schmieren?«

»Die jüdischen Farben«, sage ich. »Meine Frage ist, Herr Doktor, welches die jüdischen Farben sind. Und die jüdischen Hoheitszeichen. Ob es vielleicht diese Sterne sind. Diese Sterne, die sie immer auf die Scheiben der jüdischen Schaufenster malen. Ob das unter staatlichem Schutz steht.«

In der Klasse ist es jetzt so still, dass man eine Büroklammer fallen hören könnte.

Theurkauf nimmt langsam sein langes Stahllineal vom Pult und geht auf mich zu. Sein Gesicht ist so blass, dass die Narben darin, die »Schmisse«, rot leuchten.

»Ist das deine einzige Frage?«

»Nein«, sage ich leise. »Ich hab noch mehr Fragen.« Ich spüre seinen Willen, mich zu brechen, seine Wut, und ich setze meinen Trotz dagegen. Jetzt kann ich nicht aufhören. »Ich würde gern noch fragen, ob es auch ein Gesetz gibt, nach dem man Säure über Bilder gießt, die in Galerien hängen. Nur weil sie nicht von Ariern gemalt sind. Und zum Schluss würde ich gern noch wissen, wann Fräulein Baretti wieder bei uns Rassenkunde unterrichtet.«

Sein Mund ist so schmal wie ein Strich.

»Streck deine Hände aus, Sander«, sagt er heiser. »Handflächen nach oben. Ich werde dir ein jüdisches Hoheitszeichen verpassen, an das du noch eine Weile denken sollst.«

Im Gegensatz zu anderen ist Theurkauf kein Schläger. Seine Art, Schüler zu bestrafen, ist subtiler und gemeiner zugleich. Ich habe das nicht erwartet. Aber seine Wut hat für mich etwas Ansteckendes. Sie teilt sich mir mit und schießt in mir hoch wie eine Flamme. Ich stehe ihm gegenüber und mache keinerlei Anstalten, seinem Befehl nachzukommen.

»Warum wollen Sie mich schlagen, Herr Doktor?«, frage ich. »Wir sollten doch Fragen stellen.«

»Blaschke!«, brüllt er. »Wahrendorf! Vorkommen! Festhalten!«

Sie packen mich an den Armen. Ich wehre mich, versuche um mich zu schlagen, trete. Keiner fasst die Katze an! Noch zwei sind nötig, bis sie mich in die richtige Position bringen. Aber auch dann gelingt es ihnen nicht, meine Hände zu öffnen. Ich balle die Fäuste, und Theurkauf schlägt einfach zu, auf die Knöchel, die Daumenballen, die Gelenke. Noch im Schreien denke ich, dass ich wenigstens weiter einen Stift halten kann. Und dann klingelt es zur Pause.

Sie lassen mich los, und ich taumele aus der Tür hinaus, ohne dass jemand den Versuch macht, mich aufzuhalten. Aufs Klo. Riegele mich ein, heule, kotze. Höllenschmerzen in meinen Händen und Armen bis hoch zu den Ellenbogen. Ich ziehe die Spülung und halte die dick verschwollenen Finger darunter, tauche die Hände ins Klobecken. Bleibe da drin, bis der Anfang der anderen Stunde eingeläutet wird.

Dann ist meine Klasse schon auf dem Nachhauseweg und die anderen wieder in den Räumen, und das Haus ist still. Keiner sieht mich, wenn ich vorkomme.

Als ich über den Flur schleiche, höre ich von der Etage über mir Stimmen. Theurkauf und ein anderer Lehrer.

»Eine renitente Asoziale«, schnappe ich auf. »Die Großmutter Gewohnheitstrinkerin. Nicht unintelligent. Aber völlig verkommen. Ich habe wirklich die Nerven verloren.«

»Wenn Sie mich fragen«, – das ist der andere – »das Mädchen ist psychisch krank. Ich weiß gar nicht, ob sie auf unserer Anstalt etwas verloren hat …«

»Hat sie doch tatsächlich nach einer gewissen Kollegin gefragt …!«

Die Stimmen entfernen sich.

Psychisch krank. Ja, vielleicht bin ich das wirklich. Denn warum sonst würde ich ihn so provozieren, bis er auf mich eindrischt? Was ist in mich gefahren?

Schließlich muss ich Paula finden. Ihr sagen, dass das Katzenbild gerettet ist, und noch ein paar mehr. Ich weiß erst jetzt, wie sehr sie mir fehlt. –

Zunächst laufe ich zum Jüdischen Gymnasium in der Großen Hamburger, wo sie unterrichtet. Sie muss ja heute Vormittag da sein. Unterwegs bleibe ich an jeder Straßenpumpe stehen und lasse mir einen Schwall Wasser über Arme und Hände laufen. Alles ist rot verstriemt und dick angeschwollen.

Aber das Gebäude ist verschlossen.

Hoftor und Vordereingang sind dicht, die vergitterten Fenster zusätzlich mit Jalousien gesichert. Alles ist mit den üblichen Parolen beschmiert.

Während ich noch hilflos davor stehe, kommt eine ältere Frau mit zwei Einkaufstaschen, bleibt stehen und mustert mich misstrauisch.

»Was hast denn hier verloren, Meechen, bei de Judenschule?«

»Warum haben die dicht?«, frage ich voll böser Ahnungen.

Die Frau verzieht den Mund zu einem Grinsen. »Noch nie was von jüdischen Feiertagen gehört? Die haben den halben September einen nach dem anderen. Da machen die zusätzlich Ferien. Obwohl ich nich so recht weeß, wat es für die zu feiern jibt.« Sie lacht kurz und trocken. »Eh de hier Maulaffen feil hältst, Kleene, kannst mir ooch helfen, meine Sachen nach Hause tragen. Ick wohn jleich umme Ecke.«

»Nein«, sage ich. »Keine Zeit. Und außerdem –« Ich hebe meine Hände an.

»Hui!« Sie ist beeindruckt. »Na, bei dir ha'm se ja feste hinjelangt. Musst ja mächtig wat ausjefressen haben.« –

Also auf zur Galerie. Vielleicht ist Frau Stokowsky ja beim Beseitigen der Schäden. Vielleicht ist Paula bei ihr und versucht, zu retten, was zu retten ist.

In die Straßenbahn traue ich mich nicht, weil ich nicht weiß, wie ich das Geld rauskramen soll. Also gehe ich zu Fuß, von Brunnen zu Brunnen. Manchmal wird mir von den Schmerzen schwarz vor Augen.

Aber die Galerie Stokowsky ist ein Trümmerhaufen. Auf der Straße knirscht noch das Glas der zerschmissenen Scheiben unter meinen Schuhen. Tür und Fenster sind notdürftig mit Brettern vernagelt. Wenn ich mich auf die Zehen stelle, sehe ich noch ganz oben zwischen den zersprungenen Türbohlen das Ankündigungsschild VERNISSAGE PAULA GLÜCKSM–, der Rest ist abgerissen. Jemand hat mit weißer Farbe *Talmudsau* an die Wand geschrieben und genau so einen Stern zu malen versucht, wie ich heute im Rassenkundeunterricht. Nur meiner war ebenmäßiger.

In einem Telefonhäuschen krame ich unter Schmerzen einen Groschen raus und suche im Buch die Privatnummer von Stokowsky. Niemand hebt ab.

Wie ich nach Haus gekommen bin, weiß ich nicht so recht zu sagen.

Agnes ist immer noch nicht da. Und als ich in den Kleiderkeller komme, ist da auch kein Mohr. Ich habe das lukenartige Fenster angelehnt gelassen, damit Luft reinkommt. Aber doch nur einen Spalt. Irgendwie muss er sich da durchgezwängt haben. Ob sein Freiheitsdrang größer war oder seine Angst vor den Ratten, das ist nun auch keine Frage mehr.

Ich haste hoch zum Atelier.

Vielleicht. Vielleicht ist ja auch Paula schon da. Hat von Luise alles erfahren.

Aber die Tür ist zu. Den Schlüssel rauskramen und aufschließen ist eine Sache, bei der ich wimmern muss vor Schmerzen.

Leer. Natürlich leer. Ich habe doch den Schlüssel! Wie hätte sie denn reinkommen sollen! Ich stehe da zwischen den kahlen Wänden, vor der Staffelei, einer blöden Holzkonstruktion, vor den Farbtuben, den Pinseln, der Palette.

Gerade, als ich mich zum Gehen wende, höre ich ein Geräusch von draußen.

Mohr, den Schweif hoch gereckt, den Rücken zum Buckel aufgestellt, steht da auf dem Fenstersims und will rein. Wie er hierher gefunden hat – keine Ahnung. Jedenfalls ist er da.

Ich lasse ihn rein, hebe ihn gleich in meine Arme. Er schnurrt wohlig. »Du kannst jetzt hier nicht bleiben«, flüstere ich ihm zu. »Du musst zu mir kommen, Mohrchen, bitte.«

Als ich das Atelier wieder verlassen habe – die Tür mache ich mit dem Fuß hinter mir zu –, strebt er von mir weg, fährt die Krallen aus. Ein Hieb trifft meine geschwollenen, wunden Handgelenke. Ich muss schreien. Dann gehe ich, immer noch ohne den Kater loszulassen, auf diesem Dachboden in die Knie und fange an, zu weinen.

So findet mich Gerolf. –

Später weiß ich, dass es wie ein Bild ausgesehen haben muss, und eher ein komisches: Wir beide knien, die zerschundenen Hände abgespreizt, auf einem staubigen Bodengang voreinander, und eine schwarze Katze – jetzt ganz friedlich und freiwillig – schnurrt um uns herum. Auch Gerolf, als er mich sieht, kann nicht an sich halten. Ihm stehen die Tränen in den Augen.

»Wer hat das gemacht?«, fragt er, und ich, zwischen Tränen und Lachen, schüttle den Kopf und wiederhole immerzu: »Ist nicht so wichtig. Nur ein Lehrer. Ist überhaupt nicht wichtig.«

Ich bin so froh, dass ich in meinem ganzen Elend endlich jemanden gefunden habe, an den ich mich anlehnen kann!

Und wieder weicht alles andere zurück, steht nur noch am Rand.

Gerolf hält mich. Nichts tut mehr so weh wie vorher.

»Ich kann dich nicht mal richtig anfassen!«

Wir haben die Arme umeinander gelegt. Unsere verbundenen Hände berühren sich.

»Wo bist du gewesen? Wo warst du so lange?«

»Ich hatte zu tun, Katharina. Etwas sehr Wichtiges, für dich und für mich. Du wirst es später verstehen.«

»Ich will gar nichts verstehen. Ich wollte nur bei dir sein.«

»Aber du warst ja auch – fort.«

Ich antworte nicht. Ich will nicht, dass sich das andere schon wieder zwischen uns drängt, kaum, dass wir uns wieder begegnen. Ich will mich nur an ihm festhalten, ihn nur spüren. Nur mit ihm sein.

Wir sind wieder in der Glasglocke.

Mohr schiebt sich schnurrend zwischen uns, bringt uns zum Kippeln, und weil wir uns ja kaum mit den Händen abfangen können, müssen wir unsere Position lösen und sitzen nun da und lachen ein bisschen nach der Aufregung.

»Was ist das für eine Katze?«, fragt er, und ich sage ausweichend: »Ach, die gehört irgendwie ins Haus.« Mit dem Handrücken wische ich mein Gesicht ab.

»Wir müssen das behandeln und verbinden«, sagt er mit einem Blick auf meine Knöchel und Finger. »Du kommst mit mir herunter, Katharina. Mein Vater ist zu Haus. Er wird es machen!«

»Nein!«

»Warum nicht? Was hast du?«

»Ich will nicht«, sage ich entschlossen. »Du kommst von dort und ich komme von da. Du vom Vorderhaus und ich aus dem Hinterhofkeller. Und wir treffen uns hier oben. Das ist unseres. Die Bodenkammer. Keiner weiter, nur du und ich. Ich hab da unten nichts verloren. Und ich brauch auch keinen Verband für meine Hände. Kaltes Wasser reicht.«

Er reibt seine Stirn an meiner Wange. »Aber einmal muss es doch sowieso passieren. Du musst meine Eltern kennen lernen und sie dich.«

»Wissen sie denn von mir?«

Er zögert. »Sie wissen, dass es jemanden gibt. Jemanden, der nicht unbedingt gleich in die gute Stube geladen wird.« Er lacht verlegen. »Es wäre eine gute Gelegenheit jetzt. Sie sind sehr freundlich.«

Ja, denke ich. Die Mutter, die bei Bleyle und Deutschmüller einkauft, und der Vater, ein Obersturmbannführer, sind sicher sehr freundlich.

»Lass mir Zeit damit«, bitte ich.

»Alle Zeit, die du willst. Aber manchmal muss man auch ein bisschen nachhelfen. Also, dann warte hier. In unserer Kammer. Ich komme mit einer Salbe und Verbandszeug zurück.«

Wenn meine Hände nicht so ungeschickt gewesen wären, hätte ich das Hitlerbild bestimmt abgenommen. So sitze ich da unter den kalten Augen, die ich im Nacken fühle, als wenn das Bild lebendig wäre.

Nach dem, was mir gestern und heute begegnet ist – müsste ich da nicht aufstehen und dies Bild abnehmen, ganz gleich, wie sehr mich die Hände dabei schmerzen? Aber entferne ich mit diesem Bild nicht auch all das Große, die ganzen erhebenden Klänge und Gefühle? »Starke Scheite schichte du mir« – selbst Paula hat es gesungen, während sie malte.

Irgendetwas muss ich doch behalten dürfen! Wenn ich durch diese Art von Feuer gehen muss, um ganz dorthin zu gelangen ... Ich bin so müde nach all dem, was ich seit gestern an Wut und Mut aufbringen musste. Und so froh, hier bei ihm zu sein, in dieser Kammer unter dem Dach, die uns gehört.

Ich schließe die Augen, erschöpft und ruhig. Warte, bis Gerolf wiederkommt.

Agnes steht in der Tür, als es schon dämmrig wird.

Sie sinkt auf den Küchenstuhl, ohne ihre Jacke auszuziehen – es ist ein Stück aus ihrem Trödel, Krimmer mit Samtbesatz, noch ganz schön, aber es spannt über ihrem Rücken.

»Ick bin von Pontius zu Pilatus«, sagt sie tonlos. »Erst uff 'm Revier. Denn bei de Bereitschaft. Die ha'm mich zur Kripo jeschickt. Kripo! Als wenn Bruno 'n Janove wär. Überall endlos jewartet. Keener hat 'ne Ahnung. Und denn bin ick ja noch nicht mal 'ne Verwandte. Zum Schluss bin ick bei Blockwart Blaschke. Weeßte, wat der mir sagt?« Sie senkt die Stimme. »Ick soll's doch mal im Columbiahaus versuchen. Gestapo, verstehste. Morjen jeh ick da hin, da kannste Jift druff nehm. Ick lass Bruno nich im Stich. Machste mir mal 'n Kaffe, Meechen?«

»Ich glaube, das schaff ich heute nicht«, sage ich und

halte ihr meine Hände hin. »Ach du Schande«, sagt sie mit einem Stöhnen. »War das 'n Pauker?«

Ich nicke.

»Und warum? Was haste ausjefressen?«

»Hab 'ne Frage gestellt.«

Sie schweigt einen Moment, erhebt sich schwerfällig vom Stuhl und lässt Wasser in den Kessel, zündet das Gas an, holt die Kaffeemühle vom Schrank, noch immer in ihrer engen Krimmerjacke.

»Heut nehm ick richtije Bohnen, nich den ollen Muckefuck«, sagt sie nebenher. »Unter andere Umstände wär ick in deine Schule jekomm und dem ollen Schinder uffs Dach jestiegen. Aber nu –« Sie bringt ihren Satz nicht zu Ende.

Ich höre zu, wie sie Kaffee mahlt, den hölzernen Kasten in die Kanne ausschüttet. Altvertraute Geräusche. Immerhin kann ich mich so weit nützlich machen, dass ich die Tassen hinstelle und die Zuckerdose.

Agnes gießt den Kaffee durchs Sieb ein.

»Willst du nicht deine Jacke ausziehen, Großmutter?«, frage ich.

Sie schüttelt den Kopf. »Mir is kalt bis sonst wo«, sagt sie. Schließt ihre Hände um die Tasse und sieht vor sich hin. »Gestapo ... Bruno hat keenem wat jetan. Keener Flieje.«

»Gestern haben sie Paula Glücksmann die Ausstellung kaputtgeschlagen.«

Sie hebt den Kopf. »Wat für 'ne Ausstellung?«

»Eine Gemäldeausstellung. Sie malt doch. Sie ist auch noch nicht zurück seitdem.«

»Ach, die kommt schon wieder«, sagt sie. »Der jeht's doch jut.«

»Der geht's gut? Großmutter, sie ist Halbjüdin. Mischling ersten Grades.«

Agnes lacht kurz. »Det bleibt se ooch andersrum«, sagt sie – ein Satz, mit dem ich nichts anfangen kann.

»Ich war viel mit ihr zusammen«, rede ich weiter. »Du weißt doch. Sie hat mir Zeichenunterricht gegeben. Unentgeltlich. Ich …«

»Na, unentgeltlich, det woll'n wir doch wohl hoffen«, erwidert Agnes. Ihre Augen haben einen seltsamen Ausdruck. Wenn ich nicht wüsste, wie müde und traurig sie ist, würde ich so etwas wie Lächeln daraus lesen.

»Aber Oma, sie ist weg seit gestern.«

Unerwartet schlägt Agnes mit der Hand auf den Tisch. »Nu hör aber uff mit denen vom Vorderhaus. Ick will nischt hören. Lass man, die kommen immer mit 'n Hintern anne Wand. Um die musste dir keene Sorjen machen, Käthe. Bestimmt nich.« Sie steht auf. »Ick jeh zu Bette. Mir reicht's.«

Heute fordert sie mich nicht auf, mich zu ihr zu legen. Hätte ich sie nicht jetzt noch einmal fragen sollen nach meiner Beziehung zu Bertram, nach dieser Vormundschaft, nach dem Geld –? Aber sie war so beschäftigt mit ihren eigenen Sorgen. Und so abweisend auf einmal. –

Ich stelle mir vor, wie sie sich schlafen legt unter dem Bild mit den schaukelnden Mädchen, dick, müde und verzweifelt, und mir fällt ein, dass sie sicher gar nicht weiß, was es für sie bedeuten könnte, dass sie da einen »echten

Markwart« an der Wand hängen hat. Und *dass* er »der echte« ist – das wissen nur drei Menschen auf der Welt. Paula und ich und sie. Eine merkwürdige Verbindung.

Es ist bereits dunkel, als ich draußen auf dem Bürgersteig stehe und zu den Fenstern der Beletage aufsehe, ob irgendwo Licht brennt. Alles ist dunkel. Auch im Quergebäude, das habe ich schon vorher festgestellt. Weder die Küche noch das winzige Fenster von Paulas Kammer sind erleuchtet.

Und im Atelier ist niemand.

Anderntags fasse ich mir ein Herz und klingele. Luise Glücksmann öffnet. Ihre Augen sind so kühl und abweisend, wie es nur geht, und ihr Blick bleibt als Erstes an meinen Händen hängen.

»Entschuldigen Sie – äh, entschuldige«, stottere ich. »Es ist nur wegen der – wegen deiner Tochter, Tante Luise. Ist sie – hat sie sich gemeldet?«

Luise behält die Tür in der Hand, lässt mich nicht ein.

»Sie hat mich angerufen, noch vorgestern Abend«, sagt sie. »Sie bleibt noch ein paar Tage bei Freunden auf dem Land. Ich soll dich von ihr grüßen.«

»Ja, danke«, sage ich hölzern.

»Sonst noch was?«

»Nein. Nein. Danke schön.«

Die Tür ist zu.

Vorgestern Abend! Und sie soll mich grüßen. Tut sie aber nicht, außer, wenn ich zufällig komme. Und ich renne zwei Tage herum wie eine Kranke, weil ich denke, Paula ist was zugestoßen. Agnes' Worte fallen mir ein. »Die aus 'm Vorderhaus, die …« Meine kaltäugige Großtante, die sich zu ihrer Schwester im zweiten Hinterhof nur in Marsch setzt, wenn es darum geht, ihr zu erklären, dass die Zahlungen eingestellt werden.

Ich weiß nicht, ob ich sehr gerecht bin im Augenblick. Aber ich habe Wut im Bauch. Und bin erleichtert wegen Paula. Und ungeheuer enttäuscht, dass sie keinen Weg gefunden hat, mir direkt Bescheid zu sagen.

In dieser Stimmung marschiere ich in die Schule ein und werfe mit solchen Blicken um mich, das sich keiner traut, eine dumme Bemerkung über meine Hände zu machen. Ich habe keine einzige Hausaufgabe. Lege meine geschwollenen, inzwischen blau angelaufenen Pfoten vor mich auf den Schultisch (besonders die Gelenke sehen grässlich aus) und sehe die Lehrer herausfordernd an.

Keiner nimmt mich dran. Keiner fragt mich was. Ich bin tabu, auch in den Pausen. Gut so. Legt euch nicht mit der Katze an. Ich bin nicht Elise Löwenberg, der nichts einfällt, als zu heulen, wenn man sie dreckige Judensau nennt und die sich nicht allein nach Haus traut.

Wenn man wütend genug ist, kann einem die Rolle als Außenseiter richtig Spaß machen. Nur weich werden darf man nicht dabei. Dann ist es aus. Dann wird man totgehackt.

Und das ist nun eine Woche, die so dahinschleicht. Paula kommt nicht.

Agnes geht schweigsam ihre Wege. Sie redet nicht mit mir darüber, wohin, und auch nicht, mit wem sie Kontakt hat. Wenn ich sie frage, winkt sie ab. Aber es kommt mir vor, als wenn sie von Tag zu Tag dünner wird. Die massige

Frau scheint irgendwie zu schrumpfen. Ich sehe es mit einem leisen Gruseln und bin ratlos. Weiß nicht, was ich tun soll.

Tag für Tag treffe ich mich im Niemandsland mit Gerolf. Wir reden nicht. Wir küssen uns und hören auf damit, kurz bevor wir dabei sind, die Kontrolle über uns zu verlieren, und mir ist jedes Mal mehr, als müsse man etwas abreißen, was gerade dabei ist, aneinander festzuwachsen.

An einem Abend, als meine Hände wieder einigermaßen brauchbar sind, habe ich mir, bevor Gerolf kam, ein Herz gefasst, das Hitlerbild abgenommen und verkehrt herum an die Wand gestellt. Er sagt nichts. Ich warte drauf. Hat er es nicht gemerkt?

Aber am nächsten Tag hängt es wieder auf seinem Platz. Und nun lasse ich es dabei bewenden.

Oft kommt Mohr zu uns. Er lässt sich nicht in meinen Trödelkeller verpflanzen, er nicht. Er braucht die luftige Höhe der Dächer. Ich bringe ihm Milch und Fressen und stelle es meist in »unsere« Dachkammer, um ihn dahin zu gewöhnen. Er hat Vertrauen zu Gerolf und lässt sich von ihm streicheln und kraulen. Einmal erwähne ich beiläufig, dass er meiner Tante gehört und bereue es sogleich. Gerolf macht Augen, als hätte ich ihm erzählt, dass ich eine Raubmörderin sei.

»Das ist der Kater der Jüdin?«, fragt er.

»Das ist Paulas Kater. Und sie ist eine Halbjüdin. Ich hüte ihn nur, bis sie wiederkommt.«

»Armes Tier«, sagt Gerolf nachdenklich und krault Mohr hinter den Ohren. Keine Ahnung, was er damit meint.

Die Zeit scheint auf der Stelle zu treten. Wenn ich abends in meinem Bett im Trödelladen liege, den Ratten lausche und den Geräuschen aus den Klo- und Küchenfenstern des Quergebäudes, dann ist mir manchmal, als hörte ich das Schlürfen von vielen Füßen auf unserem Hinterhof. Sie kommen nicht vom Fleck. Und ich komme auch nicht vom Fleck.

Dann, eines Abends, taucht Mohr nicht auf. Ich rufe nach ihm, ich stelle ihm seine Milch ins Fenster. Kein Mohr.

Gerolf tröstet mich. »Er wird auf Brautschau sein.« Aber er kommt auch nicht mit seinen Wunden nach Haus, um sich bei uns auszuruhen. Er ist einfach fort.

»Nur die Starken überleben«, sagt Gerolf. »Das ist das Gesetz des Daseins.« Er sieht mich nicht an dabei.

»Mohr war kein bisschen stark. Er hatte Angst vor jeder Ratte. Er war ein Haustier, verstehst du. Ein Haustier, das über Dächer springen kann. Was redest du für ein Zeug?«

Wir sprechen nicht mehr davon.

Mohr bleibt verschwunden.

Der September sah so aus, als wolle der Sommer gar nicht aufhören. Aber jetzt im Oktober wird es auf einmal eisig mit aller Gewalt. Morgens liegt Reif auf den Müllverschlägen im Hof und ich mache mir Gedanken. Gedanken um Mohr – wie soll der draußen überleben bei dem Wetter? Gedanken um Agnes, die schweigt und ihre Wege geht; der Laden bleibt nun schon die zweite Woche geschlossen. Und Gedanken, so oft Gedanken um Paula, die verstummte und verschollene Paula. Nochmals bei Luise nachzufragen, getraue ich mich nicht. Warum schreibt sie nicht wenigstens einen Brief?

Ich friere in meinen dünnen Sachen und muss mir nun doch irgend so ein unförmiges Kleidungsstück aus dem Trödelkeller nehmen, sodass ich für meine Mitschüler einmal wieder »Lumpenmüllers Lieschen – rot wie ein Radieschen« bin, aber das ist mir ziemlich egal.

Was Essen angeht, bin ich nicht besonders verwöhnt. Aber in der letzten Zeit ist nicht mal mehr Margarine zum Brot im Küchenspind, und als ich einkaufen will, stelle ich fest, dass in dem angeschlagenen, blauweißen Topf mit der Aufschrift »Zucker«, in dem Agnes das Wirtschaftsgeld zu verwahren pflegt, man gerade noch ein paar Groschen sind. Auch die Kohlen gehn zur Neige. Man kann nicht mal mehr den Herd einheizen.

Schließlich wende ich mich an meine Großmutter: »Wir brauchen Kohlen und Feuerholz, Und ein Säckchen Kartoffeln. Bisschen was aufs Brot wär auch nicht schlecht.«

»Ach, ja?«, bemerkt sie grimmig. Sie schlurft in ihrer Krimmerjacke durch die Wohnung. »Und wat meenste, wie schön erst ein Schnaps wärmen würde. Mir zittern ejal die Hände ohne. Brot is doch noch da, nich? Na also. Und wenn de frierst, leg dich ins Bett. Is keen Jeld da. Woher ooch. Zwei Wochen lang keene Jeschäfte, und de Beletage hat, wie man so schön sagt, die Zahlungen einjestellt. Ick fürchte, Meechen, det mit de Schule musste dir aus 'm Kopp schlagen. Such dir zu Neujahr 'ne Stelle.«

»Nichts dagegen«, erwidere ich. Als wenn ich nicht froh wäre, diesem Albtraum Schule zu entkommen! »Warum musste ich überhaupt –«

»War der Wunsch des Jeldjebers«, knurrt sie, ohne mich anzusehen.

»Bertram? Aber wieso hat er denn –«

»Hör uff!«, fährt sie mir über den Mund. »Hör uff mit die ollen Kamellen! Ein für alle Mal. Ich mag nich darüber quatschen, kapiert?«

Ich schiebe meine kalten Hände in die Ärmel der ausgefransten Strickjacke. »Hast du was von Bruno gehört?«

Sie schüttelt den Kopf. »Hab überall rumjehorcht. Man trifft ja so Leute. Leute, wo ooch eener weg is.« Sie senkt die Stimme, sieht mich nicht an. »Die sagen, wahrscheinlich ha'm se ihn in 'nen Lager jesteckt. Diese Schweine. Er hat doch nischt jemacht!« –

Aber am anderen Morgen öffnet Agnes den Laden wieder. »Von irjendwat muss der Schornstein ja roochen!«, erklärt sie böse und sieht mich dabei an, als wenn ich an allem Schuld wäre. Die Suche nach Bruno scheint sie aufgegeben zu haben. Geld für Kohlen wird es aber erst in ein paar Tagen geben.

Gerolfs Dachstübchen dagegen ist traulich warm. Er hat ein Kerosinöfchen angebracht und einen weiteren Satz bunte Decken. Ich gewöhne mir an, dort oben meine Hausaufgaben zu machen, auch wenn er noch nicht da ist – meist hat er länger Unterricht oder übt noch Klavier –, oder ich lese in den Büchern, die da herumliegen. Es ist ja nicht bloß Nazipropaganda. Romane wie Carossas »Der Arzt Gion« oder »Reich ohne Raum« von Bruno Goetz finde ich sehr

schön. Sie lassen die Vorstellungswelt, in der Gerolf lebt, für mich erstrahlen – diese Welt des Hehren und Durchgeistigten, diese Stimmung von Aufbruch und Verklärung.

Niemals zeichne ich hier. Ich zeichne überhaupt sehr wenig.

Einmal bringt Gerolf eine Hand voll Haselnüsse mit. Er hat sie irgendwie zufällig in der Hosentasche. Ich falle darüber her wie ein Wolf übers Lämmchen, knacke sie mit den Zähnen und verschlinge die Kerne, und er sieht mir befremdet zu.

»Bist du so eine Freundin von Nüssen?«, fragt er.

»Ich hab einfach Hunger!«, erkläre ich.

»Wieso hast du Hunger? Geben die dir nichts zu essen?«

Dieses *die* missfällt mir. »Wer soll das sein, *die*?«, frage ich gereizt. »Ich habe eine Großmutter, die, wie du vielleicht weißt, mit alten Kleidern handelt. Das Geschäft geht nicht gut. Und sie hatte fast zwei Wochen geschlossen, weil sie jemanden sucht, der verhaftet wurde. Grundlos. Darum ist bei uns Schmalhans Küchenmeister. Das ist alles.«

Er runzelt die Brauen. »In unserem Staat wird niemand grundlos verhaftet«, erklärt er bestimmt. »Irgendwas wird er schon getan haben.«

»Herrje. Er war in seiner alten Stammkneipe und hatte zu tief ins Glas geguckt. Da hat er irgendwelche Dummheiten erzählt.«

»Irgendwelche Dummheiten? Meckern und Nörgeln zersetzt die Kraft des Volkes, Katharina.«

Ich hole Luft zu einer heftigen Entgegnung. Aber ich komme nicht zu Wort, denn er legt mir die Finger auf die Lippen, mit einer so innigen Bewegung, dass mir der Atem im Hals stecken bleibt. »Bitte!«, sagt er. »Wir wollen das nicht hierher vordringen lassen. Nichts soll zwischen uns sein. Bitte!«

Sein Kuss verschließt mir vollends den Mund. Er nimmt mir die Brille ab – eine Geste, die ich ihm inzwischen erlaube, obwohl sie einmal Paula gehörte.

Dennoch. Für einen Augenblick schien es, als sei in das seltsame Vakuum, in dem wir uns bewegen, ein eisiger Luftzug eingedrungen. –

Wir reden nie wieder davon. Aber jetzt bringt er mir fast immer irgendeine Nascherei mit, Gebäck oder Obst, und hat dafür stets eine Geschichte, warum er es tut. Mal hat seine Mutter gerade gebacken, mal haben sie die letzten Boskoop aus dem Garten geholt vor den Nachtfrösten, mal hat die Tante vom Land Hausschlachtenes geschickt, das ich probieren muss. Ich bin viel zu hungrig, um Stolz rauszukehren, esse und schweige.

Und dann, eines Tages, kommt er mit einem Päckchen aus violettem Seidenpapier und tut geheimnisvoll.

»Eine Überraschung, Katharina! Schließ die Augen.«

Das Papier knistert. »So. Nun kannst du herschauen.«

Zwischen uns auf der bunten Decke liegt eine hellgraue Seidenbluse. Ich starre darauf und verstehe nichts. »Was soll das?«, frage ich.

»Erinnerst du dich nicht? Damals im Kaufhaus am Alex? Du hattest den Ärmel ausgerissen. Mutter hat sie für einen Spottpreis erstanden. Es war ja Nachsaison und nicht mehr ganz modisch. Unsere Hausschneiderin hat sie ausgebessert. Mutter sagt, dass sie ihr nicht so recht stehen würde. Bitte, Katharina. Für dich.«

Mir ist die Hitze bis unter das Haar gestiegen. Ich muss rot sein wie eine Tomate. »Ich nehm nichts geschenkt!«, sage ich heftig.

»Aber weißt du's denn nicht mehr? Du hast mir doch das Geld damals durch den Briefschlitz geworfen. Es ist kein Geschenk. Du hast sie ja bezahlt. Wieso wirst du da rot? Warte nur ab. Später. Dann werde ich dich behängen mit schönen Sachen. Ich …«

»Was soll ich mit der Bluse? Es ist gleich Winter.«

»Hier oben ist es warm. Und sie ist doch wirklich wundervoll. Dieser Stoff. Und die Farbe! Zu deinen Haaren …«

»Ja, sie ist schön«, sage ich. Streichele über die Seide.

»Willst du sie nicht mal anprobieren? Ich gucke weg.«

So etwas habe ich noch nie gehabt. Wie es sich wohl auf der Haut anfühlt?

»Gut«, sage ich mit belegter Stimme. »Dreh dich um.«

Ich nehme das Stück, stehe auf und gehe zum Fenster. Ziehe meine ausgefranste Strickjacke aus. Ziehe mir den Pullover über den Kopf. Als ich nach der Bluse greife, um in die Ärmel zu kriechen, sehe ich, dass Gerolf sein Versprechen nicht hält. Er sieht mich mit großen, glänzenden Augen an.

Ich stehe da in meinem Hemd mit den breiten Achselträgern, das hässlichste Kleidungsstück, das man sich denken kann, die Bluse in der Hand, während er auf mich zugeht. Ich kann mich nicht regen und nichts sagen. Er kommt auf mich zu, streift das Hemd von meinen Schultern, sieht auf meine Brüste. Beugt sich vor und beginnt sie zu küssen.

Ich falle in eine feurige Grube. Stehe hilflos, unfähig, einen Finger zu rühren. Bin dabei, zu zerschmelzen und mich selbst zu verlassen und zu verlieren. Bereit zu allem, nicht mehr ich selbst. Und warte dabei darauf, dass er wieder von mir ablässt, wie stets. Spüre schon jetzt den Punkt voraus, wo er sich von mir abstößt und sein Nein sagt und mich Katharina, die Reine, nennt. Nein! Ich will nicht, dass er wieder geht, wenn mein Gefühl auf dem Höhepunkt ist. Ich will mich nicht schämen für das, was er unterlässt. Dann will ich lieber den Schritt rückwärts als Erste tun.

Mit beiden Händen schiebe ich seinen Kopf zurück. Seine Lippen lassen von meiner Brust mit einem weichen, saugenden Geräusch, das mir durch und durch geht. Ich raffe einfach alles auf, Bluse, Pullover, Jacke, und renne an ihm vorbei nach draußen, schlage die Tür zu. Eisige Luft trifft meine nackte Haut.

So stehe ich, bis mein Fleisch vor Kälte graupelig bläulich wird. Von drinnen kommt kein Laut. Meine Zähne klappern. Ich ziehe mich an und gehe langsam die Treppe hinunter, taumelig vor unerfülltem Verlangen.

Was wäre geschehen, wenn ich geblieben wäre? Hätte unser Umeinanderkreisen endlich aufgehört, wäre es gewesen wie eine Explosion, wie im Chemieunterricht, wenn sie Wasser und Salzsäure mischen? Und wäre es vielleicht das Ende all unserer Gemeinsamkeit gewesen?! Ich weiß es nicht. Es gibt nichts, was ich mehr ersehne. Und offenbar nichts, was er mehr fürchtet, auch wenn er es will. Und darum muss es ausbleiben.

Die Seidenbluse hänge ich in den hintersten Winkel zwischen Agnes' Trödelware. Ich werde sie nie tragen. Zwei Tage gehe ich nicht in die Dachkammer. Dann ist alles wieder beim Alten.

Immer noch halte ich Ausschau nach Mohr. Erneuere seine Milch, die stets unangerührt verkommt, stelle Futter hin. Das Atelier schließe ich nicht ab. Wenn Paula kommt, soll sie es betreten können.

Und dann, eines Tages, ist sie einfach da. Als ich den Gang entlangkomme, steht die Tür offen, und mein Herz macht einen Satz außerhalb des Rhythmus.

Sie trägt einen Männerhut und ihren langen weiten Mantel, in dessen Taschen sie ihre Hände tief vergraben hat. Steht, als wäre sie eine Fremde in einem fremden Raum.

»Paula!«, stammele ich. »Paula! Endlich!«

Und warte drauf, dass sie die Hände aus den Taschen zieht und die Arme ausbreitet und mich ganz fest an sich zieht, aber das tut sie nicht. Sie sagt nur: »Hallo, Katze. Da bist du ja.«

Meine Freude gefriert. Ich lehne am Türrahmen und sehe zu, wie sie mit langsamen Kopfbewegungen den Raum inspiziert, sich um ihre eigene Achse dreht.

»Gründlich, gründlich«, sagt sie. »Das habt ihr wirklich mit deutscher Gründlichkeit gemacht, ihr beiden.«

»Wir beiden?«

»Na, Luise und du, nicht wahr? Ihr habt doch meine Bilder expediert auf Nimmerwiedersehen, oder?«

»Wir haben – wir dachten«, sage ich mühsam, »wir dachten, sie würden auch das Atelier kaputtmachen. Wir wollten retten, was zu retten war. Und ich hab ja PAULAS KATZE zurückgetragen, als ich sah, was da los war. PAULAS KATZE, dein letztes Bild. Es ist nicht umgekommen.«

Sie nickt. »Nein. Es ist bloß ganz, ganz weit weg. Übrigens PAULAS KATZE: Was macht Mohr?«

»Er ist weg«, erwidere ich bedrückt. »Ich wollte ihn mitnehmen in meinen Keller, aber er ist immer wieder hierher gelaufen,und –«

»Und ist weg«, unterbricht sie mich rau. »Schon gut. Passt ins Bild. Oh du lieber Augustin, alles ist hin. Mohr.« Sie schluckt.

»Paula!«

»Nicht dieser Ton, Katze. Wenn hier einer Grund hat zu lamentieren, dann bin ich es doch wohl.«

»Wo bist du die ganze Zeit gewesen?«

»Bei Freunden in Neuruppin«, sagt sie. Sie setzt sich an den Tisch, ohne mich anzusehen, nimmt ihren Männerhut ab. Ihr kurzes Haar ist fast ergraut in den paar Wochen.

»Um die Wahrheit zu sagen, Katze, ich war ein bisschen durchgedreht. Ein bisschen sehr sogar. Nervenzusammenbruch nennt man das heutzutage. Na, die Stokowsky hat das noch für mich arrangiert, mit der Privatklinik da draußen in der Mark, bevor sie abgeschwirrt ist in die Staaten. Hat's sogar bezahlt. Ich glaube, sie kassiert noch eine gute Versicherungsprämie, da konnte sie sich's ruhig leisten. Du hättest uns sehen müssen, wie wir da raus sind aus dem Hinterausgang, im letzten Moment, bevor sie vielleicht auch uns mit Säure ...«, sie bricht ab, holt tief Luft. Dann lacht sie ihr ruppiges Lachen.

»Ich Trottel wollte mich ja sogar noch vor meine Bildchen schmeißen! Na, ein Glück, dass *sie* wenigstens den Überblick behielt.« Sie blickt mich an.

»Hast du Fräulein Baretti gesehen auf der Ausstellung?«, frage ich.

»Fräulein Baretti? Was soll das nun wieder?«

»Sie soll auch da gewesen sein und wollte was retten von deinen Bildern.«

Sie schüttelt den Kopf. »Keine Ahnung. Und du? Warst du auch noch da?«

»Nein. Mich hat noch einer gewarnt. Hat mir gesagt, ich soll schnell umkehren mit dem Bild.«

»So? Das hat bestimmt die Stokowsky noch organisiert. Ich wäre in dem Moment zu so viel Überblick nicht fähig gewesen, das kannst du mir glauben.«

Sie beginnt ihre Pinsel aus der Vase zu nehmen, in der sie stecken, einen nach dem anderen, lässt sie gedankenverloren durch die Hand gleiten, legt sie in einer Reihe nebeneinander auf den Tisch.

»Es ist kein einziges Bild unversehrt geblieben. Nicht eins. Säure oder Messer. Es war eine – wie heißt es doch – eine generalstabsmäßig geplante Aktion.«

»Kann man nichts restaurieren?«

»Restaurieren? Ja, bitte. Das soll, wer mag. Ich hab diese Ruinen Stokowsky geschenkt, zum Wegschmeißen oder Mitnehmen. Ich will davon nichts mehr sehen. Gar nichts.« Jetzt sieht sie mich das erste Mal an. »Katze, ich bin mir nicht sicher, ob ich je wieder malen werde.«

Es schnürt mir die Kehle zu.

»Nein, Paula! Das darfst du nicht sagen!« Ich halte es nicht mehr aus da an meinem Türpfosten, fliege auf sie zu, und endlich, endlich öffnet sie ihre Arme für mich und nimmt mich auf an dem kratzigen Stoff ihres Mantels, der nach der Kälte von draußen riecht, und ich presse mein Gesicht gegen die harten metallenen Knöpfe und beginne zu schluchzen, während sie meinen Kopf streichelt.

»Es ist ein bisschen schwer«, murmelt sie über mich hin, und ihr Atem streift mein kurzes Haar. »Man geht nach Haus, und es sieht aus, als wenn die Räuber da waren. Ich komm mir vor wie ausgesetzt auf einer einsamen Insel. Was hast du eigentlich zu heulen? Also bitte, ich wäre dran.«

»Ich bin fast gestorben vor Angst um dich«, sage ich heftig. »Und du – du hast mir nicht mal einen Gruß zukommen lassen, außer über Luise per Telefon.«

»Über Luise? Um ehrlich zu sein, ich habe mit ihr nicht telefoniert. Ich habe nur gebeten, anzurufen. Dadurch habe ich dann erfahren, was ihr mit meinen Bildern gemacht habt. Und ich entsinne mich nicht, dass ich dich da hätte grüßen lassen.«

»Aber warum nicht? Dachtest du nicht, dass ich mit dem Bild – irgendwie entkommen wäre, um es zu retten?«

»Ich glaube, ich war in einem Zustand, wo man nicht über allzu vieles nachdenkt, Kätzchen. Obwohl es natürlich unverzeihlich war, dich nicht zu grüßen.«

»Machst du dich lustig über mich?«

»Ich mache mich nur lustig über mich selbst. Und dabei werde ich meiner auch nicht froh.«

»Paula, das mit den Bildern hier aus dem Atelier ... Was hätte ich denn machen sollen? Eigentlich wollte ich PAULAS KATZE ja nur unter den andern verpackten Bildern verstecken. Aber dann kam Luise dazu und hatte den Einfall – war das denn so schlecht? Wir haben gerettet, was von deinem Werk, deinem Lebenswerk noch zu retten war.

Es ist in Sicherheit. Außer Landes. Freut dich das nicht?«

Sie zuckt die Achseln. »Es sollte mich wohl freuen. Aber mir ist so, als wenn mein Werk zwar gerettet ist, aber gleichzeitig damit mein Leben futsch.« Sie atmet tief und stockend aus.

»Mohr«, sagt sie. »Dass Mohr verschwunden ist passt ins Bild. Ich mach dir doch keine Vorwürfe, Katze. Es geht eben alles schief. Wer in dieser Zeit Glück hat und kein Bösewicht oder Idiot ist, den zeig mir mal, Mädchen.«

Ihre Worte berühren mich ganz tief unterm Brustbein. Manche haben Glück. Sind sie Idioten? Oder sogar Bösewichter? Oder nur Träumer, die mit ihren Träumen in die Zeit passen? Und sind diese Träume so falsch, egal, was die Zeit aus ihnen macht?

Nicht die Stunde, um Paula nach so etwas zu fragen.

»Kannst du das Bild nicht noch einmal machen?«, sage ich plötzlich. »Ich meine, PAULAS KATZE. Kannst du es nicht neu malen?«

»Was sagst du da?«

Sie starrt mich an.

»Ist das so unmöglich? Geht das gar nicht? Ich weiß noch ganz genau, wie es war. Jede Ecke könnte ich aus dem Gedächtnis wiedergeben. Jede. Ich weiß jede Schattierung und jeden Lichteinfall.«

Sie schweigt, schiebt mich von sich, aber nicht unsanft, sondern nachdenklich. Steht auf und geht im Raum auf und ab, fährt mit dem Finger über den Staub, der sich in den Rillen der Staffelei abgelagert hat. Dann schüttelt sie den Kopf. »Man kann ein Kunstwerk nicht zweimal machen. Aber du – wenn du sagst, du kannst es reproduzieren – warum fängst du nicht einfach an? Erst einmal als Bleistiftskizze. Eine große natürlich. Ich spanne dir einen Bogen auf die Staffelei. Vielleicht wird es nun *dein* Bild.«

»Es ist *dein* Bild, Paula! Einzig und allein deins.«

»Versuch es doch mal. Ich gucke erst mal zu.«

»Du darfst nicht aufhören mit malen. Das geht nicht.«

»Ich weiß nicht. Ich weiß noch gar nichts, Katze.« Sie zieht den Kragen ihres Mantels hoch, schaudert. »Wie kalt es hier ist. Ich gehe runter in die Beletage, Luise begrüßen, die Retterin meiner Bilder.« Sie verzieht den Mund, ich weiß nicht, ob es ein Lächeln sein soll. »Und dann muss ich erst mal schlafen. Leg mich unter meine Kopie von Markwarts Schinken. Immerhin. Der ist gerettet. Lass mich jetzt. Mich strengen Bahnfahrten immer sehr an.«

»Sander, komm mal her!«

Blockwart Blaschke hätte mich nicht herbeizurufen brauchen, er versperrt mir ohnehin den Weg in seiner Uniform und wippt in den blank geputzten Stiefeln hin und her auf seinen Fußballen. Seine Ohren unter der Mütze sind rot von der Kälte.

Ich überlege blitzschnell, wann ich die letzte Rangelei mit seiner Hannelore hatte, aber da war nichts in der letzten Zeit. Es muss was anderes sein. Auch macht er keine Anstalten, mich zu packen.

»Du kannst deiner Großmutter was ausrichten«, sagt er und mustert mich von oben bis unten. »Der Laden läuft ja wohl nicht so besonders da bei euch im Keller. Man muss den Volksjenossen ja beistehn. Winterhilfswerk, schon jehört? Jedenfalls, sag ihr, sie kann sich melden beim Winterhilfswerk. Brennstoffspende. Und Lebensmittelspende. Verstanden?«

»Ja, verstanden«, sage ich langsam, während die Gedanken in meinem Kopf herumwirbeln. Wie kommt das Winterhilfswerk des Deutschen Reiches auf einmal dazu, die »asoziale Gewohnheitstrinkerin« zu unterstützen?

»Soll sich mal sehen lassen, deine Großmutter«, schnarrt Blaschke weiter. »Ach, noch was.« Er senkt die Stimme. »Laut Meldung beim Revier ist der Arbeitslose Bruno Kempner in ein Erholungsheim eingewiesen worden. Zur Rehabilti – zur Rehabitierung.« Er kommt mit dem Wort nicht klar, rettet sich in ein stramm geblafftes »Heil Hitler!« und merkt bei seiner zackigen Kehrtwendung nicht einmal, dass ich den *deutschen Gruß* nicht erwidere. –

»Was?«, sagt Agnes ungläubig. »In ein Erholungsheim? War für 'n Erholungsheim? Hat er jesagt, wo det is? Und wie det heißt?«

Ich schüttle den Kopf.

Agnes' Hände sind fahrig, während sie ein paar Röcke zusammenlegt, die eben jemand anprobiert (und nicht gekauft) hat. »Wat kriegt man denn nu so wat erzählt, und et hat nich Hand noch Fuß? Det is ja beinah noch schlimmer als – als jarnischt.« Sie schnieft. »Ick muss hinjehn zu dem ollen uffjeblasenen Blaschke. Muss ihn ausquetschen, wo er det herhat. Erholungsheim? Det ick nich lache. Erholungsheim be de Nazis. Da is irjendwat faul. Un sein Winterhilfswerk – damit kann er sich 'n Hintern wischen. Nich bei mir. Ick nehm nischt von die. Lieber verhungern!«

Dazu sage ich nichts. Ich hab was gegen Verhungern. Und ich hab auch was gegen Frieren. Aber wenn die Großmutter schon mal Stolz entwickelt, dann soll man sie nicht daran hindern.

Anderntags geht sie dann zum Blockwart.

Als sie zurück ist, lässt sie sich müde auf einen Stuhl fallen.

»Der olle Halunke weeß ooch nischt«, sagt sie. »Der macht sich bloß wichtig. Erzählt wat von Stimmen aus ›höheren Kreisen‹. Die ›höheren Kreise‹, in denen der verkehrt, die möcht ick mal sehn. Is sowieso alles Scheiße.«

Dann sehe ich, dass sie aus ihrer Handtasche die kleinen Gutscheine des Winterhilfswerks kramt.

»Mal als Überbrückung«, knurrt sie. »Eh wir uns hier den Ast abfrieren und den Kitt aus de Fugen fressen, oder, Käthe?«

Mich muss sie dazu nicht überreden.

Aber das alles kommt mir sehr, sehr unheimlich vor. Blaschkes plötzliche Freundlichkeit, das mit dem Erholungsheim und den Hilfeleistungen. Ich mag gar nicht weiter drüber nachdenken. Ich hab ja auch so viel zu tun jetzt.

Paula hat mir einen zweiten Schlüssel zum Atelier machen lassen. Gleich nach der Schule gehe ich nun auf den Dachboden, um an dem großen Karton zu zeichnen, der auf der Staffelei für mich bereitsteht. Ich bin froh, auch, weil mir die trostlose Miene meiner Großmutter entsetzliches Unbehagen schafft. Wenn ich ihr schon nicht helfen kann, muss ich wenigstens nicht mit ihr leiden.

Nun versuche ich, PAULAS KATZE zu rekonstruieren. Aber das ist schwerer, als ich dachte. Wenn ich die Augen zumache, steht das Gemälde ganz deutlich vor mir, jede Einzelheit ist klar und plastisch. Aber wenn ich dann versuche, es aufs Papier zu bringen, scheitere ich oft kläglich. Manches kann ich auch einfach noch nicht. Ich bin ziemlich verzweifelt. – Paula kommt meistens am frühen Nachmittag zu mir. Wie sie sagt, vertrieben von dem Klaviergedonner über ihr. Ich schweige dazu. Aber jedes Mal muss ich mit einem Schauder kämpfen. Es ist dann, als wenn ein Geist umgehen würde, der Geist meiner anderen Welt, die sich nicht mit dieser hier vermischen kann noch will.

Zu Anfang malt Paula überhaupt nicht selbst. Sie kommt mit einem Buch und setzt sich an den Tisch, schiebt die Brille auf die Stirn und liest. Ihre großen Hände mit den knochigen Fingern liegen so müßig rechts und links neben ihrer Lektüre, dass es mir wehtut. Manchmal gibt sie mir diesen oder jenen Hinweis. Dann, nach ein paar Tagen, steht sie wohl schon mal auf und tritt hinter mich, nimmt einen Stift zur Hand und verbessert ins Bild hinein oder zeigt mir, wie ich es besser machen kann.

Niemals zeichnet sie etwas Eigenes. Nur einmal beobachte ich, dass sie etwas auf ein Blatt krakelt. Ich sehe hin und mich packt die Angst. Paulas Kreise. Paulas vollkommene Kreise – sie bringt sie nicht mehr zustande. Sie sieht meinen Blick und zerknüllt das Blatt.

»Was hast du?«

»Ich hatte es mir nicht so schwer vorgestellt«, sage ich, ohne darauf einzugehen, was ich eben gesehen habe. »Ich hab es doch ganz genau im Kopf.«

Sie lächelt. »Das gibt es gar nicht, dass man etwas genau so in den Kopf kriegt, wie jemand anderer es erfunden hat. Deine Art zu sehen und zu denken und zu fühlen, die verändern das eigentliche Bild und machen es zu dem deinen –

genau so wie dies Buch, das ich gerade lese, in meinem Kopf noch einmal entsteht, obwohl es ja schon einer geschrieben hat. Aber für mich ist es eine aufregende Sache, zu erleben, zu welcher Form PAULAS KATZE sich vor *deiner* inneren Sicht umgestaltet hat.«

Ich bin ein bisschen verzagt über das, was sie da sagt. Mir war es eine sichere Sache, dass ich ganz genau dies Gemälde wiedergeben würde. »Vielleicht liegt es bloß daran, dass ich einfach noch zu schlecht bin.«

»Dir fehlt noch Technik«, sagt sie. »Aber das lernst du.« Sie legt den Arm um meine Schulter. »Weißt du, Katze, was ich glaube? Man kann ein Bild kopieren. Das erlebst du täglich in der Galerie. Ein Malschüler sitzt mit seiner Staffelei da und kopiert die alten Meister, um zu lernen. Aber man kann ein Bild nicht noch einmal malen oder rekonstruieren. Es wird immer anders. Auch meine Kopie von Markwarts Mädchen. Der Kenner sieht die Unterschiede. Ich war eben nie eine Kopistin. Immer eine Malerin.« Es klingt nicht stolz. Eher bitter.

»Ich möchte so gern, dass PAULAS KATZE wieder da ist«, erwidere ich, während mir die Tränen in die Augen steigen. Schon allein wegen Mohr. Als Sühne, denke ich, weil es mir nicht gelungen ist, ihn zu behüten. Ich spreche es nicht aus, aber Paula wird schon wissen, was ich meine, denke ich.

»Dieses Gemälde *ist* doch da!«, widerspricht sie mir. »Irgendwo bei einem Sammler in den Staaten, zwischen Markwarts hervorragend gemalten Ölschinken wird es ankommen, falls das Schiff nicht untergeht. Und wie ich Luise kenne, wird sie ihn schon rechtzeitig und richtig benachrichtigen, was es damit auf sich hat. – Vielleicht sollte man hinterherfahren«, fügt sie plötzlich unruhig hinzu.

»Du willst fort?«, frage ich erschrocken. Sie scheint nicht zu hören, sortiert plötzlich ihre Farbtuben und -töpfe, geht auf und ab.

»Paula!«, wiederhole ich. »Du willst weg?«

»Lass mich mal über was nachdenken«, erwidert sie. »Wir reden noch mal drüber …«

»Wenn du weggehst, bin ich ganz allein«, sage ich. Und in diesem Augenblick ist das auch die Wahrheit. In diesem Augenblick gibt es niemanden außer ihr. Der Hinterhof ist nicht da. Und auch die Dachkammer ein paar Türen weiter ist nicht da. Irgendwohin versunken. Wie von Nebel verschluckt.

Sie fährt mir durchs Haar. Antwortet nicht. Ich kämpfe mit dem Aufruhr in meinem Innern. Während sie ihr Buch zuschlägt und auf ihre Armbanduhr sieht, versuche ich krampfhaft, irgendetwas an der Zeichnung auszubessern, ohne Sinn und Verstand.

»Du musst nicht gleich jedes Wort auf die Goldwaage legen«, bemerkt sie. »Ich muss jetzt runter, hab noch Arbeiten durchzusehen. Zu dieser Zeit ist der Wagner-Krawall meistens vorüber. Gut spielt er ja. Bloß, dass ich hasse, was er spielt.«

Ein Kuss auf die Wange, sie ist draußen.

Hier im Atelier steht das gleiche Kerosinöfchen wie jenseits der unsichtbaren Grenze in der Kammer, in die Gerolf jetzt bald kommen wird, um auf mich zu warten. –

Mit diesen Winterhilfs-Lebensmitteln versuche ich gerade etwas zum Abendessen zu machen, eine Erbsensuppe, als es an der Tür klingelt. Agnes ist im Keller.

»Es ist offen!«, rufe ich. Wir schließen nie ab, wenn eine von uns in den Laden geht, und die Tür hat auch von außen eine Klinke.

Es geht auf den Abend zu. Um zu sparen, habe ich noch kein Licht angemacht. Strom ist teurer geworden.

Ich sehe die Umrisse eines Mannes im letzten Licht. Ich erkenne ihn nicht, bis er auf den Tisch zugeht. Da sehe ich den Fuß im unförmigen orthopädischen Schuh, das Hinken, die Kleider.

Es ist Bruno.

Bruno, abgemagert auf die Hälfte dessen, was er mal war. Ohne Mantel. Die alten Sachen, in denen er damals aus unserem Leben verschwand, schlottern um ihn herum.

»Tach Katze«, sagt er und nickt mir zu, ohne mich anzusehen. »Bin wieder da.«

Ich stehe wie angenagelt. Hinter mir kocht die Suppe auf dem Herd zischend über. Schnell wende ich mich um, drehe das Gas aus. Ich kann ihn nicht ansehen.

»Großmutter ist im Laden«, sage ich. »Ich lauf schnell und hole sie.«

»Eilt nich so«, erwidert er. »Seh sie schon noch früh jenuch.«

»Sie hat dich überall gesucht. Die ganzen Wochen über. Schließlich haben wir gehört, du bist in einer Heilstätte.«

Er nickt. »Heilstätte. Klinik. Ja.«

Seine Wortkargheit macht mir Angst. »Soll ich dir was zu essen machen? Eine Stulle, bevor die Suppe fertig ist?«

»Nee, danke. Hab jejessen.«

»Diese Heilstätte«, frage ich scheu. »War das wegen Alkohol?«

»Trunksucht«, verbessert er mich. »Unheilbare Trunksucht. Ja, deswejen auch. Kam dazu.«

Ein Schweigen ist in dieser Küche, so eins kenne ich überhaupt nicht. Schwer wie Blei.

»Ich hole Agnes denn mal«, sage ich beklommen.

Er antwortet irgendwie verquer. Redet von was anderem. »Hab ja keene richtije Bleibe mehr«, sagt er. »Als ich zu Agnes bin, hab ick ja mein Zimmer jekündigt. Deswejen.«

Ich verstehe nicht, was er meint. Gehe einfach raus und laufe runter in den Keller.

»Oma, da oben ist Bruno«, sage ich und höre meine eigene Stimme so piepsig wie die eines Kindes.

»Wat denn? Bruno?« Agnes richtet sich auf von ihren alten Klamotten, die Hände in die Taille gestützt, um den Rücken gerade zu biegen (wie ihre Schwester Luise). »Meinste Bruno is zurück? Oben inne Wohnung?«

Ich nicke nur.

Agnes atmet aus, auf eine Weise, die wie ein Schluchzen klingt. Sie streicht sich mit beiden Händen übers Haar, schließt die Augen. »Se ha'm Bruno rausjelassen«, murmelt sie, mehr für sich als für mich. Sie steht immer noch inmitten des Raums, in den ganzen alten nach Mottenpulver und fremdem Schweiß riechenden Kleidern, und regt sich nicht. Dann schließt sie die Knöpfe ihrer Strickjacke und streicht sich den Rock glatt. »Werd dann mal raufjehn«, sagt sie leise.

Ich bleibe hier unten. Muss bei diesem Wiedersehen nicht dabei sein.

Aber in dem Moment, als sie den Keller verlässt, die paar Stufen zum Hof hochgeht, in dem Moment, als ich ihren gebeugten Buckel sehe und ihr ungekämmtes Haar, weiß ich, dass etwas nicht gut gehn wird. Ich fühle etwas, das sich wie eine dunkle Vorahnung über mich legt. Etwas ist geschehen, und das wird sie jetzt erfahren. Und danach ich.

Ich kämpfe gegen das Zittern in mir an. Presse die Fingernägel in die Handflächen. Weglaufen, bloß weglaufen. Aber Weglaufen geht nicht. Und es gibt ja auch gar keinen Grund, rede ich mir zu. Gar keinen Grund.

Trotzdem. Ich kann nicht hier drin sitzen und so tun, als wenn nichts wäre. Wenigstens muss ich die Tür aufmachen, einen Weg freihalten.

Ich stehe in der Abenddämmerung auf dem Hof und horche hoch zu der Hinterhofwohnung. Alles ist still. Ganz und gar still.

Überall gehen die Lichter an. Küchenfenster werden geöffnet, damit die abendlichen Bratkartoffeldüfte abziehen können. Kinder lachen oder weinen. Frauenstimmen. Ich friere in der Abendkühle. Meine Zähne schlagen aufeinander.

Und dann höre ich Agnes schreien.

Als ich noch klein war, kamen hier mal solche und mal solche Männer vorbei. Manche haben auf Agnes eingedroschen und auf mich auch. Es ist für diesen Hinterhof nichts Ungewöhnliches, dass die Sandern schreit. Aber immer interessant. Fenster gehn auf. Ein paar Leute erscheinen auf dem Hof. Vielleicht fliegt ja was runter, oder die

Olle flieht mit ’nem blauen Auge oder so. Anscheinend höre nur ich, dass das ein anderes Schreien ist, als wenn jemand körperlich misshandelt wird. Ich halte mich am Türpfosten fest.

Und dann kommt sie die Treppe herunter.

»Was ist denn?«, frage ich. »Was ist denn bloß? Komm doch rein!«

Nein, dazu kann ich sie nicht bewegen. Sie steht mitten auf dem Hof, aufgelöst, den Mund aufgerissen, die Fäuste geballt. »Diese Nazischweine! Sie sollen verrecken! Diese Schinder! Diese Verbrecher! Sie sollen in ihrer eigenen braunen Scheiße ersticken! Die Hunde! Die Sauhunde!«

Fenster gehen zu. Ganz schnell hat sich der Hof geleert. Ich habe meine Arme um Agnes gelegt und versuche, sie in den Kellerladen zu ziehen, aber sie wehrt sich mit einer unheimlichen Kraft, brüllt ihre Wut und ihren Schmerz in die Schlucht des Hinterhofs. Wenn ich sie doch nur erst drinnen hätte! Es gibt ja nicht nur Blaschke. Andere sind beinah genau so stramme Nazis wie der. Es muss nur der Richtige in der richtigen Laune zuhören.

Endlich ist sie drin und die Tür zu.

»Sag mir doch, um Himmels willen, was passiert ist!«

Sie streicht sich übers Gesicht, starrt mich an wie einen fremden Menschen.

»Is ja vielleicht wat, wat du nich verstehn kannst, Käthe«, sagt sie, auf einmal leise und wie von ganz weit her. »Weil Bruno doch …« – sie spricht die Worte langsam Silbe für Silbe – »weil er doch *lebensunwertes Leben* is. Mit dem Bein. Mit dem Schnaps. Un mit dem Reden inne Kneipe. Sie ha’m ihn …« Sie schüttelt den Kopf, als wenn sie etwas verjagen will. »Er war doch sowieso aus dem Alter raus für Kinder un so.«

»Oma, was haben sie mit Bruno gemacht?«

Sie starrt mich mit weit aufgerissenen Augen an. »Sie ha'm ihn ... er is keen Mann mehr. Sie ha'm ihn sterilisiert«, flüstert sie. Hebt die Hände vor den Mund, um ihr erneutes Schluchzen zu ersticken. »Wie 'n Tier. Wie 'n Hengst, den man zum Wallach macht. Sie ha'm mein Bruno zu irjendwat jemacht. Det jesunde Volksempfinden, det will so wat. Det will, det solche wie Bruno rumrennen als halbe Menschen. So is det.«

Ich fühle mich wie unter einem dunklen Netz. Kann nicht Arm noch Bein regen. Stehe und merke, dass ich ganz schwer gegen etwas angehen muss. Etwas drückt auf mich. Und so hilflos.

»Was wird nun mit Bruno?«, wage ich schließlich scheu zu flüstern.

»Der sitzt da oben.« Ihre Stimme ist ebenso tonlos wie meine.

»Willst du nicht – zu ihm gehn?«

»Jetzt nich. Jetzt erst mal nicht. Jetzt sitzt erst mal eener da oben un ick hier. Wär schön, wenn de mich noch bissken alleene lassen könntest, Käthe.«

»Wirklich allein lassen, Oma?«

»Wirklich alleene. Wirst ja 'ne Stelle ha'm, wo de hinkannst. Bist ja sonst ooch immer unterwejs.« Plötzlich richtet sie sich auf. »Aber eens sach ich dir. Wenn de dich mit dein Hitlerbubi triffst – ach, erzähl mir nischt, det ha'm se mir jestochen – denn pass bloß uff. Vielleicht biste ja ooch *lebensunwertes Leben*, Käthchen.«

Und nun muss ich wirklich rennen, muss weg, so schnell mich meine Füße tragen.

»Katharina! Oh Gott, was musst du durchmachen. Was wird dir zugemutet – es ist so furchtbar.«

Gerolf hält mich im Arm und wiegt mich. Er streichelt behutsam mein Haar, so wie Paula das macht. Er küsst meine Augen, meine Wange.

Ich weiß nicht, wo ich überall herumgerannt bin an diesem Abend. Ziellos durch die Stadt, mit pfeifenden Lungen und Seitenstechen. So bin ich das letzte Mal gerannt, als ich Paulas Bild wegtrug von der Meute vor der Galerie. Und dann, irgendwann, irgendwo – vielleicht war es sogar vor dem Haus? – war er da, führte mich hinauf in unsere Zuflucht unterm Dach. Er wusste es schon. Wahrscheinlich hatte ja Agnes laut genug geschrien, um auch das Vorderhaus zu erreichen.

Ich zittere.

Es überläuft mich in Wellen. Er hat mich bis zum Hals in Decken eingewickelt.

Seine Augen sind ganz dicht vor mir – zärtlich, forschend, besorgt.

»Es ist ein Verbrechen«, sage ich, und meine Zähne schnattern aufeinander.

»Beruhige dich doch. Bitte beruhige dich.«

»Was tun sie mit den Menschen? Bruno war freundlich. Er hat niemandem etwas getan. Wem tut das weh, wenn er mal in der Kneipe schwadroniert hat? Warum wird er da einfach – einfach verstümmelt?«

»Ich glaube, das hast du falsch verstanden«, sagt er leise. Seine Augen sind streng und zwischen seinen Brauen ist eine Falte. »Man hat ihn doch nicht ... nun, nicht kastriert oder so etwas. Das hat nur mit der Zeugungsfähigkeit zu tun. Sicher wollte er doch keine Kinder mehr haben.«

»Was redest du denn?«, frage ich verzweifelt und höre, dass meine Stimme laut ist. Fast so wie Agnes. »Wenn sie wissen, dass er keine Kinder wollte – dann mussten sie es doch nicht tun! Er ist verletzt worden, Gerolf. Man hat ihm etwas angetan. Ich will nicht, dass jemandem etwas angetan wird. Ich will es nicht, verstehst du?« Ich balle die Fäuste.

»Katharina. Ich weiß ja, dass es nicht einfach ist. Weder für dich noch für andere. Aber wenn ein Volk aufbricht, wie das unsere, dann ist das wie ein großer Strom. Er reißt manchmal etwas mit fort – Treibholz vom Ufer, Totes oder Absterbendes löst sich. Ein Strom strebt vorwärts. Er kann darauf keine Rücksicht nehmen. Auch wenn es manchmal schmerzlich ist.«

Ich höre seine Worte, und was mir sonst so erhebend und erhaben vorkommt, was mich zum Glühen und Leuchten bringt, kommt mir jetzt vor wie ein trübes vorüberbrausendes Wasser, von dem ich mich eigentlich fern halten müsste, um nicht mitgerissen zu werden. Dieser Strom ...

Ich sehe fest in seine braunen, eng zusammenstehenden Augen.

»*Lebensunwertes Leben*«, sage ich, bebend in meinen Decken. »Ist es das?«

Er nickt. »Ja, das ist es. So schrecklich es sich anhört, Katharina. Wenn wir rein und stark werden wollen, müssen wir das ausmerzen, was krank und schwach ist. Du sagst, er war freundlich, dieser – dieser Bruno. Aber du wirst nicht leugnen, dass er missgebildet ist, ein Krüppel am Körper und letztlich auch an der Seele, denn er ist labil, ein Trinker, und nicht fähig, die hohen Ideale unserer Bewegung zu empfinden.«

»Und wer die nicht empfindet, der wird ausgemerzt?«, sage ich. »Ist das so?«

»Katharina! In deinem Mitgefühl übertreibst du die Dinge. Ich versuche dir zu erklären ... Schon immer, seit die Welt bestand, gab es wertvolle Menschen und weniger wertvolle Menschen. Und die starken und wertvollen Menschen bestimmten den Gang der Weltgeschichte. Und die weniger wertvollen ...«

Ich unterbreche ihn. »... die weniger wertvollen wohnen im Hinterhaus und können für die wertvollen den Dreck wegmachen, seit die Welt besteht.«

Er bleibt immer gleich gelassen, gleich geduldig. »Das ist eine primitive, eine kommunistische Auffassung. Jeder, der zu Höherem berufen ist, kann sein Ziel auch erreichen. Und du gehörst dazu, Liebste! Ich spüre deine Kraft, hab sie gespürt von dem Moment an, als ich dich das erste Mal sah. Das, was dir jetzt so wehtut, das sind die Geburtswehen des Neuen. Da musst du hindurch, wie durch ein Feuer. Musst dich trennen von allem, was dir fremd ist und dich bisher gefangen gehalten hat. Diese Erbkranken und Alkoholiker, Arbeitsscheuen und Artfremden – lass sie hinter dir! Du gehörst zu uns, Katharina! Du gehörst zu mir.«

Ich beruhige mich unter seinen Umarmungen. Aber ein dumpfer Schmerz bleibt in mir. Seine Worte rauschen, sind der große Strom. Ich stehe am Ufer und sehe und will nicht mitsegeln.

»Dieser Bruno – er hat ja noch Glück gehabt. In einem Lager wäre man sicher ganz anders mit ihm umgesprungen.«

»Woher weißt du das?«, frage ich und richte mich auf. »Du wusstest das alles so genau – was mit ihm ist. Was hast du damit zu tun?«

»Ich habe nichts damit zu tun. Gar nichts. Aber natürlich behalte ich dich und dein Umfeld im Auge – ich tue das nur zu deinem Wohl. Mein Vater hatte von dieser Verhaftung erfahren. Ich weiß es nicht. Vielleicht hat er ein Wort eingelegt.«

»Ein Wort eingelegt?«, frage ich betäubt. »Wofür denn? Dass man ihm dies antut? Ihn so verletzt?«

»Diese Zeit ist hart und hehr«, sagt er. »Vieles, was wir jetzt nicht verstehn, gewinnt seinen Sinn erst in der Zukunft.«

»Für mich gewinnt im Moment gar nichts Sinn«, erwidere ich und schüttle den Kopf. Paulas Bilder sind fort. Mohr ist fort. Gewiss, das ist nicht seine Schuld. Aber vielleicht meine. Und ich kann das Gerede nicht hören. Heute kommt es mir hohl und verlogen vor. Auch wenn er es ehrlich meint.

»Ich muss gehn«, sage ich.

»Bleibe, Katharina. Bitte bleib bei mir. Ich will dich halten, bis du eingeschlafen bist.«

»Nein. Heute nicht, Gerolf. Ich muss nachdenken.«

Ich bin schon auf dem Gang, schon fast im »anderen« Teil des Dachbodens, als er mir hinterherkommt.

»Katharina! So kannst du nicht weggehen. Nicht ohne einen einzigen Kuss!«

Seine Lippen auf meinen. Der Geschmack seiner Zunge. Die sanfte Rauheit seines Kinns, an dem der Bartflaum sprießt. Der Geruch seines Haars, bitter und zart. Seine Hände, die für mich verletzten Hände, an meinem Körper. –

»Bitte. Lass mich gehen.«

Ich traue mich nicht ins Hinterhaus und nicht in die Kellerwohnung. Ich tappe in das Atelier, ohne Licht anzumachen. Das Kerosin im Öfchen ist zu Ende gegangen. Es ist kalt. Ich könnte mir aus der anderen Dachstube die Decken holen. Aber das will ich nicht. Auf gar keinen Fall.

Paulas großer Mantel hängt am Haken. Auf der alten, durchgelegenen Couch, die eigentlich Mohrs Schlafplatz war, kringele ich mich zurecht, als wäre ich der Kater. Nehme den Mantel und decke ihn auf mich. Er riecht nach Paula. Irgendwann überkommt mich die Traurigkeit so sehr, dass ich schluchzen muss. Ich schaukele mich hin und her, wie ich es als Kind gemacht habe.

Aus meinen Träumen schrecke ich auf, geblendet von Entsetzen, schweißgebadet trotz der Kälte im Raum. Jemand hat mich mit einem Messer mitten durchgetrennt. Ich entdecke, dass meine Monatsblutung zu früh eingesetzt hat, krümme mich vor Bauchschmerzen auf dem befleckten Katzenlager, behelfe mich mit Paulas Malerlappen. Gegen Morgen schleiche ich mich in den Trödelladen herunter. Gott sei Dank ist niemand dort. Agnes ist doch noch zu Bruno hinaufgegangen. –

Die Musik kommt unverkennbar aus dem Atelier, und es ist eine Musik, wie sie nur ein einziger Mensch hört, den ich kenne – Paula.

Ich reiße die Tür auf. Das kleine Radio ist wieder da. Auf der Staffelei ist eine frische Leinwand aufgezogen. (Meine Skizze ist mit Reißzwecken an der Wand befestigt.) Paula, im Kittel, die Brille auf die Stirn geschoben, grundiert mit großen, schwungvollen Pinselstrichen in Grün und Rostrot. Es sieht merkwürdig fremd aus. So hat sie noch nie gemalt. Es wirkt wie von einem anderen Menschen.

»Komm herein, Katze«, sagt sie, ohne sich nach mir umzudrehen. »Du siehst, ich male. In dieser barbarischen Welt muss man sich auf diese oder jene Weise wehren. Und dies hier ist nun mal meine. – Wie geht es Agnes – ich meine deiner Großmutter?«

Ich sehe sie an, ohne etwas zu erwidern.

Paula malt wieder! Es ist mir, als wenn man etwas Schweres, Erdrückendes von meiner Brust nimmt. Ich atme tief durch.

»Katze!« Sie drückt die Brille auf die Nase. »Wie es Agnes geht, hab ich gefragt.«

»Du weißt das?«

»Das weiß das ganze Haus. Und keiner wagt hinzugehen zu ihr und zu diesem Mann, und ihnen zu sagen, dass es ihnen Leid tut. Alle stecken den Kopf in den Sand. Oder sie genieren sich. Wie meine Mutter, die ihre eigene Schwester nicht besucht. Aber ich, ich werde hingehen zu ihr, denke ich. Schließlich sind wir verwandt. Und wenn auch vielleicht der Mischling kein besonders empfehlenswerter Umgang ist – besser als gar keiner. Außerdem werde ich etwas mit ihr besprechen müssen – falls du einverstanden sein solltest.«

Sie wischt sich die bunten Finger ab, zieht den Kittel aus. »Komm, ich möchte einen Spaziergang mit dir machen.«

Einen Spaziergang? Ich bin durchgefroren und müde. Aber wenn sie mit mir spazieren gehn will, bin ich natürlich dabei.

Wir verlassen das Haus über die Vordertreppe und gehen die Straße entlang. Es ist laut und belebt.

»Hier kann man nicht reden«, sagt Paula. »Komm.«

»Was machst du?«

»Die einzigen stillen Flecke in einer großen Stadt sind ihre Parks und ihre Friedhöfe. Parks haben wir hier nicht. Also: Bitte.« Sie macht eine einladende Geste und komplimentiert mich durch die schmiedeeiserne Gittertür eines Friedhofs. Es ist ein prächtiger Friedhof, nicht so ein unscheinbarer wie der, auf dem ich aus Versehen an Bertrams Grab gestanden habe.

Die Mauern sind mit Efeu bewachsen. Vorbei an Monumenten aus schwarzem Marmor, an trauernden Frauen und den Engelsstatuen mit gesenkter Fackel gehen wir schweigsam durch eine Allee.

Die Bäume sind zum Teil schon entlaubt. Es raschelt unter den Füßen.

Hier, im hinteren Teil des Friedhofs, werden die Grabsteine bescheidener. Moos überdeckt einen Teil der Gräber. Es ist ungepflegt.

Unser Atem steht vor uns in der Luft als graue Fahne.
Noch immer sagt Paula nichts. Warum führt sie mich an diesen trostlosen Ort?

Sie findet es offenbar nicht trostlos. »Hier war ich einmal sehr glücklich«, sagt sie mit einem halben Lachen. »Du wirst es nicht glauben, aber auch Friedhöfe können Liebespaare aufnehmen. Es war, nachdem ich Markwarts Bild kopiert hatte. Ich war damals … in ihn verliebt, sehr sogar … Wir kamen aus dem Theater, aus der ›Zauberflöte‹ und der Rückweg führte uns an diesem Friedhof vorbei. Die Tür stand offen. Wir gingen ins Dunkel und küssten uns. Später im Atelier beschrifteten wir unsere beiden Bilder mit einem Spruch aus der Oper –« Sie lacht leise. Wozu erzählt sie mir das?

»Was hast du? Du zitterst ja.«

»Ich zittere, weil ich friere«, sage ich wahrheitsgemäß.

»Du hast zu dünne Sachen an«, murmelt sie schuldbewusst. Es ist offenbar, dass sie es jetzt erst bemerkt. »Entschuldige. Und ich muss mit dir hier herumlaufen! Gut, das zwingt mich, es kurz zu machen. Vor ein paar Tagen habe ich dir so eine Überlegung angedeutet: Fortzugehen aus Deutschland. Ich denke, ich habe mich entschlossen.«

Meine Kehle wird trocken.

»Also ich will weg von hier. Die Stokowsky würde mir sicher helfen, drüben Fuß zu fassen. Insofern waren die aus dem Land geschmuggelten Bilder vielleicht doch gar keine schlechte Idee. Aber, Katze: Ich will nicht weg ohne dich. Ich stelle mir das Leben ohne dich nicht lebenswert vor. Ich möchte dich mitnehmen. Als meine Schülerin. Als meine – meine Verwandte. Und du musst nun sagen, ob du mit mir kommen willst. Wenn es hier etwas gibt, was dich hält, dann gut. Dann vergiss, dass wir hier gestanden haben in diesem trostlosen Land, an einem trostlos grauen Tag und von der Zukunft geredet haben. Agnes und ihr armer Freund, die sind es ja sicher nicht, die dich hier binden. Aber ich hatte in der letzten Zeit das Gefühl, dass da noch jemand anders ist. Und da will ich mich nicht einmischen.«

Wir stapfen nebeneinander her durch das raschelnde Laub, und mir ist schwindlig. Schwindlig vor Glück und schwindlig – vor Schreck. Fortgehen aus diesem ganzen Elend des Hinterhofs, fort von der Schule, nur mit Paula sein, nur malen. Ja, das wär es. Das war das Leben, von dem ich nicht einmal zu träumen wagte. Noch vor einem Monat hätte ich ohne zu überlegen Ja gesagt. Nichts auf der Welt war vergleichbar mit dem neuen Leben, das sie mir gegeben hatte.

Aber nun sind da ein paar braune Augen, eine Dachkammer aus aller Zeit herausgefallen, verbundene Hände, meinetwegen verbrannt, Musik, die mich in unbekannte Welten und fremde Gefühle trägt, Gedanken, wie ich sie vorher nie gehört habe, die mich verwirren, anziehen, abstoßen, Berührungen …

»Du musst dazu jetzt gar nichts sagen«, höre ich Paulas Stimme wie von weit her. »Ich habe dich überrumpelt, ich weiß. Nur dass du vielleicht einmal drüber nachdenkst. Es wäre für mich – ja, es wäre für mich ein großes Glück, wenn du wolltest.«

Von der Kälte spüre ich nichts mehr. Mein Gesicht glüht. »Aber«, stottere ich herum und merke, dass ich nach den Barrieren suche, die diesen Weg versperren. »Ich bin doch gar nicht volljährig. Agnes müsste einverstanden sein. Und ich habe doch gar kein Geld. Hast du denn Geld?«

»Agnes müssten wir fragen. Aber ich kann mir kaum

vorstellen, dass sie dir Knüppel zwischen die Beine werfen würde. So sehr hängt ihr Herz nicht an dir.« Es klingt böse in meinen Ohren und es schmerzt mich.

»Agnes hat mich lieb, auf ihre Weise!«, sage ich still.

Paula legt mir die Hand entschuldigend auf die Schulter. »Aber gewiss doch, Katze. Nur – vielleicht wird sie dich nicht allzu sehr vermissen. Was aber das Geld angeht: Wenn du wirklich und wahrhaftig mit mir kommen willst, dann werden wir beide jetzt losziehen und es gemeinsam beschaffen.«

»Woher denn?«

»Von Luise. Ganz einfach.«

»Von Luise?«

»Du hast richtig gehört.«

»Das verstehe ich nicht«, sage ich. Das Blut braust mir in den Ohren.

»Dann wäre vielleicht jetzt der Tag gekommen, um Licht ins Dunkel zu bringen. Falls du es wirklich willst, Katze. Falls du mit mir kommen willst.«

»Ja«, sage ich. Sage es mit einem tiefen Schrecken. Was tu ich da? Aber wie könnte ich Nein sagen? Wie könnte ich mich entziehen, jetzt, wo sie mich umarmt und: »Ich hab es gewusst! Ich hab es gewusst, dass du mit mir sein würdest!«, flüstert in die Stille dieses Friedhofs, mich einmal herumschwenkt und küsst. Wie könnte ich dieses Glück bremsen? Ich bin wie benommen. In mir flackert das Flämmchen der Panik wie ein glimmendes Kienscheit. Ein Windzug kann das Feuer entfachen.

Paula hat mich an der Hand gefasst. Wir laufen mehr, als wir gehen zurück zu unserem Wohnhaus.

»Wird sie denn da sein?«, frage ich. Vielleicht gibt es einen Aufschub.

»Um diese Zeit ist sie immer da. Sie trinkt Tee am Nachmittag.« Es klingt verächtlich. –

Wir klingeln nicht. Paula zieht ihr Schlüsselbund und öffnet die Türe. Sie hält mich immer noch bei der Hand und zieht mich über den Flur nach vorn zu einer der großen Flügeltüren, öffnet, ohne anzuklopfen.

Wir stehen vor Luise. Stehen da in unseren nach Kälte riechenden Kleidern, in einem geheizten Zimmer, in dem eine zierliche, schwarz gekleidete Frau an einem Tischchen mit Spitzendecke sitzt und tatsächlich Tee trinkt. Sie hält sich sehr gerade und sieht uns aus weit offenen Augen entgegen, ohne zu blinzeln.

»Mutter«, sagt Paula mit ihrer rauen Stimme. »Katze und ich, wir wollen mit dir reden.«

»Zieht eure Mäntel aus, hängt sie in den Flur und setzt euch«, sagt sie streng. Ich bin schon am Aufknöpfen. Aber Paula scheint sie gar nicht gehört zu haben. »Katze und ich, wir haben eben einen Entschluss gefasst. Wir wollen beide fort aus Deutschland. Wir brauchen das Geld.«

»Was für Geld meinst du?«

»Das aus dem Erlös der Bilder. Und mein Erbteil. Jetzt.«

Luise rührt in ihrer Tasse. »Die Kuckuckskinder«, sagt sie für sich. Dann sieht sie auf.

»Noch vor vierzehn Tagen hättest du mir mit dieser Mitteilung eine gewaltige Freude gemacht. Ihr beide weg und aus und vorbei der ganze Spuk. Da wäre es noch nicht zu spät gewesen. Aber du hast zu lange geträumt und dich in deinem Leiden gesonnt, Paula.

Jetzt kann ich dir nicht mehr helfen. Das Geld ist weg. Ich habe gezahlt. Und ich kann nur hoffen, dass sie es bei diesem einen Mal belassen und nicht immer und immer wieder kommen.«

»Gezahlt? Warum hast du gezahlt?«

»Weil er bereit war, *sie* anzuzeigen«, sagt sie und deutet mit dem Finger auf mich, in einer Weise, die meinen Atem stocken lässt.

»Mich anzeigen?«, frage ich entsetzt. »Aber wieso denn? Was habe ich denn getan? Und was gehe ich Sie – dich an?«

Luise sieht von einer zur anderen. »Ich hoffe doch, du hast es dir gründlich überlegt, dass du das Kind einweihen willst. Es konnte ohne dies Wissen bisher ganz gut leben, denke ich.« Paula sagt nichts. Die Blicke der beiden Frauen kreuzen sich. »Gut«, sagt Luise und steht auf. »Eigentlich müsste Agnes auch hier dabei sein, um die Wahrheit zu bezeugen. Aber sie hat sicher kein Interesse daran. Hat andere Sorgen. Ihr könnt sie ja fragen, wenn ihr wollt. Ich hole die Papiere. Wartet hier. Du hast es gewollt, Paula. Es kann sein, dass du mehr erfährst, als dir lieb ist.«

»Ich? Was sollte ich erfahren, das ich nicht schon weiß?«

»Ich wäre mir nicht so sicher. Wenn schon die Wahrheit an den Tag soll, dann auch die ganze. Und hoffentlich macht das Kind hier nicht wieder irgendeine Szene, kreischt oder kippt um.«

»Keine Angst«, sage ich, ehe Paula etwas erwidern kann. »Nichts kann schlimmer sein, als immerzu zwischen Andeutungen herumzutappen.«

Luise nickt. In ihrem Blick scheint eine gewisse Anerkennung zu liegen.

»Aber setzt euch endlich. Und zieht eure Mäntel aus.«

Wir entledigen uns der Sachen. Paula wirft sie achtlos über einen Stuhl und setzt sich dann neben mich. Sie greift nach meiner Hand. Ihr Gesicht ist sehr blass.

»Das Geld ist fort!« Ihre Stimme ist tonlos. »Ich weiß nicht, was nun werden soll.«

»Aber Paula, was ist denn? Was ist mit mir? Bitte sag es mir, bevor sie zurückkommt. Ich will es von dir wissen!«

Sie sieht mich nicht an. »Du bist mein Kind«, sagt sie hastig, den Kopf zur Seite gedreht.

»Meine und Markwarts Tochter.« –

Einen Moment lang war ich nicht da. Irgendwohin geschleudert, fort aus diesem Raum, fort von ihr. Hörte und sah nichts. Dann kreist alles um mich, und das Bild wird wieder deutlich – gerade, als Luise eintritt. Ich weiß nicht, ob das lang oder kurz war. Sie trägt in der Hand ein Kästchen aus bunten Hölzern, Intarsien heißt das. Der Schlüssel steckt im Schloss. Ja, das Bild ist klar. Und mein Kopf ist klar und sehr kalt. Die Flamme der Panik scheint erloschen. Da ist nur eine Leere in meinem Innern. Ich bin hellwach.

Neben mir sitzt Paula. Meine Mutter. Und uns gegenüber Luise, die aus ihrem Kästchen nun Papiere hervorkramt und vor sich ausbreitet. Sie faltet die Hände über den Schriftstücken – ich weiß nicht, ob sie sich nur konzentriert oder ob sie ein Gebet spricht.

»Fangen wir beim Anfang an, wie es sich gehört«, beginnt sie. Sie spricht sachlich, ruhig. »Ich bin kinderlos. Paula ist zwar Bertrams Tochter, aber sie hat eine andere

Mutter. Ein Fehltritt meines Mannes noch vor unserer Hochzeit. Als wir nach zwei Jahren Ehe die Gewissheit hatten, dass ich keine Kinder bekommen konnte, haben wir uns dazu entschlossen Paula zu adoptieren und ihrer Mutter eine Abfindung gezahlt.«

Von Paula kommt ein krächzender Laut. »Wer?«, fragt sie heiser. »Wer war meine Mutter? Sag es mir.«

Luise schweigt einen Augenblick. »Wenn wir nun einmal dabei sind. Sie ist nicht weit von hier zu finden. Meine Schwester Agnes.«

»Das ist nicht wahr«, flüstert Paula.

Luise nimmt zwei ihrer Schriftstücke auf, reicht sie über den Tisch. »Das amtliche Papier. Hier. Und hier Bertrams Testament, hinter dem du so her warst.« Sie verzieht die Mundwinkel zu einem kleinen Lächeln. »Er erklärt dir darin alles, was du jetzt von mir erfahren hast. Übrigens setzt er mich zur Alleinerbin ein. Nur, dass da nicht viel zu vererben ist. Bertrams Firma war am Ende. Bei Telefunken war er schon seit ein paar Jahren draußen, als der braune Unsinn anfing. Wir haben zahlen und immer wieder zahlen müssen, damit nicht noch mehr zerschlagen und vernichtet wurde von den Nazis. Es gab da Leute, die für Geld etwas taten. – Willst du nicht lesen?«

Paula, sprachlos, schüttelt den Kopf. Auch ich werfe keinen Blick auf die Papiere. Sehe nur diese Frau an, die mit eiserner Ruhe den Schleier von den Geheimnissen zieht. Auch ich bin ruhig.

Tödlich ruhig.

Luise fährt fort. »Ja, Paula, so ist das. Du selbst bist auch so ein Wechselbalg. So ein Kuckuckskind. Wen wundert es, dass du dein eigen Fleisch und Blut auch dazu gemacht hast?«

»Nein!« Paula begehrt auf. »Nicht ich war das! Ihr wart es! Ihr hattet die Idee, nicht ich!«

»Vielleicht hatten wir die Idee, dein Vater und ich. Aber du warst nur allzu bereit, sie anzunehmen. Erlöst warst du, als wir dir vorschlugen, die Frucht deines Fehltritts, den du dir, schon nicht mehr ganz jung, mit deinem Maler-Freund geleistet hattest, fortzugeben und alles zu vertuschen. Weil du hinterher wolltest! Dem alten Kerl Markwart hinterher, der dich dann in Holland sitzen ließ – auch ohne Kind.«

»Rede nicht so vor Katze! Hör auf!«

»Du selbst hast es doch gewollt, dass die Dinge offenbar werden. Was hast du erwartet? Soll ich jetzt eine Variante mit Blümchen und Samtrosetten erzählen, weil das Kind dabei ist? Kannst du es aushalten, Katharina, oder soll ich aufhören? Sind deine Nerven zu schwach?«

»Nein. Ich kann es aushalten«, sage ich. »Und meine Nerven sind nicht schwach. Ich will es wissen.« Meine Stimme ist klar und ruhig. Ich bin kalt. So kalt wie in einem Bad aus Eiswasser. Aber ich muss nicht schreien oder weinen. Das ist vorbei.

Luise nickt. Im Folgenden sieht sie mich an. Scheint die ganze Geschichte nur mir zu erzählen.

»Da ging es nicht um Adoption. Es ging einfach darum, das Kuckucksei in ein anderes Nest zu legen. Und was lag da näher, als es zu seiner wirklichen Großmutter zu bringen?

Agnes hatte damals eine ihrer Töchter und deren Baby verloren – bei einer Gaswerk-Explosion. Die hatte da gearbeitet. Bertram leitete alles in die Wege. Wir bestachen einen Standesbeamten, die Papiere zu fälschen. Paula war fort. Bertram übernahm eine Vormundschaft für das Kind und zahlte einen Unterhalt. Das war der Preis von Agnes. Und damit wäre die Geschichte eigentlich zu Ende. Wenn es nicht diesen korrupten Standesbeamten noch gäbe und die neuen Gesetze. Denn das Kind, das er da jemand anderem untergeschoben hatte, das ist ja nun rassisch minderwertig. Kind des Malers Markwart, eines Volljuden, und einer Mischlingsfrau. Da fing ihn doch auf einmal sein arisches Gewissen zu drücken an. Da wollte er hingehen und sich selbst anzeigen. Außer gegen eine entsprechende Abfindung!

Deswegen habe ich Markwarts Bilder verkauft. Und ich habe gezahlt. Keine Sorge. Er wird nicht wiederkommen. Ich habe verlangt, dass er außer Landes geht mit seinem Geld. Katharina ist in Sicherheit.«

Sie blickt wieder auf ihre Hände herunter.

»Hättest du dein Herz für deine Tochter ein bisschen eher entdecken können, hättest du den Plan, gemeinsam fortzugehen, ein paar Wochen früher entwickelt – ja, da hättet ihr beide euch davonmachen können mit diesem Geld. Nun ist es zu spät. Ach ja, noch eins.«

Sie hebt ein letztes Schriftstück in die Höhe. Es ist ein großer Briefumschlag.

»Ich habe eine Schwägerin in Übersee. Bertrams Schwester. Nicht, dass wir uns jemals besonders verstanden hätten.

Ich war immer das Mädchen aus dem Hinterhof für sie, die Hochstaplerin, gierig nach der feinen Heirat. Als sie von Bertrams Tod erfuhr, hat sie mir das hier geschickt.«

»Was ist das?«, frage ich. Paula kann nichts sagen im Moment.

»Das ist eine Schiffspassage in die Staaten, abrufbar beim Norddeutschen Lloyd, und eine Einreisebürgschaft. Leider nur für eine Person. Dette und ihr Mann haben nicht mehr Geld. Es ist für mich – sie wussten nichts von Paulas wahrer Herkunft. Ich habe nicht vor, wegzugehen. Die Überfahrt gehört einer von euch. Wie gesagt. Katharina droht keine Gefahr mehr. Paula muss entscheiden. Das Leben, das sie in diesem Land erwartet als Halbjüdin, wird kein Zuckerschlecken sein.«

Sie steht auf, streicht ihren Rock glatt. »Ich lasse euch jetzt allein. Sicher habt ihr Dinge zu bereden.«

1935

Vierter Teil

Die gläserne Kuge

Vor uns auf dem kleinen runden Tisch, neben Luises Teetasse, liegt das Kuvert. Keine von uns beiden rührt es an.

Wir sitzen immer noch nebeneinander, und Paula ist so zusammengekrümmt, als wenn sie Bauchschmerzen hätte. Das Haar fällt ihr zu beiden Seiten vors Gesicht. Ich sehe sie von der Seite an und warte auf ihr erstes Wort.

»Sie hat mich nie geliebt«, sagt sie dann mit ihrer rauen Stimme. »Ich habe es immer gespürt. Nun weiß ich, wieso. Das Kuckuckskind, der Balg vom Hinterhof. So hing das zusammen.« Sie stöhnt tief. Es klingt, als wär sie wund.

»Ja«, sage ich. »Aber was ist mit mir?«

»Du fährst nach Amerika«, sagt sie. »Weg aus diesem entsetzlichen Land. Keine Frage, nur du. Du oder niemand. Was soll mir schon noch passieren.«

»Nein, das meine ich nicht. Was ist mit mir und dir?«

»Katze, meine Katze! Ich bin so froh, dass du es nun endlich weißt. Komm. Ich will hier nicht sitzen in Luises Salon. Komm mit mir in mein Zimmer hinter der Küche, ja?«

Sie hascht nach meiner Hand, aber ich ziehe sie ruckartig zurück. Mein ganzer Körper ist steif vor Abwehr.

»Nein«, sage ich. »Ich sitze hier ganz gut. Und ich muss auch nicht zittern oder schreien. Du siehst, das habe ich geschafft. Ich will nur eins wissen, Paula. Warum? Warum hast du zugelassen, dass ich in einem Lumpenkeller voller Feuchtigkeit und Schimmel aufwachse, bei einer alten Frau, die säuft und die sich immer mehr für ihre Liebhaber interessiert hat als für mich? Warum hast du mich nicht fortgeholt von dort unten, wo die Ratten um mein Bett gespielt haben und ich vor Angst manchmal fast krank geworden bin? Du sagst, Luise hat dich nicht geliebt. Das mag sein. Aber dein Vater doch. Und dieser Markwart vielleicht auch. Das ist doch was. Aber ich? Wer hat mich geliebt? Wer hat sich um mich gekümmert? Warum musste ich so allein sein? So mutterseelenallein?«

Sie dreht den Kopf zu mir und nimmt ihre Brille ab. Jetzt, da ich es weiß, sehe ich, dass wir beide die gleichen Augen haben, graugrün, schmal.

»Was ist mit ›Lumpenmüllers Lieschen – rot wie ein Radieschen‹ und ›Rote Haare Sommersprossen sind des Teufels Volksgenossen‹, und was sie mir sonst noch nachgeschrien haben, und da war keiner, der einen tröstet? Was hast du gemacht? Du wusstest doch, dass ich hier war?«

Mir geht der Atem aus.

»Katze«, sagt sie hilflos. »Wie soll ich dir das erklären? Ich wollte einfach kein Kind. Ich wollte frei sein, um zu malen. Die Welt erobern. Und, ja, ich habe Markwart geliebt. Meinen Meister. Der schon die beiden Schwestern als Modelle genommen hatte – Luise und Agnes. Zu dem ich kam als Schülerin. Ich wollte ihm hinterher, als er wegging und mich verließ. Mit einem Kind hätte ich ihn noch weniger halten können. Ohne konnte ich es auch nicht. Aber das wusste ich noch nicht, als ich ihm nachfuhr.«

Sie lächelt traurig. »Und das musst du mir glauben: Ich dachte, dass du gut aufgehoben wärest da. Immerhin war Bertram ja in der Nähe. Wie das dann wirklich lief – das konnte ich nicht ahnen.«

»Du konntest das nicht ahnen? Kanntest du denn diesen Hinterhof nicht – das Loch, in dem deine Mutter Agnes hauste und ihre Kerle? Ich will dir was sagen, Paula, oder Mutter. Ich war dir völlig egal. Und die da vorne, hier aus der Beletage, die wollten bloß das Ärgernis weg haben. Die Schande. Uneheliches Kind von Tochter, die auch bloß malt und wegläuft.«

Sie sieht mich an, und ihre Augen füllen sich langsam mit Tränen. »Aber Katze, das leugne ich doch gar nicht. Ja, du warst mir gleichgültig. Und du warst mir sogar lästig, als Baby … Gut. Aber nachdem ich wieder hierher kam – wie wir zusammengefunden haben, du und ich – war das nicht wie ein Wunder? Ist es denn nicht viel besser so – als wenn ich mich verpflichtet gefühlt hätte, ein Kind aufzuziehen, das ich nicht wollte?«

»Du hast es nie probiert«, sage ich.

»Nein. Ich wollte es nicht.«

Ich sehe vor mich hin. »Wie soll ich dir das je vergeben?«

Wieder versucht sie meine Hand zu fassen, und ich lasse sie ihr nun.

»Aber Katze! Unser gemeinsames Leben fängt erst an. Du wirst lernen, mich zu verstehen und mir zu verzeihen. Vergiss diese Fahrkarte! Soll Luise sie nehmen. Wir bleiben beide hier. Gemeinsam stehen wir diese Zeit durch. Er kann sich nicht ewig halten, der Hitler und seine Völkischen. Katze! Du und ich!«

»Nein«, sage ich.

»Was meinst du damit?«

»Nein heißt, dass ich nicht wirklich mit dir nach Amerika wollte. Du warst nur so schnell. Mir fiel kein anderes

Wort ein als Ja. Aber es stimmt gar nicht. Es gibt hier jemanden, den ich gern habe. Ja, ich denke, ich … liebe ihn. Und du musst nicht so glänzende Augen kriegen und denken: wunderbar. Es ist überhaupt nicht wunderbar. Er gehört nämlich zu der anderen Seite. Der, der Klavier spielt über dir. Einer, der Wagner liebt und Liszt und ein Hitlerbild an der Wand hat. Ich kann dagegen nichts machen, dass es der ist. Gar nichts. In dieser Familie lügen sie sich nun alle schon so lange die Hucke voll. Ich mach nicht mehr mit. Ich sag es, wie es ist.«

»Du willst sagen, dass du einen Nazi hast?«

»Ich will damit sagen, dass ich jemanden liebe, der nicht hineinpasst bei uns. Du kannst ihn einen Nazi nennen, wenn du willst. Aber ich kann es nicht ändern.«

»Aber Katze. Das – das ist doch unmöglich.«

»Das ist so wenig unmöglich, wie das, was du getan hast: mit mir!«

»Ich habe Markwart geliebt.«

»Siehst du. Vielleicht lieb ich auch.«

»Ich habe dich bei meiner Familie zurückgelassen.«

»Du hast mich in der Hinterhofbude von Agnes zurückgelassen, von der du glaubtest, sie wäre die Schwester deiner Mutter. Nicht bei deiner Familie. Du bist schuld an allem. Dass ich gehänselt und getreten wurde, dass ich nichts konnte als wegrennen. Dass ich diese Anfälle bekommen habe …«

Schweigen. Sie sitzt da mit hängenden Armen. »Die gläserne Kugel«, flüstert sie. »Die Schutzhülle, in die ich dich hineingemalt hatte, um dich vor allem zu bewahren. Das Gebilde im Feuerkranz. Umsonst.«

»Es war zu spät«, sage ich. »Und es war nur gemalt.«

Ich bin aufgestanden. Habe das Gefühl, dass meine Arme und Beine aus Holz sind.

»Wohin willst du?«, fragt sie, aufgeschreckt.

»Raus aus dieser Wohnung. Weg von hier. Weg von dir.«

»Wenn du mich verlässt«, sagt sie, und ihre Stimme ist so leise wie ein Hauch, »dann weiß ich nicht mehr, wie ich leben soll.«

»Du hast doch diese Fahrkarte. Du gehst nach Amerika. Man wird dich anerkennen, endlich. Die große Malerin. Ich hab ja nichts zu befürchten, sagt Luise.«

»Katze. Bleib bei mir.«

Aber da bin ich schon zur Tür hinaus.

Nein, ich renne nicht. Ich gehe so langsam, weil mir das Atmen schwer fällt. Bevor ich die Wohnung verlasse, lege ich meinen Atelierschlüssel auf die Flurgarderobe. Die meisten meiner Malsachen sind auf dem Dachboden. Da sollen sie dann auch bleiben. Die Mappe, die Tuschfarben und Stifte, die ich noch im Kellerladen habe, verschnüre ich zu einem Paket und stecke sie ganz hinten zwischen die Kleidersäcke. Vielleicht hole ich sie später wieder vor. Jetzt erst mal nicht. Falls die Ratten es zernagen – nun, dann habe ich Pech gehabt. So sehr viel Glück scheint ja überhaupt nicht für mich vorgesehen zu sein.

Immer noch ist mein Atem knapp. Als wenn mir jemand die Luft abschnüren will.

An der Ladentür hängt – natürlich – mal wieder Agnes' zittrig geschriebenes GESCHLOSSEN.

Ich nehme es weg und setze mich hinter den Ladentisch. Warte auf Kunden. Im neuen Jahr wird mich Agnes aus der

Schule nehmen. Bis dahin muss ich mir eine Stellung gesucht haben. Aber bis dahin werde ich nicht weiter in meine Klasse gehen. Kümmere mich hier darum, dass wir nicht verhungern. Jetzt kommen sowieso erst mal die Kartoffelferien.

Immerhin sind zwei Käufer gekommen an diesem frostigen Nachmittag und ich habe einen abgeschabten Wintermantel und einen Ulster an den Mann bringen können.

Die Tage werden immer kälter. Da kann sich so ein Geschäft wie unseres nicht leisten, zu schließen wegen Familientragödie.

Gegen Abend kommt Agnes die Treppen heruntergeschlurft, Pantoffeln an den Füßen, die Kittelschürze überm verknautschten Kleid, und reißt die Augen überrascht auf, als sie mich sieht.

»Du bist hier?«

»Hab was verkauft«, erwidere ich einsilbig.

Agnes dreht die Kurbel der Registrierkasse, die Lade springt auf, aber ich schiebe sie mit dem Handballen wieder zu. »Wat soll det, Käthe?«

»Ich will nicht, dass ihr euch wieder zusauft. Wir haben nichts zu essen.«

Sie sagt nichts, starrt mich nur an.

»Ich weiß«, sage ich, »ihr seid unglücklich. Aber davon werdet ihr nicht glücklicher.«

»Käthe!«

»Paula und ich, wir haben mit Luise geredet.«

»Wat habt ihr mit Luise jeredet?«

»Über die alten Geschichten. Ich weiß jetzt alles. Und Paula auch.«

Agnes setzt sich langsam. »So«, sagt sie gedehnt. »Hat sie den Topp uffjebunden, die olle Luise. Hat se die Flöhe rausjelassen. Und nu?«

»Ich wollte bloß sagen, dass andere vielleicht auch nicht unbedingt glücklich sind.«

»Det kannste wohl kaum verjleichen!«

»Will ich auch gar nicht. Es ist nur – ich hab dran zu kauen.«

Sie antwortet nicht. Ihre Finger drehen den oberen Knopf ihres Kleides.

»War das denn einfach für dich, Paula – ich meine, dein Kind damals wegzugeben?«

»Eenfach?« Sie schüttelt den Kopf. »Et war die reine Erlösung für mich, als se mir det Balg abjenommen haben. Ick war so alt wie du jetzt bist, Käthe, und mein Vater hatte mich rausjeprügelt. Erst wollte ich's wegmachen lassen. Aber det hat Luise nich zujelassen. War schon immer die Bestimmerin, die Luise. Mit der Göre am Hals hab ick mich in keener Stellung halten können. Immer hat det Luder jequäkt. Und bei Jlücksmanns, du meine Jüte! Det war doch wie in 'nen Joldsack jefasst. Allet da. Und beim leiblichen Papa ooch noch. Konnte der Kleenen jar nicht besser jehn.«

»Und mir? Konnte es mir auch gar nicht besser gehn?«

»Ach Käthe! Wat willste jetzt hören? In 'nem Heim vielleicht? Oder bei fremde Leute? Meenste, det wär't jewesen? Ick hab immer für dir jesorgt. Hast keen Hunger jehabt und keene Wichse bezogen, außer manchmal von meine Kerle. Aber da hab ick mir meist vor dir jestellt.«

»Aber – aber Paula. Die war nicht zu jung. Die wusste, was sie machte. Warum konnte ich nicht bei ihr bleiben?«

Agnes wiegt den zottligen Kopf hin und her. »Wat du dir so vorstellst, Kleene. Ick hab ja noch mehr Kinder jehabt. Vier. Nee, fünfe. Und alle in wilder Ehe. Meist waren die Kerle denn weg, wenn det Balg kam. Ick sag dir wat. Mal abjesehen von de Schande – denn die zeijen mit Fingern uff einen, det kannste jlooben! – 'ne Frau allein mit Kind, det is 'ne gefangene Frau. Nichts jeht mehr. Bei mir, da war eh allet zu spät, irjendwann. Spätestens, als Erwin jeraten hat, in der ehemaligen Wohnung den Lumpenkeller uffzumachen – oder war det Adi? Na, is ja ejal. Aber so wer wie Paula mit 'nem unehelichen Kind? Die wollte doch hoch hinaus. Kunstmalerin. Mit den ollen Schlawiner Markwart. Mit den hab ick ooch mal in meine Jugend ...«

»Großmutter!«

»Is ja jut. Reg dich nich uff, Kleene. So is det Leben.« Sie streckt die Hand aus. »Jib mir bisschen wat für'n Bier. Damit Bruno einschlafen kann.«

Stumm drehe ich die Kurbel der Kasse und hole eine Mark heraus.

Ich bin so voll Wut, dass es mir fast die Luft abdrückt. Aber auf wen bin ich wütend?

So is det Leben? Danke schön. Aber meins nicht. Meins soll nicht so sein.

 Da stehe ich nun, allein und frei von jeder Bindung, außer dass ich Agnes helfen muss zu überleben. Aber ich bin immer noch gar nicht ich. Ich trage eine Art Tarnkappe. Eine

Tarnkappe, die mir meine Großtante Luise übergestülpt hat und für die ich ihr dankbar sein muss, denn sie bewahrt mich letzten Endes vor viel Schlimmerem, als die Katze zu sein, Lumpenmüllers Lieschen vom Hinterhof, das Mädchen mit der versoffenen Großmutter. Wenn ich jenes Gesetzblatt recht verstehe, das ich zur Wut Dr. Theurkaufs mit Sternen und Hakenkreuzen verziert habe, bin ich ein Mischling ersten Grades, was Volljüdin bedeutet. Ich könnte nicht einmal mehr eine Stellung im Haushalt einer deutschen Familie annehmen. Das Ende der Lügen ist also noch lange nicht in Sicht.

Gerolf! Wie wird er sich verhalten, wenn er die Wahrheit über mich erfährt? Früher oder später muss ich es ihm sagen. Und wenn er mich wirklich liebt, dann muss er damit fertig werden, so oder so. Aber ich fürchte mich. Fürchte mich davor, ihn zu verlieren – den einzigen Menschen, den ich noch habe.

Der Zufall gewährt mir einen Aufschub. Die *Hitler-Jugend* beordert ihn und seine *Kameraden* für vierzehn Tage in ein Freizeitlager.

»Zu dieser Jahreszeit?«, frage ich ungläubig. »Es gibt doch schon Nachtfröste!«

»Das verstehst du ganz falsch, Katharina«, sagt er und lächelt. Er lächelt so selten. Meist ist er ernst. »Diese Lager sollen keine Vergnügungs- oder Ferienveranstaltungen sein, sondern sie sind da für die körperliche Ertüchtigung. Sie sollen uns *nordische Menschen* stählen und hart machen. Da sind Nachtfröste durchaus das Richtige. Wir üben uns.«

»Aber warum musst du so etwas machen? Du bist Künstler, spielst Klavier.«

»Ich sage ja auch nicht, dass es mir leicht fällt! Aber das gehört dazu. Schwierigkeiten sind da, um sie zu überwinden. Wenn man es wirklich ernst meint mit unserer *Bewegung,* mit unserem Volk, muss man bereit sein, Opfer zu bringen.«

»Ich verstehe nicht, was so ein Opfer nützen soll. Stell dir einmal vor, deinen Händen passiert was, und du kannst nicht mehr spielen.«

Er sieht mich an, und ich fühle, dass er gegen ein Entsetzen ankämpft. »Meinen Händen? Katharina – auf was für Ideen du kommst.«

Ich beharre. »Ist dein Klavierspiel nicht das Beste, was du jemandem geben kannst?«

»Ja, aber wir müssen über das Beste noch hinausgehen.«

Das sind so die Sprüche, gegen die ich nicht ankann. Ich sehe vor mich hin, kämpfe mit den Tränen.

»Warum bist du so traurig?«, fragt er. »Weil ich ein paar Tage nicht da bin?«

»Nein. Nicht deswegen.«

»Aber du bist traurig.«

»Ja, ich bin traurig. Es ist nicht grade schön auf dem Hinterhof bei meiner Großmutter und ihrem Bruno.«

Er sieht mich an, voller Dringlichkeit. »Du musst da raus. Du musst so schnell wie möglich raus.«

»Mach dir deshalb keine Gedanken. Ich muss mir ohnehin eine Stellung suchen, so bald es geht. Die Schule gebe ich auf. Ich muss Geld verdienen.«

»Das ist schade«, sagt er nachdenklich.

Ich zucke die Achseln. Was nützt es mir schon, die so genannte mittlere Reife zu haben, wenn ich ohnehin nur irgendwo Küchenschmuddel werden kann? »Sekretärin kann ich immer noch werden«, sage ich, um ihn zu beruhigen. »Mache später einen Kurs in Steno und Schreibmaschine.«

»Vielleicht wird das schon bald nicht mehr nötig sein.«

Ich sehe ihn fragend an.

»Ich meine es sehr ernst mit uns beiden. Das weißt du. Es sollte nicht mehr so lange dauern, bis ich dich meinen Eltern vorstelle. Als meine Verlobte.«

»Hör damit auf!«, sage ich gequält. Ob er wohl noch so redet, wenn er erst alles über mich weiß ...?!

»Mir fällt schon etwas ein!«, verspricht er. »Du musst eine ordentliche Stelle bekommen, verlass dich auf mich.«

Ich frage nicht nach. Erst als er weg ist, fällt mir ein, was er damit meinte. Natürlich. Meinen Beruf als »Hausfrau und Mutter«. Auch so eine Idee der *Bewegung*, dass man so etwas lernen muss!

Vielleicht sollte ich wütend werden. Stattdessen rührt er mich. Seine Gläubigkeit. Sein Wille, mir zu helfen. Gerolf.

Seit Beginn dieses Jahres gibt es das Arbeitsamt. Dort geht man hin, wenn man eine Anstellung sucht. Man bekommt ein Arbeitsbuch und wird »vermittelt«. Ich überlege, was das soll. Natürlich wollen sie verhindern, dass irgendwelches Durcheinander zwischen arischen und nichtarischen Personen passiert, also niemand einen Juden anstellt, oder, noch schlimmer, Juden sich »germanische« Hausangestellte halten. Und außerdem wollen sie drauf achten, dass alle *Volksgenossen* arbeiten und nicht rumlungern. Aber ich denke, sie wollen einfach das ganze Volk unter Kontrolle haben.

Die Angestellte hinter dem Schalter im Arbeitsamt trägt das große dreieckige Abzeichen der *völkischen Frauenschaft* oben am Kragen ihrer Bluse und hat die blonden Haare zu einem Kranz aufgesteckt. Am Ansatz wächst das Dunkle nach. Sie ist »aufgenordet«, wie man diese Mode des sich Blondierens nennt. Sie guckt sich mein Schulzeugnis vom Sommer an.

»Ausgezeichnete Voraussetzungen!«, lobt sie mich. Als wenn meine guten Noten in Sport und Deutsch, in Rechnen und Zeichnen mich zum Putzen vorbestimmen würden! In allen Haushaltsfächern bin ich nämlich nur mäßig. »Warum wollen Sie denn erst im neuen Jahr Arbeit aufnehmen, Fräulein Sander? So viele deutsche Haushalte suchen dringend Hilfen im Augenblick.« Das leuchtet mir ein, denke ich. Wenn sie ihre jüdischen entlassen müssen …

Ich zucke die Achseln. Von mir aus kann es auch früher sein.

Sie kramt in ihrem Karteikasten. Fischt eine Karte mit einem roten Dringlichkeitsbalken heraus. »Hier könnten Sie sich schon morgen vorstellen. Ein Hausmädchen wird ab sofort gesucht. Das alte hat gekündigt. Es wird nach Tarif gezahlt. Und es ist ganz in Ihrer Nähe!« Komischerweise legt sie den Kopf schief und lächelt mich schelmisch an. Sie ist mir sehr unangenehm. Ich warte, bis mir das rote Arbeitsbuch ausgehändigt wird, ein rotes Buch mit dem

Reichsadler, der in seinen Klauen einen Eichenlaubkranz mit dem Hakenkreuz darin hält, und den zusammengefalteten Zettel mit der Adresse.

Als ich auf der Straße bin, gucke ich nach, wohin sie mich vermittelt hat. Die Luft bleibt mir weg. Wie ist denn das möglich? Solche Zufälle gibt es nicht. Da steht meine eigene Straße und Hausnummer, und dann: Haushalt Obersturmbannführer Dr. Hasso Ginzel.

Irgendwas ist da faul.

Ich mache auf dem Absatz kehrt und stürme zurück in das Amt. Aber da steht inzwischen eine lange Schlange vor dem Schalter, und ich muss warten. Als ich endlich dran bin und erkläre, dass ich kein Interesse an dieser Stellung habe, bekomme ich einen Rüffel von der Frau mit dem wasserstoffblonden Haar. »Wenn Sie meckern und nörgeln wollen, Fräulein, dann kann ich Ihnen überhaupt nicht helfen. Dann kommen Sie Anfang des Jahres wieder. Aber natürlich wird das in Ihrer Karteikarte vermerkt. Die Nächste bitte.« Sie lässt mich einfach abblitzen.

In dem hässlichen, graugrün getünchten Gang lehne ich mich an die Wand. Mir ist heiß. Irgendjemand treibt da sein Spiel mit mir. Wieder einmal geschieht etwas, was mit mir zu tun hat, und man hält es nicht für nötig, mich einzuweihen. Ich mag nicht und ich will nicht. Und ich fühle mich auf eine schnöde Weise verraten. Wieweit Gerolf selbst seine Hand im Spiel hat, ob er nur Andeutungen gemacht hat oder ganz gezielt »gearbeitet«, ist mir egal. Es gefällt mir nicht.

In einer unbeschreiblichen Mischung aus Wut und Traurigkeit gehe ich nach Haus. Zu Fuß, um das Geld für die Straßenbahn zu sparen. Guck nicht groß hin, wer oder was mir da entgegenkommt. Mit zusammengekniffenen Augen mache ich meinen Weg. Wie's scheint, mit so einem grimmigen Gesicht, dass mir die meisten ausweichen. Rempele nur ein- oder zweimal jemanden an.

»Kannst du nicht aufpassen?«, fährt mich eine jüngere Frau an.

»Sollte ich?«, gebe ich zurück. Ich bin in dem Moment bereit, mich mit der Frau zu prügeln. Aber sie murmelt nur: »Unverschämte Göre!«, und geht weiter.

Und dann stehe ich vor dem Haus, diesem Haus, in dem ich ständig herumlaufe wie eine Maus im Laufrad – Keller, Hinterhaus, Quergebäude, Atelier, Dachstube. Runter ins Vorderhaus, Wohnung Ginzel. Wohnung Glücksmann, Beletage. Und wieder von neuem. Immer im Kreis durch die verschiedenen Ringe, hier heiß, da kalt, hier braun, da bunt. Aber immer im Kreis. Ich presse die Lippen aufeinander. Sie wollen mich testen. Also gut, das können sie haben. Rein in die Höhle des Löwen.

Damit sie mich auch ja erkennen, ziehe ich die Seidenbluse unter meine Strickjacke. Hinten in der Kammer habe ich das gute Stück noch gefunden. Die gnädige Frau wird sich ja vielleicht noch an diese Bluse erinnern, und was damit los war. Als ich die Knöpfe zumache, fällt mir ein, wie es war an jenem Nachmittag, als Gerolf mir die Bluse brachte, Gerolf und ich, und ich schlucke das Schluchzen hinunter, das aus meiner Kehle herauswill. Dann gehe ich außen herum. Mit Herzklopfen vorbei an der Beletage, ganz schnell. Und halte nun zum zweiten Mal meinen Finger auf den glänzend polierten Klingelknopf bei Dr. vet. med. Hasso Ginzel.

»Du bist Katharina, nicht wahr?«

Ich habe noch gar kein Wort gesagt. Sprachlos sehe ich auf zu der großen Frau mit den glänzenden, zu einer Rolle eingedrehten braunen Haaren und den Augen, die wie ein Spiegelbild der Augen von Gerolf sind. Sie lächelt, streckt mir die ringgeschmückte Hand entgegen, zieht mich herein. »Ich freue mich. Also hat es wirklich geklappt!« Sie lacht. Ein schönes, warmes, herzliches Lachen.

Überflüssig, zu fragen, woher sie meinen Namen kennt.

Sie betrachtet mich von Kopf bis Fuß, immer noch lächelnd. Die gleichen Grübchen in der Wange wie Gerolf. Der gleiche Schwung der Augenbrauen. Die gleichen eng zusammenstehenden braunen Augen. Es schnürt mir die Kehle ab. So eine Ähnlichkeit ist schon unheimlich.

»So also siehst du aus – ich darf doch ›du‹ zu dir sagen?« Sie legt mir den Arm um die Schultern und führt mich, obwohl ich mich steif mache, ins Zimmer.

Ich bleibe stehen. Vielleicht ist es normal, dass sich die »guten Stuben« oder »Salons« in so einem Herrschaftshaus gleichen. Es ist ja der gleiche Schnitt des Raums wie eine Etage darunter. Aber hier steht das Sofa akkurat am gleichen Fleck wie bei Luise Glücksmann, auch hier gibt es einen kleinen Tisch und einen Erker am Fenster, und sogar ein Wohnzimmerbuffet steht an der gleichen Wand links. Und dann denke ich daran, dass das ja zum größten Teil die Einrichtung der Familie Rauch sein wird, die Ginzels »übernommen« haben, und ich fühle mich noch weniger wohl als vorher.

»Willst du dich nicht setzen?«, fragt das mütterliche Ebenbild Gerolfs, und ich schüttle den Kopf.

»Ich habe mich hier als Hausmädchen beworben«, sage ich – meine Stimme klingt wie von weit weg. »Ich gehöre hier nicht her.«

Ihr Lächeln hört nicht auf. »Gerolf hat mir gesagt, dass du in Stellung gehen wolltest. Und ich suchte gerade jemanden. Da haben wir unsere Beziehungen genutzt und mithilfe des Arbeitsamts ein bisschen Schicksal gespielt.«

Sie gibt es ganz offen zu, dass es eine abgekartete Sache war! Ich bin sprachlos. »Aber …« stottere ich. Dann habe ich mich gefangen. »Ich will so etwas nicht. Ich will Hausmädchen sein und nicht Haustochter. Und ich will mich auch nicht – nicht begutachten lassen.«

»Von begutachten ist keine Rede«, sagt sie und wird nun ernst. »Wirklich nur von kennen lernen. Und diese Stelle, die ist echt. Es geht nicht darum, dass du hier im Salon die Klinken blank putzen sollst und den Staub von den Nippesfiguren wedeln. Ich brauche wirklich jemanden, der mir hilft. Zumindest einen halben Tag. Willst du dich nicht doch setzen?«

Widerwillig nehme ich auf dem mir zugeschobenen Stuhl Platz.

»Katharina.« Sie setzt sich mir gegenüber. Ein feiner Duft geht von ihr aus, Lavendel – die Wäschestücke, die Agnes zum Verkauf bekommt, riechen manchmal auch so.

»Als Mutter hat man einen siebenten Sinn. Man spürt, wenn das einzige Kind sich verändert. Ich weiß, du hast keine Mutter, bist auf dich selbst gestellt.«

Ich balle die Fäuste. Ja, ich habe keine Mutter. Daran hat sich eigentlich nichts geändert. Die Frau bemerkt es sofort und legt mir begütigend die Hand auf den Arm. »Ich wollte dich nicht verletzen, Katharina. Es geht mir nur darum, zu klären, dass ich Gerolf einfach eines Tages frei heraus gefragt habe, ob es da jemanden gibt. Er hat mir zunächst gar nichts von dir erzählen wollen. Aber dann, als er mit den verbrannten Händen nach Haus kam, da hat er sich mir offenbart. Nein, er hat niemals einen Vertrauensbruch begangen. Ich habe deinen Namen nicht gewusst bis vor kurzem, als ihm klar wurde, dass du in wirklicher materieller Not bist und eine Arbeit brauchst. Er hat mir nur von einem wunderbaren Mädchen erzählt, das so ganz anders ist als alle anderen und aus einer Welt kommt, die ihm ganz fremd und fern ist – einem Mädchen, das in sich trotz aller Not und Widrigkeit die Kraft bewahrt hat, sie selbst zu bleiben. Und nun sitzt du hier vor mir, und ich würde dich sehr gern hier bei mir haben, damit wir uns näher bekannt machen.«

Menschen, die so auf einen einreden, überrumpeln mich. Sie kann offenbar einfach alles aussprechen, alles formulieren. Es erinnert mich freilich an Gerolfs begeisterte Tiraden über das Völkische und das Neue. Es bezaubert mich gleichzeitig und verwirrt mich. Und darum erweckt es meinen Widerstand.

»Ich bin nicht einverstanden«, sage ich und sehe sie mit gerunzelten Brauen an. »Ich lasse mich nicht ziehen und schieben. Es ist unfair, mich so herzulocken. Niemals wäre ich auf den Gedanken gekommen, in diesem Haus eine Arbeit anzunehmen.«

Sie lächelt wieder ihr Grübchenlächeln.

»Dafür muss ich mich entschuldigen«, sagt sie. »Das war ganz allein mein Einfall. Ich neige manchmal zu solchen – kleinen Schelmereien. Und ich bin neugierig, das verstehst du doch. Ich glaube, mein Sohn nimmt die Sache mit dir sehr, sehr ernst. So ernst wie vorher nur seine Musik. Da musst du doch begreifen, dass ich dich kennen lernen wollte.

Ich verspreche dir, dass ich dich in keiner Weise behelligen will, wenn du nicht selbst Lust hast, aus diesem Verhältnis so etwas wie eine nähere Bekanntschaft oder gar Freundschaft zu machen.«

»Und wenn ich nicht will?«

»Dann schreibe ich in dein Arbeitsbuch ein, dass wir uns nach vierzehntägiger Probezeit wieder getrennt hätten, und du suchst dir eine andere Arbeit.«

»Warum das denn?«

»Das muss so sein. Sonst bekommst du keine andere Stelle. Oder doch nicht so schnell. Keine Angst, wenn du wirklich nicht willst, musst du keine Stunde in diesem Haushalt sein. Wir machen das nur pro forma.«

Ich halte die Lider gesenkt, damit sie meine Augen nicht sieht.

Es ist erpresserisch. Eine freundliche Erpressung. Sie will mir etwas schenken, und ich nehme nichts geschenkt, nicht mal eine Eintragung ins Arbeitsbuch. Und sie hat es angezettelt, um mich auszukundschaften. Um rauszukriegen, ob ich die »Richtige« bin für ihren Sohn. Das alles mit überströmender Herzlichkeit. Ich habe Angst. Dem bin ich nicht gewachsen. Der Freundlichkeit bin ich am wenigsten gewachsen, die weicht meine Schutzdämme auf.

Und wenn es für Gerolf und mich überhaupt einen Weg gibt, dann wird es nur unser Weg allein sein. Gewiss nicht der mit dieser Familie. Mit den Leuten, die auf dem Parteitag jene Gesetze gemacht haben. Und deren »Gefolgschaft« Bilder zerstört und Menschen misshandelt.

Andererseits: Ich werde mir hier nichts vergeben. Keiner wird an mich herankommen. Ich werde hier sein und arbeiten, Paulas Wohnung unter mir, Paulas Atelier irgendwo da oben, und werde hier durchgehen wie ein blinder Passagier durch das Zwischendeck eines Schiffes.

Ich hole tief Luft. »Ich werde es machen«, sage ich. »Aber ich habe Bedingungen.«

Sie nickt mir aufmunternd zu.

»Wenn es für einen halben Tag ist, dann ist es gut. Ich muss auch meiner Großmutter helfen im Geschäft. Und es muss die Zeit sein, wenn Ihr Sohn nicht hier ist. Also, ich komme, sobald er morgens aus dem Haus ist, und gehe am frühen Nachmittag. Sonntags gar nicht ... Es ist mir egal, ob Sie ihm sagen, dass ich hier arbeite, aber ich will nicht, dass er mich hier sieht. Ich will nicht mit Ihnen oder Ihrer Familie zusammen essen. Und ich will nicht mit Ihnen über was Privates reden, wenn ich hier bin. Es soll eine richtige Stellung sein.«

Sie sieht mich an, mit einem halben Lächeln, erstaunt. »Du bist wirklich ein beachtliches Mädchen. Beachtlich konsequent«, sagt sie. »Gut, wir machen es so.«

»Probezeit bis zum Jahresende.«

»Probezeit bis zum Jahresende«, bestätigt sie. Vielleicht, denke ich, hat sie sich dann schon ihr Bild gemacht und verzichtet auf den Rest.

Sie steht auf und ich mit ihr. »Abgemacht und die Hand drauf«, sagt sie und streckt mir ihre Hand mit den schönen Ringen hin, und ich schüttle sie.

Als ich mich zum Gehen wende, sehe ich an der Stelle, wo bei Luise Glücksmann ein kleiner Spiegel neben der Tür hängt, ein Hitlerbild. Mir fällt etwas ein.

»Ach ja«, sage ich. »Und ich grüße mit Guten Tag und nicht mit Heil Hitler.«

Sie runzelt die Brauen. »Es ist der *deutsche Gruß*!«, sagt sie ernst.

Ich zucke mit den Achseln, schweige.

»Nun gut«, sagt sie mit einem Seufzer. »Hier ist ja niemand, der zuhört.« Und hat ihr Lächeln wieder. –

Als ich die Treppe hinunter und an der Glücksmann'schen Tür vorbeikomme, höre ich von drinnen Paulas Stimme. Es geht mir durch und durch wie ein feuriger Riss. Ich nehme drei Stufen auf einmal, um wegzukommen. Im Durchgang zum Hof lehne ich mich an die Wand und beginne zu schluchzen. Was hat diese Frau gesagt? »Ein Mädchen von beachtlicher Konsequenz?« Wenn die wüsste.

Am liebsten würde ich auf dem Absatz kehrtmachen und hingehen und wieder kündigen. Und dann zu Paula laufen, um sie in die Arme zu schließen.

Aber das wird nicht sein.

Es geht alles unheimlich glatt.

Mein Tag verläuft wie ein Uhrwerk. Um acht Uhr bin ich bei Frau Ginzel und beginne meine Arbeit. Kochen und Einkaufen übernimmt die Hausfrau selbst. Ich habe zu putzen und zu wischen, die Wäsche zu waschen und zu bügeln, die Kartoffeln zu schälen oder die Fenster zu putzen. Die Frau hält sich fair an die Abmachungen, belästigt mich nicht, ist freundlich. Wenn ich etwas nicht kann, bringt sie es mir bei. Die meiste Zeit halte ich mich hinten in der Küche auf. In die vorderen Räume komme ich nur zum Staubsaugen und Parkettbohnern. Den Flügel muss ich jeden Tag abstauben und sehe jedes Mal an den Noten von Gerolf, was er gerade übt. Meist ist es Liszt. Sonst muss ich in seinem Zimmer nichts anrühren, er scheint es selbst sauber zu halten. Mir ist das sehr lieb.

Meine kleine Zwischenmahlzeit nehme ich allein in der Küche. Ich decke den Mittagstisch und trage manchmal noch das Essen auf. Wenn ich das Geschirr gespült habe, kann ich gehen. Gerolf kommt eine Stunde später.

Dann mache ich meistens Agnes und Bruno etwas zu essen, kaufe für sie ein oder helfe nachmittags Agnes im Laden. Die kältere Jahreszeit bringt viel Kundschaft. Alle klagen über die Preise und über fehlende »Kolonialwaren« wie Kaffee und Südfrüchte, aber keiner schimpft. (Das deutsche Volk muss sparen – wofür eigentlich?) Alle grüßen mit dem *deutschen Gruß*.

Am Abend sitze ich im Lumpenkeller und lese. Früher habe ich die Bücher von Paula geliehen bekommen, und das Schönste war immer, mit ihr darüber zu reden. Jetzt habe ich mich in der Leihbibliothek angemeldet und hole mir Bücher von den Schriftstellern, die ich schon kenne, oder welche, von denen mich die Titel interessieren. Es ist ein bisschen durcheinander, aber es geht.

Einen Zeichenstift nehme ich nicht in die Hand, obwohl ich mich manchmal sehr danach sehne. Aber das will ich nicht. Musik vermisse ich sehr, speziell solche, wie sie Paulas kleines, leistungsstarkes Radio auf den verbotenen

Fremdsendern hereinbrachte. Aus Agnes' *Volksempfänger* dröhnt immer nur eintönige Marschmusik oder deutsche Volkslieder.

Meinen Lohn bekomme ich pünktlich sonnabends. Ich gebe Agnes nichts in die Hand, damit sie und Bruno es nicht durch die Kehle jagen, aber ich kaufe Lebensmittel und sogar Bohnenkaffee davon. Es geht uns wieder besser und die beiden trinken nicht so viel wie sonst.

Ich bin immer sehr früh müde und schlafe bald ein. –

Seit Gerolf von seinem HJ-Lager zurück ist, treffen wir uns nicht mehr oben in der Dachstube. Wir haben nie darüber geredet. Es war ein schweigendes Übereinkommen. Welche Gründe er hat, weiß ich nicht. Mir jedenfalls ist die Vorstellung zuwider, am Vormittag bei der Mutter zu arbeiten und am Nachmittag mit dem Sohn auf der Matratze zu sitzen.

Wenn das Wetter nicht gar zu schlecht ist, gehen wir zusammen spazieren, eng umschlungen, und Gerolf wärmt mich mit seinen Armen. Es ist noch immer dieser Kokon, der uns einspinnt und von aller Welt abschließt, wenn wir zusammen sind, und für mich die einzigen Stunden, wo ich meine Traurigkeit ganz vergesse. Aber über unseren Zärtlichkeiten lastet das Gebäude des Verschweigens.

Es ist ein anderes Verschweigen als das der beiden Schwestern Luise und Agnes über die vertauschten Kinder. Aber ich erinnere mich, dass Gerolf die Juden als eine Kuckucksbrut im deutschen Volk bezeichnet hat. Und

Kuckuckskinder hat Luise mich und Paula genannt. Ich fürchte mich vor dem Gespräch mit ihm, fürchte mich, ihm alles zu erzählen. Hat er die Kraft, zu mir zu stehen? Ich glaube nicht, dass mir etwas Gutes begegnen kann. An mir klebt das Unglück wie Pech am Schuh.

Es ist fast ein Wunder, dass ich Paula nicht begegne. Aber freilich husche ich mit größter Vorsicht an der Wohnung in der Beletage vorbei. Und auf dem Dachboden bin ich ja nicht mehr.

Nachts wache ich manchmal auf von bösen Träumen. Aber ich kann mich an nichts erinnern. Nur das schlechte Gefühl ist da und manchmal meine Tränen auf dem Kopfkissen. –

Einen Faktor gibt es im Hause Ginzel, den hatte ich völlig außer Acht gelassen. Ich war davon ausgegangen, dass ich nur die Frau des Hauses zu Gesicht bekommen würde. Der Herr Doktor, so hatte ich vermutet, ist die ganze Zeit auswärts in seiner Praxis. Aber das ist nicht so. Zweimal die Woche kommt er zu einem »zweiten Frühstück« nach Haus. Dann muss ich servieren: Schrippen mit Hackepeter oder Schwarzbrot mit Gänseschmalz und Gurke, dazu Tee.

Dr. vet. med. Hasso Ginzel erinnert mich mit seinen »Schmissen« im Gesicht zu sehr an meinen alten Pauker Theurkauf, als dass er mir gefallen könnte. Außerdem sehe ich ihn im Geiste immer in der braunen Uniform, auch wenn er im Anzug kommt – manchmal hat er unter dem Mantel sogar noch den weißen Arztkittel an. Die Praxis ist gleich um die Ecke.

Er ist dünn und langnasig, trägt die Haare sehr kurz und nennt seine Frau »meine liebe Therese«. Seine Stimme ist hoch und sehr laut. Seine liebe Therese scheint ihn zu vergöttern, jedenfalls sitzt sie bei diesen zweiten Frühstücken immer direkt neben ihm, schenkt ihm selbst den Tee ein und tut ihm Zucker in die Tasse, schmiegt sich an ihn. Sie selbst isst und trinkt nichts zu der Zeit.

Dr. Ginzel ist zu mir sehr höflich, sagt stets bitte und danke und redet mich mit Namen an. Niemals lässt er durchblicken, dass ich für ihn etwas anderes sein könnte als das Mädchen, das seiner Frau im Haushalt hilft.

Wenn ich mein Tablett abgestellt und abgeladen habe, gehe ich im Allgemeinen wieder in die Küche.

An diesem Tag habe ich im Nebenzimmer zu tun, sortiere auf Geheiß meiner Chefin Tischwäsche. Die Schiebetür ist nur halb geschlossen, und ich kann nicht verhindern, dass ich das Gespräch aufschnappe. –

»Die armen Tiere tun mir Leid, Hasso!«, sagt seine Frau gerade. »Kann man es nicht mit einer Art Quarantäne versuchen? Vielleicht …«

»Das verkennst du, Therese! Es geht ja nicht um etwas, was durch die Zeit geheilt werden könnte. Es ist wie ein schlummerndes Virus, das jederzeit wieder auferweckt werden kann. Ein schleichendes Gift im Volkskörper.«

»Tiere sind unschuldig, mein Lieber.«

»Du hast recht, Tiere sind unschuldig. Umso verwerflicher ist es, dass man diesen Menschen überhaupt gestattet hat, welche zu halten. Aber diese Art von Infektion« (er betont das Wort) »besteht nun einmal. Es wäre unverantwortlich, jüdisch verseuchte Tiere in einen arischen Haushalt zu geben. Es wäre, wie wenn du einen Pestkranken mit deinen Kindern spielen ließest. Der Mythos des Blutes ist nicht mit dem Verstand zu erklären. Aber er herrscht unerbittlich.«

»Und ihr schläfert sie alle ein?«

»Alle, meine liebe Therese. Es muss sein.«

»Schrecklich trotz allem. Woher kommen sie denn?«

»Die Auswanderer haben sie meist im Tierheim abgegeben. Oder sie haben sie ihren Freunden oder Hausangestellten geschenkt. Oft müssen wir regelrecht nach ihnen fahnden. Es gibt schlimme Szenen.«

»Ich wollte, du müsstest das nicht tun.«

»Ich auch, glaub mir. Es ist nicht immer einfach, Sachwalter einer Idee zu sein.«

Die beiden sitzen mit dem Rücken zu mir und haben mich im Nebenraum nicht bemerkt. Ich bin leise aufgestanden und habe die Tür zugeschoben. Jetzt hocke ich wieder vor meinem Wäschestapel und hoffe, nicht recht verstanden zu haben, wovon sie da geredet haben. Aber die vor Entsetzen gesträubten Haare auf meinen Unterarmen und die Eiseskälte in meinen Händen, die sind da. Doch, es war unmissverständlich. Dieser Dr. Ginzel tötet die Haustiere ausgewanderter Juden, damit von ihnen keine *deutschen Volksgenossen* »verseucht« werden ...

Keine halbe Stunde später, ich bin wieder in der Küche, kommt die Hausfrau zu mir, so ausgeglichen und gelassen wie immer. Mir zittern die Hände und ich kann ihr nicht ins Gesicht sehen.

»Wir wollen mit der Weihnachtsbäckerei beginnen!«, erklärt sie mir mit Sanftmut in der Stimme.

Ich darf mir nichts anmerken lassen.

Das Fest! Weihnachtsbäckerei! »Weihnachtsbäckerei? So etwas kenne ich nicht.« Nebenbei: Meine Großmutter hat in ihrem ganzen Leben tatsächlich so etwas noch nicht gemacht.

»Ich verstehe«, sagt sie mitfühlend. »Ihr seid ja arme Leute.«

Mein Widerspruchsgeist ist geweckt. »So arm nun auch nicht«, entgegne ich. »Wir haben den Weihnachtsstollen immer beim Händler gekauft. Und natürlich die zusätzlichen Flaschen Korn für die Feiertage.«

Sie lässt sich nicht provozieren, lächelt und gibt mir Anweisungen für den Teig. »Wir backen Plätzchen«, sagt sie. »Mach bitte die untere Schublade auf. Dort findest du die Formen zum Ausstechen. Sonne, Mond und Sterne, und besonders die hier. Die Katzenfamilie. Die mag mein Mann so besonders gern. Da fühlt er sich an seinen Beruf erinnert.«

Ich ziehe die Schublade mit einem Ruck heraus. Der Inhalt fällt mir polternd vor die Füße. Er fühlt sich an seinen Beruf erinnert, mit einer niedlichen Katzenfamilie als Gebäck? – Mir wird auf einmal schwarz vor Augen. Eine eiserne Hand sitzt mir an der Gurgel.

»Katharina! Was ist denn? Mein Gott, hast du mich erschreckt.«

Ich erhebe mich. »Mir ist schwindlig«, sage ich, und starre auf die Katzenförmchen vor mir. »Darf ich heute gehen?«

Sie sieht mich forschend an. »Du bist aber doch gesund, oder?«

»Wie ein Fisch im Wasser«, entgegne ich stur und rücke meine Brille gerade. »Ich arbeite das morgen nach, wenn es Ihnen recht ist.«

»Wenn dir etwas fehlt, Kind, wenn dich etwas bedrückt: Du kannst mit mir über alles sprechen. Ich will mich dir nicht aufdrängen aber …«

»Mir fehlt nichts«, erwidere ich. »Ich möchte heute bitte gehen.« –

Ich laufe irgendwohin. Seit langer Zeit laufe ich einmal wieder, spüre meine Beine und ihre Unermüdlichkeit, laufe bis zum Seitenstechen und zur Atemnot und darüber hinaus, bis ich gar nicht mehr weit bin vom Schweben. Aber es hilft nichts. Dem Entsetzen kann ich nicht davonlaufen. Vor allem, weil ich immerzu an Mohr denken muss ...

Ich muss diesen Haushalt verlassen, so schnell es geht. Aber vorher muss ich noch mit Gerolf darüber reden. Wenn das wirklich Liebe ist, was er für mich empfindet, dann muss er alles über mich wissen. Und ich muss ihm erzählen, was ich da heute gehört habe. Aber Gerolf ist heute nicht da. Er ist zu einem Klavierwettbewerb in den Westen der Stadt gefahren, zu dem ihn sein Lehrer vorgeschlagen hat. Es kann dauern.

Ermattet, verschwitzt, mit fliegendem Puls komme ich nach Haus.

Am Keller hängt das übliche Schild. Großmutter hat mal wieder zu. Sobald ich nicht da bin, lässt der Eifer nach.

Die Küche ist leer. Es brennt kein Licht. Aus der Schlafstube hör ich laute Volksmusik. Das Radio dröhnt.

Ich klopfe, einmal, zweimal. Will schon runtergehen in meinen Keller – vielleicht wollen die beiden ja nicht gestört sein –, als ich Agnes' kratzige Stimme höre: »Nun komm schon rein!«

Meine Großmutter sitzt im Bett unter dem großen Bild, angezogen, den Rücken gegen einen Kissenberg gelehnt. Sie ist allein. Auf dem Nachtisch steht die fast geleerte Kornflasche und das Glas. Sie sieht mich mit glasigen Augen an.

»Guck nich wie ’ne Mimose!«, sagt sie. Ihre Zunge gehorcht ihr nur schwer. »Ja, ich bin voll. Sternhagelvoll.«

»Wo ist Bruno?«, frage ich.

»Bruno?« Sie nimmt sich ihr Glas. »Bruno is weg.«

Mir fährt der Schreck in die Knochen. »Haben sie ihn wieder abgeholt?«

Agnes schüttelt langsam den Kopf. Ihre Augen sind jetzt ganz woanders. »Den musste keener abholen. Der is von alleene gegangen. Hat jesagt, er hält diss nich aus. Das ick weeß, was se mit ihm jemacht ha’m. Und er wär ooch keen Mann mehr für mich. Hat jesagt, er kann nie wieder mit mir … na ja. Nich, weil er nich kann, sondern weil er weeß, det se det mit ihm jemacht ha’m. Als ob’s daruff alleene ankommen würde. Ick hätt ihn doch weiter jern jehabt …«

»Aber wo ist er hin?«

Sie hebt die Schultern und trinkt, ihre Zähne klirren am Rand des Glases.

»Ich mach dir jetzt mal ’n Kaffee und –«

»Nee, machste nicht«, erwidert sie mit Bestimmtheit. »Heute sauf ick. Heute hab ick ’n Recht dazu.«

Als ich schon die Klinke in der Hand habe, sagt sie: »Ach, Käthe. Die andere war heute hier. Aber nur janz kurz. Als se jesehn hat, in wat für ’ne Verfassung ihre Mutter is, hat se schnell wieder Leine jezogen.«

»Paula?« Ich presse die Handflächen gegen meinen Bauch. Mir ist, als wenn ich irgendwas da drin zurückhalten muss, damit es nicht hochsteigt und mir Herz und Seele abdrückt. »Was – warum denn?«

»Na, meinetwejen bestimmt nich. Wollte wissen, wo de bist und wat de machst.«

»Was hast du ihr gesagt?«

»Jar nischt. Mir war nich nach Reden.«

»Nichts von meiner Stellung?«

»Keen Sterbenswort. Un nu lass mich mal schlafen.«

Im Radio dudeln sie Wanderlieder. Agnes gießt sich nach. Was für ein Elend. Und ich kann nichts machen als zugucken.

Unten im Trödelkeller ist es erbärmlich kalt. Ich habe ja heute nicht eingeheizt. Ich häufe über meine dünne Bettdecke, deren Federn immer von der Mitte weg zu den Seiten rutschen, noch ein paar Mäntel aus dem Angebot und krieche zitternd darunter. Kringele mich zusammen und heule mich mal wieder in den Schlaf. Müde genug bin ich ja nach meinem langen Lauf.

Und dann träume ich von Mohr. Mohr, der auf dem Fensterbrett des Ateliers sitzt, mit dem gelben sechseckigen Stern um den Hals und mich aus seinen Bernsteinaugen ansieht. Ich nähere mich ihm vorsichtig, damit er nicht wieder davonläuft, und will nach ihm greifen. Ich möchte ihn in meine Arme schließen, sein weiches Fell, das unter der Berührung knistert, streicheln, sein Schnurren hören, mit ihm gemeinsam einschlafen. Aber als ich ihn berühren will, ist da nichts. Ich greife in die Luft. Er macht gerade einen kühnen Satz vom Fensterbrett herunter in die Tiefe. Was er kann, kann ich auch. Bin ich nicht die Katze so gut wie er? Und ich springe und falle, und falle, endlos in die Tiefe – und lande in einer großen, mir bekannten Küche. Ich sehe auf den Tisch. Das Weihnachtsgebäck ist fertig. Die schönen Formen. Es sind lauter große Kater aus Teig mit Bernsteinaugen und einem Stern um den Hals. –

Ich erwache und klappre vor Entsetzen mit den Zähnen, und ich weiß nicht zu sagen, woher das unsagbare Grauen kommt, das mir diese Traumbilder erweckt haben. Es ist mir, als wenn sich etwas Dunkles auf mich heruntersenkt, und meine Arme sind zu schwach, um mich davor zu schützen.

Als mich Frau Ginzel mit dem Wäschekorb auf den Dachboden schickt, um Strümpfe und Blusen, Schürzen und Tücher aufzuhängen (»kleine Wäsche«), habe ich wieder dies dumpfe Gefühl, das ich nach meinem Traum hatte.

Die Luft hier oben ist kalt. Meine vom Spülen im kalten Wasser schon ganz gefühllosen Hände beginnen zu schmerzen. Aber dieser Schmerz scheint mir nur die Verkörperung des anderen Schmerzes zu sein, den ich hier empfinde, in der Nähe der beiden Bodenkammern, die ich jetzt nicht mehr betreten will noch werde. Ich beeile mich. Gerade, als ich, den leeren Korb am Henkel in einer Hand, den Wäscheboden verlassen will, höre ich die Schritte, die sich nähern. Meine erste Regung ist: verstecken. Hier gibt es einen Kamin, hinter den man könnte. Aber ich bewege mich nicht. Ich stehe da wie zur Salzsäule erstarrt.

Die Tür fliegt auf. Paula, den Mantel offen, einen Satz neu gekaufter, unbenutzter Pinsel in der Hand, steht plötzlich vor mir.

Sie sieht mich und ihr müdes graues Gesicht hellt sich schlagartig auf.

»Katze! Du bist wieder da! Du bist zu mir gekommen! Hat dir deine furchtbare Großmutter erzählt, dass ich …«

Sie unterbricht sich, weil ihr Blick auf den Wäschekorb gefallen ist. »Was machst du da?«, fragt sie, noch immer ganz arglos.

Ich fühle mich nicht imstande, Hand noch Fuß zu regen. Ich kann auch nicht antworten. Zunächst nicht. Sie schließt die Augen. »Ich bin so froh«, murmelt sie.

»Das ist anders«, sage ich langsam. »Ich bin nicht hier, weil ich zu dir wollte. Ich habe die Wäsche von Ginzels aufgehängt.«

»Die Wäsche von Ginzels?«

»Ja. Ich bin dort als Dienstmädchen angestellt.«

»Was redest du da? Du gehst doch in die Schule …«

»Ich gehe nicht mehr in die Schule, Paula. Ich male auch nicht mehr. Ich arbeite, damit wir zu essen haben, meine ›furchtbare Großmutter‹, deine Mutter, und ich.«

Sie sieht mich immer noch an, als wenn sie nicht versteht.

»Aber du kannst doch nicht bei diesen Nazis arbeiten!«, sagt sie.

»Doch. Ich arbeite bei diesen Nazis.«

»Ist das nicht alles – alles ein bisschen übertrieben?«, sagt sie und versucht ein Lächeln. »Wir können doch wieder neu anfangen, du und ich. Ich verspreche dir, dass du nicht irgendwo in Stellung musst. Wir können …«

Ich sehe sie an, und zur gleichen Zeit wie ihre Augen hinter den Brillengläsern sich mit Tränen füllen, passiert es auch mir.

»Du liebst diesen Jungen, und sie lassen dich bei sich arbeiten – wie soll ich denn das verstehen?«

»Ich glaube, ich kann dir das nicht erklären«, sage ich, mit meinem Wäschekorb in der Hand. Und vor mir Paulas

Gesicht, so blass, so müde, die länger gewordenen Haare als graue Strähnen fast bis auf die Schultern.

»Ich dachte, du wolltest zu mir«, flüstert sie heiser. Und ich müsste ihr um den Hals fallen jetzt und sagen: Ja, Paula. Alles ist gut. Aber ich kann es nicht. Ich kriege es einfach nicht über die Lippen.

Sie fährt sich mit den Fingern unter die Brille. »Du tust mir höllisch weh«, sagt sie. »Gut. Also dann nicht. Dann bis irgendwann.«

Sie geht an mir vorüber, streift mit der Hand sachte meinen Arm. Sieht mich nicht an.

»Kind, wie siehst du denn aus!«, ruft Therese Ginzel erschrocken, als ich endlich den Schlüssel ins Schloss gekriegt habe. »Hast du da oben einen Geist gesehen?«

»Nein. Meine – meine Tante.«

Sie versteht erst nicht.

»Wen hast du gesehen?«

»Meine Tante. Paula Glücksmann. Die Malerin.«

»Malerin, na, ich weiß nicht. Diese jüdische Zeichenlehrerin. Hat sie dich belästigt?«

Ich schüttle stumm den Kopf.

Sie sieht mich von der Seite an. »Ich weiß, dass das nicht in Gerolfs Sinn ist, wenn ich dir das jetzt sage. Ich soll dich ja in Ruhe lassen. Aber er ist wirklich froh darüber, dass du diese Kontakte abgebrochen hast. Dass du fort bist von dieser falschen Welt. Dieser fremden Wesensart. Das sind Wolken, die sich verziehen.« Ich höre wie benommen zu und verstehe nicht recht, was sie meint. »Gerolf hat übrigens angerufen. Er hat bei dem Klavierwettbewerb den zweiten Platz eingenommen. Ich bin ziemlich stolz auf ihn. Aber deswegen ist er erst morgen wieder zu Hause. Die Preisträger werden noch rumgereicht. Na, das kannst du dir ja denken.«

Sie summt fröhlich vor sich hin, während sie vor mir her den langen Gang zur Küche nimmt, beinah tänzelnd. »Alles wird gut!«, verkündet sie noch.

Alles wird gut? Jetzt wäre es so weit. Jetzt würde ich Gerolf brauchen. Bin bereit, ihm alles zu sagen. Aber immer, wenn ich so weit bin, ist er nicht da. –

Den ganzen Nachmittag bin ich beschäftigt. Agnes ist zu gar nichts zu gebrauchen, und im Trödelladen kommt ein ganzer Nachlass von einer alten Dame aus der Nachbarschaft an, durchweg gut erhaltene, intensiv nach Mottenpulver stinkende Sachen. Ich muss mit der Erbin handeln – das ist die um zehn Jahre jüngere Schwester der Verstorbenen, die ganz andere Vorstellungen von den Preisen hat. Ein ums andere Mal sagt sie, ich würde schachern, feilschen, mauscheln wie ein *Talmudjude*. Ich beiße die Zähne zusammen und bleibe ruhig.

Es ist längst dunkel, als wir das alles hinter uns haben.

Dann muss ich mich noch um Agnes kümmern, die inzwischen bei der Flasche des Tages ist, und sie dazu bringen, dass sie ein bisschen was isst.

Und dann bin ich einfach eingeschlafen, habe mich nur, als ich beim Bettenmachen war, mal einen Moment ausgestreckt und die Augen geschlossen.

Als ich aufwache, ist es tiefe Nacht.

Die kleine Tischlampe brennt. Agnes liegt auf der anderen Seite und dreht mir ihren Rücken zu. Sie hat mir die Schuhe ausgezogen und mich zugedeckt.

Auf einmal weiß ich, was ich Gerolf morgen fragen muss. Ich lösche die Lampe, schlafe wieder ein.

Ich habe zwar einen Schlüssel zu der Ginzel'schen Wohnung, aber ich ziehe es vor, immer zuerst zu klingeln, bevor ich aufschließe. Kündige mich lieber an.

Heute früh, mein Finger auf dem Klingelknopf. Erst da merke ich, dass es wie damals war – in der Wohnung ist Musik.

Therese Ginzel macht auf.

Sie lächelt, fröhlich und verlegen zugleich. »Es tut mir Leid, Katharina. Aber Gerolf ist heute zu Haus geblieben. Nach diesem künstlerischen Triumph – ich denke, da kann er schon mal einen Tag feiern, nicht wahr? Wenn du heute lieber nicht kommen willst – schließlich haben wir eine Abmachung.«

»Oh doch, ich denke, dass es sogar gut ist«, sage ich und überschreite die Schwelle. »Ich will mit ihm reden, wenn sie erlauben.«

»Aber Katharina, nichts ist mir lieber als das!«

Ich bin schon an ihr vorbei, dem Klavierspiel nach. Warte, bis er mit einem Akkord abschließt. Ich habe ja Ehrfurcht vor solchen Sachen. Dann klopfe ich an und öffne gleichzeitig.

Der Raum ist bunt verkramt, seit er zurück ist. Mit einem Blick nehme ich noch einmal die vielen Musikerbilder an den Wänden wahr, die Notenstapel. Auf einem Kleiderständer hängt die HJ-Uniform. Ihr Anblick wappnet mein Herz mit dem nötigen Eis.

Er springt auf vom Flügel, die Augen strahlend, und fliegt auf mich zu. Kurz vor mir bleibt er stehen, als würde ihn etwas aufhalten, eine unsichtbare Linie. Der Glanz erlischt. Seine Augen werden ernst und fragend.

Er merkt alles an mir. Ich und er und er und ich, wir stehen uns gegenüber, und da ist wieder die gläserne Kugel, die sich um uns schließt. Wer bricht so etwas entzwei?

»Ich bin …«, will er sagen, aber ich falle ihm ins Wort. Und frage einfach das, was ich ihn seit heute Nacht, seit gestern Nacht, ja, eigentlich seit gestern am Tage fragen will: »Was ist mit Mohr geschehen?«

Sein Gesicht wird fahl. Er sieht mich an und atmet stockend aus.

»Aber das musst du verstehen. Ich habe mit meinem Vater lange darüber gesprochen. Er hat mich überzeugt. Das ist eine Spritze, verstehst du. Es geht ganz schnell. Das Tier muss nicht leiden.«

»Mohr«, sage ich. »Du mochtest ihn doch auch. Hast ihn gestreichelt, nicht wahr?«

»Die bösen Einflüsse spürt man erst später.«

»Wie kann man so etwas tun?«, flüstere ich.

Er sieht mich an, die Augen flammend im blassen Gesicht. »Du verstehst nicht. Opfer gehören dazu, wenn wir überleben sollen.«

»Nein«, sage ich, »das verstehe ich nicht. Opfer. Hunde und Katzen, nur, weil sie bei Menschen waren, die – die keine Arier sind. – Also, das ist das eine. Weiter. Das nächste Opfer. Paulas Ausstellung.«

»Wer hat es dir gesagt?«

»Niemand hat mir etwas gesagt. Ich bin von allein darauf gekommen.«

»Aber, versteh doch nur, wir konnten es nicht zulassen, dass eine Ausstellung entarteter Kunst hier im nationalsozialistischen Berlin stattfindet! Die Bilder dieser Frau – sie ist eine Jüdin.«

»Mischling«, verbessere ich. »Wenn schon, denn schon. Und ich habe es dir erzählt. Habe sie dir verraten. Ich habe sie an dich und deine Volksgenossen verraten.«

»Katharina! Mach es mir doch nicht so schwer. Es geht um dich, um uns beide! Ich will doch nichts weiter, als dich befreien von den finsteren und schweren Dingen, die dir noch anhaften wie eine Hülle am Schmetterling. Das sind die Geburtswehen. Und das schmerzt manchmal.«

»Dich auch?«

»Oh ja. Mich auch.« Sein Gesicht ist verdüstert von Wehmut.

Ich möchte ihn sehr gerne berühren. Ich möchte ihn immer noch küssen und an mir spüren, auch wenn er ein Ungeheuer ist. Vielleicht ist das das Schrecklichste bei all dem. Aber ich höre nicht auf.

»Und Bruno? Bruno Kempner. Der Lebensgefährte von meiner Großmutter. Hattet ihr da auch die Hand im Spiel?«

»Dieser Mann mit dem Klumpfuß? Katharina, er hat sich selbst reingeritten, mit seinen unflätigen und defätistischen Reden über unsere Bewegung. Das ist ein Mensch, der sehr genau zeigt, wie stark eine Verformung des Körpers und des Geistes zusammenhängen. Aber diese Verhaftung, davon wusste niemand etwas. Als ich es von dir erfuhr – wir haben ihn vor dem Schlimmsten bewahrt, Katharina.«

»Wie denn das?«

»Er wäre in ein Lager gekommen.«

»Ich weiß nicht, ob das für ihn tatsächlich schlimmer gewesen wäre«, sage ich. »Für ihn ist es wohl, als wenn er seine Würde verloren hat. Vielleicht entgegnest du mir jetzt, Leute wie er haben gar keine. – Aber was ist denn mit diesen Lagern?«

Er sieht beiseite. »Ich habe gehört, dass sie sehr hart sind. Und sie müssen sehr hart sein«, sagt er gepresst. »Erziehung. Arbeit macht frei.«

»Und du bist dafür?«

»Ich – man kann diese Dinge nicht so einfach sehen, wie du das möchtest, Katharina!«

»Was möchte ich denn, Gerolf? Hat dich je gekümmert, was ich möchte? Alles war im Plan. Operation Katharina, nicht wahr? Erziehung. Weg mit der verkehrten Meschpoke, sogar weg mit der Katze. Erster Schritt. Zweiter Schritt: Katharina zum Begucken, und Katharina zum Lernen, wie schön eine intakte Familie ist. Die Magd wird irgendwann erhoben, nachdem sie geläutert ist. Bloß, ich will nicht Katharina sein, die Reine. Ich bin die Katze. Die Katze, die keiner fängt. Ich mach heute meine Arbeit hier zu Ende. Und dann bin ich fort. Dann kündige ich. Der Ginzel-Plan ist gescheitert.«

Er sieht mich an, immer bleich mit Augen wie Flammen im Gesicht, und sagt: »Es gibt auf der Welt kein Mädchen wie dich, egal, ob Katze oder Katharina. So oder so bist du für mich die Einzige.«

Und alles ist überhaupt nicht vorbei. Da stehn wir und – irgendetwas zwingt uns wieder in die Arme, und wieder weiß ich nicht, wo ich aufhöre zu sein und wo er anfängt.

»Ich werde dich nicht loslassen«, sagt er.

Ich halte sein Gesicht in meinen Händen und kann mich nicht satt sehen an ihm, die braunen Augen, der zarte Flaum über dem Mund, die Falte zwischen seinen Brauen. Ich küsse ihn noch einmal und murmele so leise, dass es wie ein Hauch ist, der über seine Gesicht geht: »Du hast eine Katze ermorden lassen, Gerolf. Vielleicht würdest du auch noch etwas anderes als Tiere ermorden«, und er murmelt: »Für dich, ja. Für dich alles. Und mit dir bis ans Ende der Welt.«

»Ich geh jetzt«, sage ich. »Such mich. Vielleicht am Ende der Welt –«

Ich hab gelernt, gewissenhaft zu sein. Ich bringe die Sachen zu Ende. Also nehm ich mir vor: Erst bügele ich. Dann schäle ich die Kartoffeln fürs Mittagessen. Dann hole ich die Wäsche vom Dachboden. Und dann kann ich hier weg.

Ich bin müde, bleiern müde.

Als ich die Stufen zum Boden hochsteige, wird mir jeder Schritt zu viel.

Ich nehme die erste Reihe Wäsche ab, das sind buntkarierte Küchentücher. Ich ziehe und falte sie und lege sie in meinen Korb. Die zweite Reihe sind die großen weißen Schürzen, wie sie Frau Ginzel im Küchenbereich trägt.

Als ich die Erste abgenommen habe, ist es direkt vor mir.

Die groben Schuhe. Die dunkelbraunen Strümpfe. In Augenhöhe. Das, was da hängt.

Ich fühle gar nichts.

Meine Hände haben nichts mit mir zu tun. Sie machen einfach weiter. Falten die Schürze und legen sie in den Korb. Heben den Korb auf. Ich gehe langsam rückwärts zur Tür, auf Zehenspitzen, wie wenn man sich aus dem Käfig eines Raubtiers entfernt. Keinesfalls sehe ich höher hinauf. Das ist auch unnötig. Ich kenne Paulas Sachen sehr genau.

An jeder Seite des Bettes, auf dem ich liege, zu Füßen, sitzt eine Gestalt in Schwarz. Die Todesengel? Ich fühle mich irgendwie ganz leicht. Bin ich schon in einer anderen Welt, und alles ist nicht so schlimm? Mein Mund ist pelzig und ausgedörrt.

»Durst«, sage ich. »Und wo ist meine Brille?«

Die eine gibt mir kalten Tee. Die andere die Brille. Als ich sie auf der Nase habe, werden die beiden Gestalten zu Luise und Agnes.

»Was ist das hier? Wo bin ich?«

»Charité«, antwortet Luise. »Du warst krank«.

»Nee, nich krank«, ergänzt Agnes barsch. »Weggetreten.«

»Aber mir geht es gut.«

»Sie haben dir eine Spritze gegeben. Dadurch fühlst du dich gut.«

Und dann weiß ich es wieder.

»Paula?« Ich richte mich auf und setze die Füße auf den Boden.

»Liegen bleiben!«, mahnt Agnes und drückt mich wieder runter. »Sonst müssen wir den Arzt rufen.«

»Aber –«

Keine sieht mich an. Schließlich sagt Luise: »Du hast es doch selbst gesehen, Kind.«

»Sie ist tot?«

Nun nicken sie beide, die Frauen in Schwarz.

Ich bin ohne jedes Gefühl. Wie ertaubt.

»Kann ich sie sehen?«

Kopfschütteln.

»Aber ich –«

»Lieber nich, Käthe. Bitte. Lieber nich. Behalt sie man so in Erinnerung, wie du sie hast.«

Ich lasse mich wieder zurücksinken. Die Welt besteht aus Watte und darunter lauert der Schmerz. »Ich will hier weg«, sage ich und merke, wie die Tränen aus mir herausströmen, ohne dass ich irgendetwas dafür oder dagegen tun kann. Einfach so. Als wenn meine Augen Brunnen wären, die von einem Regenguss überlaufen. Bin selbst wie tot. Wir haben uns nicht einmal versöhnt. Nicht noch ein einziges Mal in die Arme genommen.

»Sie meinen hier, du solltest vielleicht noch ein, zwei Tage warten, bis du wieder in deine Umgebung kommst. Also, in die, wo es – wo es passiert ist. Und schlafen. Richtig ausschlafen.« Das ist Luise.

Agnes hat ein Glas ergriffen und ein Fläschchen. Sie träufelt eine Flüssigkeit aus dem Fläschchen, wobei sie leise mit zusammengekniffenen Augen zählt. »… dreißig. Hier. Dreißig hat der Arzt jesagt.«

»Was ist das?«

»Zum Schlafen.« Ich richte mich auf und schlucke das braune Zeug. Es schmeckt süßlich. Schlafen ist gut. Ich lege meinen Kopf auf dem Kissen zurecht, suche einen Fleck, den ich noch nicht nass geheult habe. Es wirbelt mich ganz schnell weg. Aber dann fällt mir noch etwas ein. »Kann einer von euch noch meine Stelle bei Frau Ginzel kündigen? Ich wollte es sowieso machen. Mein Arbeitsbuch liegt zwischen den Kassenzetteln unten im Keller …« Meine Lippen werden schon lahm.

»Kündigen«, höre ich Agnes gerade noch sagen. »Wird jemacht, Meechen.«

Dann bin ich wieder weg.

Am nächsten Tag darf ich wirklich nach Hause. Weil ich so tapfer und gefasst bin, sagt der Arzt. Aber das bin ich gar nicht. Ich bin bloß ertaubt.

Die beiden Frauen holen mich ab. Ich bin so voll gestopft mit Beruhigungsmitteln, dass ich sogar den Anblick unseres Hauses mit Fassung ertrage. Zu meinem Erstaunen gehn wir aber nicht auf den Hinterhof, sondern in die Beletage.

Luise hat mir eins der leer stehenden Zimmer im Seitenflügel einrichten lassen.

»Wir haben uns gedacht, dass du hier vielleicht besser aufgehoben bist als da hinten in der ollen Bude, solange du noch da bist«, sagt sie. Die zweite Hälfte des Satzes ist mir unklar, aber ich frage nicht nach. Mich packt hier eine gewisse Furcht. Furcht vor den Tönen …

»Ich weiß nicht, ob ich hier sein möchte«, sage ich. »Wenn zum Beispiel da oben Klavier gespielt wird …«

»Du kannst sicher sein, dass ich das unterbunden habe«, entgegnet sie kurz. Was hatte Paula mal gesagt? »Luise macht das schon. Luise denkt an alles.« –

»Wann – wann ist die Beerdigung?«, frage ich.

Luise rückt irgendeine Vase auf dem Tisch gerade, streicht mit der Hand übers Tischtuch. »Die ist schon gewesen, Käthe«, sagt sie. »So eine jüdische Selbstmörderin, die bringt man bei Nacht und Nebel unter die Erde. Ist auch wirklich besser so. Damit wir nicht noch den nächsten *Stürmer*-Artikel haben.«

Ich schweige, schlucke an meinen Tränen. Denke daran, wie ich mit Paula über diesen kalten Friedhof gelaufen bin und sie voll war von Plänen für sich und mich …

»Brauchst du noch was?«

Sie fragt mich, glaube ich, schon zum zweiten Mal. »Ja«, antworte ich. »Mein Zeichenzeug. Bitte, wenn das geht. Ich habe es im Laden ganz hinten zwischen den Sommerbeständen abgestellt. Agnes wird es sicher finden.«

»Wenn es da unten nicht schon verschimmelt ist«, knurrt Luise.

Aber es ist nicht verschimmelt, bloß das Papier ein bisschen feucht und muffig riechend.

Gleichzeitig damit bringt mir meine Großtante Luise einen Umschlag.

»Den wollte ich dir erst geben, wenn du wieder in Ordnung bist. Für dich. Lag in Paulas Zimmer. Wenn was ist und du fühlst dich schlecht, ruf mich, ja?«

Wohl zehn Minuten sitze ich und starre auf diesen Brief und kämpfe mit dem Krampf und dem Zittern in mir. Das darf jetzt nicht sein. Paula will mit mir reden. Ich kann jetzt nicht einfach umkippen, bloß weil ihre Stimme von weiter her zu mir kommt. Briefe erreichen ihre Absender nun mal später.

Ich bemühe mich, ruhig zu atmen, bis ich wieder bei mir bin. Dann schiebe ich meine Brille auf die Stirn und nehme den Umschlag. FÜR KATZE. Paulas Schrift ist groß und ebenmäßig und erinnert mich daran, dass sie freihändig Kreise zeichnen konnte.

Ich reiße das Kuvert auf, entfalte den Bogen und beginne zu lesen.

»Liebe Katze, ich fürchte, zwischen uns beiden, das wird nicht so schnell wieder gut. Und das ist sehr schade, denn für mich bleibt eigentlich nichts weiter. Wenn ich bloß ein bisschen mehr Zuversicht aufbringen könnte und ein bisschen mehr Geduld. Dann würde ich warten, bis du und ich wieder beieinander sein könnten, warten, bis das Eis des Zorns und der Traurigkeit von deinem Herzen weggeschmolzen ist. Ich bin ganz sicher, dass das irgendwann einmal so weit sein wird. Aber ich habe einfach keine Lust, so lange zu warten, in dieser Finsternis, in die wir hineintreiben hierzulande.

Um es geradeheraus zu sagen: Mir gefällt das Leben nicht mehr. Es gefiel mir schon lange nicht mehr. Aber du, meine Meisterschülerin, hast mir noch einmal ein paar Jahre gegeben, wo es warm und hell um mich herum war.

Sei nicht allzu traurig, wenn ich weggehe. Dich trifft keine Schuld. Nicht die geringste. Und hör bloß nicht mit dem Malen auf. Bitte. Du bist sehr begabt.

Es ist ja auch einfacher so – wo wir sowieso nur eine Schiffspassage haben. Drüben wirst du sicher PAULAS KATZE wieder finden. Kümmere dich ein bisschen um das Bild, falls du kannst. Es ist eigentlich für dich gemalt. Aber das weißt du ja.

Ich mach mich jetzt also auf den unbekannten Weg. Mit Angst, aber die hat man ja immer, wenn man irgendwohin aufbricht.

Ich nehme dich in Gedanken noch einmal in den Arm. Deine Paula.« –

Nun endlich kann ich richtig aus tiefstem Grund weinen.

***

Luise isst mit mir zu Abend. Sie guckt sich aufmerksam mein verweintes Gesicht mit den verschwollenen Augen an, aber sie sagt nichts.

Ich gebe mir Mühe, etwas zu essen. Bei Luise muss man sich zusammennehmen.

Als wir gemeinsam das Geschirr spülen, sagt sie: »Wie ich Paula kenne, hat sie dir was nahe gelegt in ihrem Abschiedsbrief, oder?«

»Ja«, erwidere ich einsilbig.

»Also, um das noch mal klarzustellen: Du bist außer Gefahr. Und nun erst recht. Wenn du den Mund hältst über deine Herkunft, passiert dir nichts. Der Einzige, der es weiß außer Agnes und mir und dir, der Beamte vom Standesamt, er ist nicht mehr im Land und ausgezahlt. Du musst nicht.«

»Ich denke aber, dass ich die Nase voll habe von der Lügerei«, sage ich, heftiger, als ich eigentlich wollte.

Sie nickt, ohne sich aufzuregen. »Das hab ich mir gedacht. Wenn man in deinem Alter ist, da denkt man noch, man sollte ohne Kompromisse durchkommen und ohne Lügen.« Sie lacht kurz auf. »Schön wär's. Um die Sache kurz zu machen: Deine Großmutter und ich, wir wollen dich auf die Reise schicken. Ich habe schon alles veranlasst. Du bist noch vor Weihnachten in Amerika. Bertrams Verwandte erwarten dich.«

Ich lasse das Geschirrtuch sinken und sehe sie verblüfft an.

»Was, wenn ich Nein gesagt hätte?«

»Du vergisst, dass du noch nicht volljährig bist«, entgegnet sie gleichmütig. »Die Einwilligung deiner Großmutter hätte genügt.«

»Agnes und du, ihr seid wohl auf einmal ein Ei und ein Kuchen, wie?«

»Vergreif dich mal nicht im Ton, Käthe, oder Katze. Immerhin redest du von deinen Großmüttern – mehr oder weniger.« Sie reicht mir den nächsten Teller. »Es ist einfach eine Frage der Vernunft. Wir waren vier Schwestern. Hedwig ist schon zehn Jahre tot und von der Kleinen hab ich ewig nichts mehr gehört. Vielleicht kommen wir besser weg über das, was hier im Land passiert, wenn wir ein bisschen enger aneinander rücken, wir beiden. Agnes gibt die Hinterhofwohnung auf und zieht zu mir. Wir müssen uns ja nicht ständig sehen. Jede hat ihr Geschäft zu betreuen. Ich hab immer viel Ärger mit ihr gehabt, das stimmt. Das Schlimmste war damals, als sie mir Bertram ausgespannt hatte. Aber na ja. Die Sachen mit den Kerlen dürften ja nun wohl allmählich vorbei sein für sie. Und was den Schnaps angeht – das treib ich ihr schon aus. Und wenn die Fetzen fliegen.«

Ich seh sie da stehen, klein und unbeugsam in ihrem schwarzen Kleid, die Ärmel bis zu den Ellenbogen hochgekrempelt, wie sie im Spülwasser herumfuhrwerkt, und zweifele keinen Augenblick an ihren Worten.

»Übrigens, da ist noch was«, sagt sie. »Dieser Bengel von da oben. Dein Freund. Er steht mir ständig vor der Tür. Will dich sprechen. Bis jetzt hab ich ihn abgewimmelt.«

»Ich glaube schon, dass ich ihn sprechen muss«, sage ich. »Man muss die Dinge ja zu Ende bringen.«

»Na, wie du willst. Aber denk dran …« Sie hebt die nasse Hand aus dem Wasser, reckt den Zeigefinger. Ich lasse sie nicht zu Wort kommen. »Ich denke an alles, Tante Luise«, sage ich ruhig. »Du musst dir keine Sorgen machen.«

Wir treffen uns wieder in Luises Salon – ein richtiger Besuch. Es steht sogar ein Fruchtsaft auf dem Tisch. Ich muss an die Zitronenlimonade denken, im Kaufhaus. Wie unersättlich ich war –

Luise lässt demonstrativ die Tür offen, damit ein Gedanke an Intimität gar nicht erst aufkommen kann.

Gerolf ist in seiner Schüleruniform. Er sitzt auf der Stuhlkante und dreht die Mütze zwischen den Fingern. Er ist bleich vor Erregung und seine Augen leuchten.

»Ich bin so froh, dich zu sehen, Katharina«, flüstert er. »So froh. Diese entsetzliche Geschichte – du wirst darüber hinwegkommen. Es wird dauern, ja. Aber die Zeit heilt die Wunden. Und vielleicht siehst du es doch irgendwann einmal als einen Teil des Guten, das aus dem Übel hervorwächst. Eine Reinigung, von der ich so oft zu dir gesprochen habe …«

»Bevor du weiterredest, Gerolf: Die Tote war nicht meine Tante. Sie war meine Mutter.«

Er sieht mich an, ohne zu blinzeln, und wird, falls das denn überhaupt möglich ist, noch einen Schein bleicher.

»Das ist ja –« Er stottert. »Das ist ja entsetzlich, Katharina.« Langsam hebt er die Hände. Seine Mütze rollt zu Boden. Er presst die Handballen gegen seine Augen. Sein Mund steht offen. »Sag, dass es nicht wahr ist«, flüstert er.

»Doch, es ist belegt und bewiesen. Aber was ist jetzt für dich das Entsetzliche? Dass ich meine Mutter verloren habe, oder dass du eine Jüdin liebst?«

Er antwortet nicht.

»Sag mir, was das Entsetzliche ist!«, beharre ich. Er lässt seine Hände sinken. »Aber du bist nur zu einem Viertel …«

Ich unterbreche ihn. »Oh nein. Mein Vater war, wie es so schön heißt, Volljude.«

Langsam sinken seine Hände herunter, er sieht mich an. Augen voller Verständnislosigkeit und voller Schmerz.

»Mach dir keine Gedanken«, sage ich sachlich. Soweit ich denn jetzt sachlich sein kann. »Ich gehe fort aus Deutschland.«

Er beißt sich auf die Lippen. »Katharina! Nein! Du darfst nicht fort! Ich werde das verhindern!«

»Verhindern? Wie denn? So wie bei Mohr vielleicht, mit einer Giftspritze?«

»Hör auf! Bitte, hör auf!« Seine Lippen zittern. Dann reckt er sich gerade und sagt entschlossen: »Ich werde dich schützen.«

»Mich schützen? Wie denn?«

Sehr ernst sagt er: »Ich werde dich heiraten.«

»Mich heiraten? Gerolf! Mir scheint, ich habe die Gesetze genauer gelesen als du. Die Heirat eines deutschen

Mannes mit einer Jüdin ist verboten. Zuwiderhandlung wird mit Zuchthaus bestraft.«

»Niemand weiß von deinem Vater. Wenn du als ein Mischling zweiten Grades giltst –«

»Niemand? Aber du, Gerolf, du weißt es doch! Der Mythos der Rasse! Die Reinheit des Blutes! Die Erhaltung des Deutschtums! Wie willst du denn damit leben? Sieh mich an, hier sitze ich, das nordische Mädchen, Katharina, die Reine! Ich bin eine Jüdin, Gerolf.« Er steht da wie versteinert. Seine Lippen zittern.

»Was sollen wir nur tun, Katharina? Was sollen wir denn nur tun?«

Ich bin aufgestanden und habe meine Arme um ihn gelegt.

»Wir sollen gar nichts tun«, sage ich leise. »Nur ich tue etwas. Und ich denke, dass ich das meiner toten Mutter schulde. Und zu dir sage ich Lebewohl.«

Ich führe ihn hinaus aus der Stube, über die Diele, zur Tür. Er ist wie blind. Ich schiebe ihn auf den Hausflur und mache die Tür behutsam hinter ihm zu.

»So«, sage ich halblaut zu mir selbst. »Nun habe ich nichts mehr, was mich hier hält. In Ordnung, Paula?«

Aber dann muss ich schnell auf mein Zimmer und mich einriegeln. Luise mag ich jetzt nicht sehen.

Später klopft es. Luise, so ungerührt wie eh und je, fragt sachlich: »Alles in Ordnung?«

Ich nicke.

»Sehr gut«, sagt sie. Es klingt befriedigt. »Ach, übrigens: Für mich war so etwas wie ein Abschiedsbrief da. Meine alte Tanzkarte. Keine Ahnung, wie die in ihre Hände geraten ist. Sie hat was draufgeschrieben. Nicht direkt für mich, nehme ich an.«

Sie streckt mir dies Stück Papier entgegen, seidig schimmernd, mit dem schönen Spitzenrand. »Da.«

»Was soll ich damit?«

Sie zuckt die Achseln. »Was du willst. Schmeiß es weg oder heb es auf. Ich – ich will es nicht. Ich mag mich nicht mit Gefühlen belasten.«

Sie dreht sich um und geht. Da liegt das Ding. Ich will nicht wissen, was da aufgeschrieben steht. Es geht mich nichts an. Werd es bei Agnes irgendwo unter die Papiere schieben, dahin, wo es schon einmal war. –

Es ist genau eine Woche vor Weihnachten, als mich Agnes und Luise zum Bahnhof Zoo bringen. Der Nachtzug nach Hamburg geht um acht Uhr abends. Ich werde noch vor Mitternacht auf dem Schiff sein.

Agnes wollte unbedingt ein Taxi nehmen, aber da war Luise energisch dagegen: »Wozu denn das? Das Kind hat doch kein großes Gepäck. Das schaffen wir auch mit der S-Bahn.«

Nein, großes Gepäck habe ich wirklich nicht. Eigentlich wäre der Koffer aus Vulkanviber, den Luise aus irgendeiner Ecke hervorgezaubert hat, gar nicht nötig gewesen. Für die paar abgeschabten Kleider und Schuhe. Die wenigen Bücher, die ich von Paula bekommen habe. Meinen Skizzenblock habe ich bei mir in der Schultasche, die als Reisehandtasche herhalten muss. Und das Englischlehrbuch für die Überfahrt.

Die S-Bahn ist überfüllt an diesem Abend. Es gibt zwei Sorten Fahrgäste. Die einen haben sichtlich ihre Weihnachtseinkäufe getätigt. Sie schleppen sich mit Päckchen und Paketen oder sogar mit Tannenbäumen, die zu grünen Pyramiden verschnürt sind ab. Es riecht würzig nach den Nadeln und ich sauge den Geruch gierig ein. Ein Abschiedsgeruch.

Die anderen Passagiere sind Uniformierte. Männer, Jungen und Mädchen in Braun und Schwarz. Sie haben zum Teil Musikinstrumente und zusammengerollte Fahnen dabei. Die Kinder tragen trotz der winterlichen Kälte draußen Kniestrümpfe. Ihre Beine sind blau gefroren, wenn sie hereinkommen. Die Gruppen sind laut und fröhlich. Manche singen auch. »Es zittern die morschen Knochen« höre ich, und an einer anderen Ecke des Waggons genauso lautstark »Schärft die langen Messer«.

Wahrscheinlich wird am Ku'damm wieder einmal einer dieser Aufmärsche sein. Mir fällt ein, wie ich mit Gerolf bei dem Fackelzug war, und ich fasse unwillkürlich nach meinen Haaren. Aber ich trage eine gestrickte Kappe tief in die Stirn gezogen.

Friedrichstraße wird es noch voller. Die Leute schubsen und drängeln. Meine beiden Begleiterinnen in Schwarz gucken vor sich hin, als ginge sie das alles gar nichts an. Luise trägt ihren Halbschleier bis zur Nase, und Agnes hat sich ein Kopftuch umgebunden. Ich stehe auf, um einer alten Dame, beladen mit Tüten, meinen Platz anzubieten. Sie nickt mir kurz zu. Ihr Blick geht in die Runde. »Gesockse«, flüstert sie mir verschwörerisch zu. Ich tue so, als wenn ich nicht verstanden hätte und presse krampfhaft meine umgearbeitete Schultasche mit den Papieren und Fahrkarten an mich.

Jetzt, wo ich stehe, kann ich durch das Fenster in den anderen Waggon sehen und entdecke dort Hannelore Blaschke inmitten einer Schar BDM-Mädchen aus meiner alten Schule. Schnell drehe ich ihnen den Rücken zu.

Mir ist heiß geworden. Auf einmal habe ich Angst. Angst, dass noch im allerletzten Moment etwas passieren könnte. Das mich irgendwer oder irgendetwas aufhalten könnte. Dass mein Geld nicht reicht oder jemand mir ins Gesicht guckt und schreit: Haltet sie, das ist die Katze! Die darf uns nicht entkommen!

Ich versuche, ruhig zu atmen. Gleich bin ich fort. Gleich draußen. Keiner will etwas von mir. Keiner kennt mich. Keiner weiß um mein Geheimnis.

Als sich der Zug in Tiergarten leert – der Aufmarsch findet also wohl an der Siegessäule statt –, atme ich auf. Dies irrwitzige Gefühl, das weiß ich, würde mich über die nächsten Jahre begleiten, wenn ich hier bliebe. Angst. Angst hätte auch Paulas Leben beherrscht, wenn sie geblieben wäre. Ich sehe umher in dem nun wieder normal besetzten Wagen. Irre ich mich oder lese ich auf den Gesichtern der anderen die gleiche Erleichterung? Aber es kann ja auch sein, dass sie nur froh sind, mehr Platz zu haben. –

Der D-Zug nach Hamburg steht bereits unter Dampf. Große schwarze Rauchwolken wirbeln durch die Halle. Es riecht nach Kohle.

Meine beiden Großmütter müssen sich noch Bahnsteigkarten kaufen, eh sie mit mir durch die Sperre können. Ich warte voller Ungeduld.

Wir gehen den Bahnsteig entlang, vorbei an eng umschlungen Abschied nehmenden Liebespaaren und eifrigen Geschäftsreisenden – drei Frauen, eine junge in der Mitte und zwei alte rechts und links. Wir gehen schnell und stetig. Ich halte meine Platzkarte in der Hand.

»So, Katze«, sagt Luise. »Das wär's also. Erwarte nicht, dass wir hier mit reinkraxeln. Du machst das Fenster runter, wenn du deinen Platz hast, ja?«

Ich nicke. Wir stehen uns zögernd gegenüber. Wann habe ich Agnes das letzte Mal umarmt? Und Luise? Luise noch niemals. Sie machen keine Anstalten. Ich glaube nicht, dass sie es erwarten. Also nicke ich und steige ein, suche meinen Platz und öffne dann das Fenster.

Wir schweigen uns an. Sagen ein paar Allgemeinplätze. »Passt gut auf euch auf.« »Ich schreibe gleich, wenn ich drüben bin.« »Achte auf deine Sachen.« »Sei vorsichtig bei Zugluft.«

Eigentlich heißt das alles etwas ganz anderes. Die Schwestern machen nicht viel Worte, das ist nicht ihres. Jede von uns dreien weiß, dass wir uns höchstwahrscheinlich nie wieder sehen werden.

Gepäckträger mit prall gefüllten Koffern folgen Damen im Pelz. Elektrokarren rollen vorüber und hupen hysterisch. Ansagen tosen verzerrt durch die Halle. Der Rauch flattert in Schwaden vorüber. Ich recke den Hals zum Ausgang, obwohl ich doch niemanden erwarte. Schaffner und Zugführer werden aktiv. Kommandos, Aufforderungen, Pfiffe. Das Zuschlagen der Türen, näher kommend, immer näher. Unausweichlich näher.

Der Moment der Stille. Dann fährt der Zug an.

Die meisten Leute auf dem Bahnsteig halten Tücher in der Hand, winken. Die beiden Schwestern in Schwarz stehen da mit hängenden Armen. Ich beuge mich weit aus dem Fenster. Wir gewinnen an Fahrt.

Vorn an der Sperre taucht eine Gestalt in der Uniform der *Hitler-Jugend* auf, rennt mit erhobenen Armen dem Zug hinterher. Verschwindet zwischen den Rauchschwaden, taucht wieder auf. Kommt näher.

Ich nehme meine Brille ab. Sehe nichts mehr. Schließe das Fenster und ziehe die Vorhänge zu. Kein Berlin mehr. Kein Deutschland mehr. Und kein Gerolf mehr.

Ich bin allein im Abteil. Mache kein Licht an. Lehne den Kopf gegen das Polster und lausche dem Rhythmus der Räder auf den Schienen.

Muss von hier fort und woanders hin.

Zeittafel

30.1.1933 Hitler wird Reichskanzler.

27.2.1933 Reichstagsbrand. Die Nationalsozialisten beschuldigen die Kommunisten der Brandstiftung. Noch in der gleichen Nacht beginnt eine planmäßig organisierte Verhaftungswelle gegen Funktionäre der KPD, der SPD und der Gewerkschaften. Es folgte die »Verordnung zum Schutz von Volk und Staat«, die wesentliche demokratische Grundrechte außer Kraft setzte.

24.3.1933 »Ermächtigungsgesetze«: Die gesetzgebende Gewalt wurde für 4 Jahre der Regierung übertragen – die faktische Ausschaltung des Reichstags, das Ende der parlamentarischen Demokratie.

1.4.1933 Die NSDAP ruft öffentlich zum Boykott aller jüdischen Geschäfte auf.

7.4.1933 »Gesetz zur Wiederherstellung des Berufsbeamtentums« – Entlassung von Juden aus dem öffentlichen Dienst und aus leitenden Stellen der Wirtschaft.

14.7.1933 »Gesetz zur Verhütung erbkranken Nachwuchses«. Bei acht Krankheitsfällen (angeborener Schwachsinn, Schizophrenie, manisch-depressives Irresein, Epilepsie, Veitstanz, erbliche Blindheit und Taubheit und schwere körperliche Missbildungen) konnte ein Mensch auch gegen seinen Willen sterilisiert, also unfruchtbar gemacht werden. So genannte Erbkranke, die sich in Anstalten befanden, konnten dort auch gegen ihren Willen oder gegen den Willen der Angehörigen festgehalten werden. 1934 bis 1936 wurden rund 167000 erbkranke Männer und Frauen sterilisiert, darunter auch schwere Alkoholiker.

15. 9. 1935 Gesetz zum Schutze des deutschen Blutes und der deutschen Ehre«
Verbot von Eheschließungen sowie außerehelichem Geschlechtsverkehr zwischen Juden und Nichtjuden.
Wer als Jude gelten sollte, wurde am 14. November 1935 von der ersten Durchführungsverordnung zum Reichsbürgergesetz bestimmt:
»... Jude ist, wer von mindestens drei der Rasse nach volljüdischen Großeltern abstammt ... Als volljüdisch gilt ein Großelternteil ohne weiteres, wenn er der jüdischen Religionsgemeinschaft angehört hat ...«
»Jüdischer Mischling«, bzw. »Mischling 1. Grades« ist, wer zwei jüdische Großelternteile hat. Menschen mit einem jüdischen Großelternteil werden als »Mischling 2. Grades« betrachtet und Menschen »deutschen Blutes« gleichgestellt.

9. 11. 1938 Reichskristallnacht: Nach dem Attentat eines Juden auf einen deutschen Diplomaten in Paris gab es ein organisiertes Pogrom gegen Juden. Synagogen, jüdische Geschäfte und jüdische Häuser wurden zerstört; Juden wurden misshandelt und erschlagen.

23.11.1939 Einführung des »Judensterns« in den von Deutschland besetzten Gebieten. »Alle Juden, die das sechste Lebensjahr vollendet haben, müssen sichtbar auf der linken Brustseite einen Sechsstern aus gelbem Stoff mit der Aufschrift ›Jude‹ tragen.« Ab 2.9.1941 gilt die Verordnung auch im Deutschen Reich und im Protektorat Böhmen und Mähren.

Vor dem Ausbruch des Zweiten Weltkrieges (1.9.1939) wanderten 250000 der 500000 deutschen Juden aus.

Im September 1941 wird im Konzentrationslager Auschwitz zum ersten Mal das Blausäurepräparat Zyklon B zur Vernichtung von dort inhaftierten Menschen eingesetzt.